KB077187

이경기의 영화 음악(OST) 총서 Vol.31

1980-2023년 흥행가를 장식한 음악영화들

영화음악, 빌보드 Pick-Up 사운드트랙 40

Film Music, Billboard Pick-Up Soundtrack 40

이경기의 영화 음악(OST) 총서 Vol. 31
1980-2023년 흥행가를 장식한 음악영화들
영화음악, 빌보드 Pick-Up 사운드트랙 40

발 행 | 2023년 12월 20일
저 자 | 영화 칼럼니스트 이경기
펴낸이 | 한건희
펴낸곳 | 주식회사 부크크
출판사등록 | 2014.07.15.(제2014-16호)
주 소 | 서울시 금천구 가산디지털1로 119 SK트윈테크타워 A동 305-7호
전 화 | 1670-8316
이메일 | info@bookk.co.kr

ISBN | 979-11-410-5891-3

영화음악,
빌보드 Pick-Up
사운드트랙 40

이 경 기
(국내 1호 영화 칼럼니스트)

머리말

영화 배경 음악에는 함께 제공되는 영화 특성에 따라 매우 다양한 스타일의 음악이 포함된다. 배경 음악 대부분은 서양 클래식 음악에 뿌리를 둔 관현악 작품이다. 하지만 많은 스코어는 재즈, 록, 팝, 블루스, 뉴 에이지 및 환경 음악, 다양한 민족 음악 및 세계 음악 스타일의 영향도 받고 있다.

Film scores encompass an enormous variety of styles of music, depending on the nature of the films they accompany. While the majority of scores are orchestral works rooted in Western classical music, many scores are also influenced by jazz, rock, pop, blues, new-age and ambient music and a wide range of ethnic and world music styles.

1950년대 이후 점점 더 많은 스코어에 일렉트로닉 요소가 악보의 일부로 포함 되고 있다.

오늘날 쓰여진 많은 악보에는 오케스트라와 전자 악기가 혼합되어 있다

Since the 1950s, a growing number of scores have also included electronic elements as part of the score, and many scores written today feature a hybrid of orchestral and electronic instruments.

- 존 록웰 John Rockwell의 '사운드트랙이 영화를 만들 때
When the Soundtrack Makes the Film' 중에서

존 윌리암스가 들려주고 있는 박력 있는 관현악 오케스트라 선율은 〈이티〉 〈죠스〉 〈인디아나 존스〉 등을 히트작으로 만들어 내는 절대적 공헌자라는 것에 절대적으로 수긍하고 있다.

- 스티븐 스필버그

할리우드 초창기에 배경 음악은 화면에서 전개되는 주인공들의 행동을 보조해 주는 소품 역할에 머물렀다.

1970년대 스필버그의 〈죠스〉에서 날카로운 현악 리듬은 식인 상어의 존재감을 실감나게 전달해 주게 된다.

조지 루카스 감독의 〈스타 워즈〉에서 존 윌리암스는 무한 우주 공간에서 펼쳐지는 환타지 극의 흥미로움을 100인조 오케스트라를 초빙해서 웅장하고 시종 심장박동을 자극시키는 웅장한 선율을 펼쳐 주어 관객들에게 사운드트랙 묘미를 실체적으로 깨닫게 한다.

최근에는 사운드트랙의 기능과 역할이 증폭되면서 때때로 영화감독이 배경 음악에 맞추어 화면을 편집하는 수순을 밟기도 한다.

가프리 레지오 Godfrey Reggio 감독은 작곡가 필립 글래스 Philip Glass가 제공한 미니멀리즘 스타일 음악을 바탕으로 해서 〈코야니콰시 Koyaanisqatsi〉와 〈파와콰시 Powaqqatsi〉를 편집하는 등 음악 비중에 초점을 맞추는 연출 시도를 하게 된다.

스파게티 웨스턴 창시자 세르지오 레오네 감독의 콤비 작곡가로 능력을 발휘했던 작곡가가 엔니오 모리코네.

엔니오는 〈좋은 놈, 나쁜 놈, 추한 놈〉 피날레와 〈원스 어폰 어 타임 인 더 웨스트〉 〈원스 어폰 어 타임 인 아메리카〉 배경 음악을 영화 제작 전에 미리 완성한다.

이후 세르지오 감독은 배경 음악에 맞추어 영화 후반부를 편집하는 과정을 거친 것으로 알려졌다.

팝 전문지 '빌보드'는 해마다 할리우드에서 공개되는 수백편의 영화에서 사운드트랙이 큰 비중을 차지하고 있는 작품들을 '특별 선정 pick up'해서 독자들에게 음악 해설 정보를 제공해 오고 있다.

빌보드가 사운드트랙이 뛰어난 작품을 선정하는 데는 몇 가지 선정 기준이 있다.

1. 스토리나 대본에서 제시하고자 하는 메시지에 부합되는 노래 혹은 배경 음악이 창작됐는가?

2. 〈타이타닉〉에서 'my heart will go on'이 흘러 나왔을 때 주인공들의 행적을 떠올려 주는 이미지가 있듯이 특정 장면에 대한 인상을 오래 간직할 수 있는 임팩트가 있는가?

3. 이미 발표된 팝 음악의 작사 사연에 부합되는 영상 화면을 구성하고 있는가?

4. 영화 음악이 화면에서 발생하고 있는 극적인 사건과 조화를 이루고 있는가?

5. 음악과 화면이 완벽한 조화를 이루어 관객들에서 정서적 위안을 제공하고 있는지?

6. 쿠엔틴 타란티노의 경우처럼 라이브러리로 묵혀 있던 팝송을 영화 화면과 일치시켜 새로운 가치를 부여하고 있는 안목을 펼쳐주고 있는가?

이상 몇 가지 선정 근거로 해서 추천되고 있는 음악 비중이 높은 영화들은 관객들에게 새삼 사운드트랙만의 매력을 오래도록 각인시켜 주는 역할을 해고 있다. 이번 책자를 통해 인용, 소개되고 있는 작품은 40여 편이다.

'빌보드'가 추천한 수 백편의 영화 중 필자가 선정한 근거는 다음과 같다.

1. 〈엔니오: 더 마에스트로〉〈에어〉〈6 언더그라운드〉 등 2023년 전후 공개된 최신작 중 특정 영화 음악 작곡가의 업적이나 신예 작곡가들의 움직임을 살펴 볼 수 있는 작품

2. 힙 합 장르로는 최초로 아카데미 주제가 상을 수여 받은 에미넴 주연, 작곡의

〈8 마일〉, 코믹 북 원작을 극화한 작품에서 다채로운 음악 선곡 작업으로 시리즈 제작을 촉발시킨 〈가디언즈 오브 갤럭시〉, 투병 중인 셀린 디옹이 의욕적으로 컴백을 선언하면서 주제가를 불러준 〈러브 어게인 Love Again〉 등 2022-2023 시즌을 장식하면서 최신 영화 음악계 흐름을 엿볼 수 있는 작품

3. 1980년대 댄스 영화 붐을 선도한 〈더티 댄싱〉, 해군 전투 조종사들의 우정과 치열한 승부 근성을 다룬 〈탑 건: 매버릭〉에서 들려준 일렉트로닉 사운드 등 영화 음악 발달에 전환점을 제공해서 장수 인기를 얻고 있는 작품

4. 〈리치몬드 연애 소동 Fast Times at Ridgemont High〉〈사랑도 리콜이 되나요?〉〈블렉퍼스트 클럽〉 등 1980년대 록큰롤을 풍성하게 담아내 청-장년을 비롯해 MZ 세대들에게도 재관람 욕구를 불러일으키는 음악 영화

5. 뮤지컬을 주크 박스 영화로 각색해 시리즈 2부까지 공개되는 절찬을 받았던 〈맘마 미아!〉. 재능 있는 할리우드 연기자들이 커버 열창해 주고 있는 ABBA 히트곡들을 반추해 볼 수 있는 주크박스 스타일 영화

6. 패션모델을 연상케 하는 발군의 감각과 연기 재능을 과시했던 글리터 록 창시자가 데이비드 보위. 그의 음악 여정을 담아낸 다큐 음악 영화 〈문에이지 데이드림〉처럼 특정 아티스트의 음악 세계를 집약해서 감상해 볼 수 있는 작품

7. 바즈 루어만 감독의 〈물랑 루즈〉, 휘트니 휴스턴의 〈보디가드〉 등은 음악을 빼놓고는 언급할 수 없는 대표적 흥행작. 주제가 선곡에 얽힌 흥미로운 에피소드를 통해 배우와 일선 감독들이 음악 선정을 위해 고심했던 흔적을 엿 볼 수 있는 작품

8. 애니메이션 절대 왕국 월트 디즈니를 단번에 무력화시킨 드림웍스의 히트작 원조가 〈슈렉 The Shrek〉. 귀염성 있는 녹색 괴물의 좌충우돌 해프닝 사연을 더욱 기억에 남게 해주고 있는 요소는 다채로운 록큰롤 리듬. 한때 아동들의 전유

물로 평가절하 됐던 만화 영화 장르. 이들 소재 극은 사운드트랙을 전면에 배치시켜 이제 온 가족을 규합하는 흥행주로 승승가도를 달려 나가고 있다.

애니메이션에서 록 선율을 통해 흥행 포인트를 높이고 있는 사례를 접할 수 있는 작품

9. 1930년대부터 무려 4차례 리메이크 되고 있는 〈스타 이즈 본 A Star is Born〉. 노래하는 연기자들이 각자의 재능을 유감없이 발휘해 영화와 음악계가 윈-윈 전략을 통해 시너지 효과를 보고 있는 현장을 목격할 수 있도록 해주고 있는 작품

10. 라이언 고슬링과 마고 로비 주연의 신작 〈바비〉. 흡사 멋진 풍경화를 감상하는 듯한 유려한 영상과 이에 부합되는 배경 음악을 삽입시켜 급변하는 트렌드를 엿볼 수 있는 작품

이 외 인간의 잠재적 폭력을 가감없이 노출시켜 큰 여파를 몰고 왔던 크리스찬 베일의 〈아메리칸 사이코〉, 음악 선곡에도 일가견을 발휘하고 있는 데이비드 O. 러셀 감독의 〈아메리칸 허슬〉 등도 음악 역할에 대한 높은 평가를 받아 빌보드가 추천한 '사운드트랙이 뛰어난 작품'들이다.

현존하는 가장 파워풀한 영화 음악가로 주목 받고 있는 독일 출신 한스 짐머. '블럭버스터의 호쾌함을 증폭시켜주는 필수 요소는 영화음악'이라고 역설한 바 있다.

이번 저술물이 한스 짐머 자부심처럼 영화 음악 애호가들에게 사운드트랙 묘미를 텍스트 정보를 통해 체감할 수 있는 기회가 될 수 있다면 더할 수 없는 영예라고 생각한다.

보다 알곡 있는 사운드트랙 콘텐츠를 통해 다시 만나 뵐 것을 기약 드린다.

추신(追伸):

'글을 통해 독자들에게 오금을 저리게 하는 두려움과 세상에 대한 아름다움과 가치를 각성시켜 준다는 것이 작가로서 최대 자부심이다.'

- 사숙(私淑)으로 여기고 있는
스릴러 전문 작가 스티븐 킹 역설(力說)에
절절히 공감을 보내며...

2023년 12월
국내 1호 영화 칼럼니스트 이 경 기

Contents

1

<6 언더그라운드 6 Underground>
(2019), 6명의 정예요원들의 테러리스트
제압 응원가로 선곡된 스파이스 걸스의
'Wannabe'

〈6 언더그라운드〉. ⓒ Netflix

흥행 감독 마이클 베이.

라이언 레이놀즈, 멜라니 로랑, 코리 호킨스 등을 캐스팅해서 공개한 액션 스릴러가 〈6 언더그라운드〉. 개봉 직전부터 〈6 언더그라운드〉에는 어떤 노래가 선곡될까를 놓고 열혈 팬들의 궁금증을 불러일으킨 작품이다.

넷플릭스 Netflix의 전폭적인 제작 지원을 받고 제작된 영화에서는 걸 그룹의 진가를 펼쳐준 스파이스 걸스의 'Wannabe'를 비롯해서 지상 최대 작전을 수행할 전투 요원들의 활약상을 격려해 주고 있는 다양한 노래들이 배경 음악으로 들려오고 있다.

빌보드는 '<6 언더그라운드 6 Underground> 사운드트랙은 액션으로 가득 찬 스토리를 완벽하게 보완해주고 있다.

<6 언더그라운드>는 라이언 레이놀즈의 가장 잘 알려진 영화는 아니다.

The 6 Underground soundtrack fully complements the film's action-packed storyline.

While 6 Underground isn't Ryan Reynold's most well-known movie.

예외적으로 잘 선택된 사운드 트랙 덕분에 적지 않은 부분에서 컬트 추종자를 얻게 된다.

It's garnered something of a cult following thanks in no small part to its exceptionally well-selected soundtrack.

마이클 베이 감독이 넷플릭스 제작 지원을 받은 블록버스터에는 복수와 정의라는 주요 주제를 강조하는 일렉트로닉과 록 뱅어의 강력한 조합이 포함되어 있다.

Michael Bay's Netflix blockbuster includes a potent blend of electro and rock bangers that underline the primary themes: revenge and justice.

영화는 다소 교과서적인 마이클 베이 액션 영화이다. 하지만 〈6 언더그라운드〉 음악이 돋보이며 거친 영화에 고유한 스타일을 불어넣고 있다. 'While the film is more or less a textbook bombastic Michael Bay action movie, the 6 Underground music stands out infusing the wild movie with a distinguished style of its own'는 리뷰를 보도한다.

〈6 언더그라운드〉에서는 기술적 처리로 죽은 사람으로 처리된 전투에 능한 6명의 외부인 정예 그룹이 연합해서 국제 범죄자와 테러리스트를 제압하고 있다.

액션 모험극의 일반적인 스토리 전개 기법을 따르고 있는 영화에 대한 감흥을 고조시켜준 것은 단연 사운드트랙이다. 수수께끼의 원(라이언 레이놀즈)이 이끄는 그룹은 플로렌스에서 비극을 경험하게 된다.

하지만 사악한 독재자를 무너뜨리기 위해 다시 집결하게 된다.

주요 핵심 캐스트에는 멜라니 로랑 Mélanie Laurent, 마뉴엘 가르시아-룰포 Manuel Garcia-Rulfo, 벤 하디 Ben Hardy, 아드리아 아르조나 Adria Arjona 및 코리 호킨스 Corey Hawkins 등이 합류하고 있다.

영화는 이들 6명의 그룹 구성 진과 이들이 완수해 나갈 치명적인 임무를 따라가고 있다. 이런 와중에 관객들은 활기차고 흥미진진한 사운드트랙으로 구성된 여러 인상 깊은 장면들을 마주하게 된다.

전체적으로 〈6 언더그라운드〉 사운드트랙은 다양한 추격 장면과 중요한 미션 순간을 부추겨 주는 아드레날린 가득한 배경 음악으로 가득하다.

테러 진압을 위해 집결한 One 팀이 전 세계를 순례할 때 콜렉션 된 노래들은 본질적으로 화면에서 진행되고 있는 분위기를 한껏 고양시켜 주고 있다.

등장인물들의 대사와 같은 역할도 해내고 있다. 사운드트랙은 One이 자신의 인생 이야기를 설명할 때 들려오는 'Dig Down'으로 시작되고 있다.

이 트랙은 나중에 아리아나라는 이태리 여성과 One의 파리지앵 섹스 장면에서 다시 들려오고 있다. 익히 알려진 팝 히트 곡 'Wannabe'는 정예 군단이 이태리 플로렌스에서 진행하고 있는 추격 장면에서 짧게 흘러나오고 있다.

우피지 갤러리 the Uffizi Gallery 주변에서 펼쳐지는 액션 장면에서는 웅장한 클래식 명곡 'O Fortuna'의 선율이 가슴 벅찬 감흥을 불러일으켜 주고 있다.

두오모 the Duomo 꼭대기에서 4명의 대원들이 아슬아슬하게 걷는 장면에서는 'Glory'가 공중 황홀경의 순간을 체험하게 해주고 있다. 이어서 들려오는 'The Fear'는 전형적인 액션 장면의 배경 곡 역할을 해내고 있다.

피렌체 추격전 Florentine chase 장면에서 대원 5가 One을 향해 비명을 지를 때 'Legend'가 선곡되고 있다. 트랙 'The Handler'는 본질적으로 이태리에서 진행되는 여러 선동적인 사건 the Italian inciting incident의 예고 음악으로 쓰이고 있다. 'Blah Blah Blah'는 극중 중반 무렵 플래시백 장면의 중요성을 강조해 주는 배경 음악이 되고 있다.

다양한 장군들이 등장하고 있는 라스 베가스 장면에서는 'Legendary'가 분위기를 부추겨 주고 있다. 'Run'은 홍콩 스카이워킹 장면에서, 'White Flag'는 국가 혁명 공식 노래로 각각 들려오고 있다. 클로징 크레디트 장면에서는 영화를 위해 특별하게 작곡된 'Bulletproof'이 배경 선율로 들려오고 있다.

1-1. 론 발프 Lorne Balfe의 가슴 뛰게 만드는 배경 음악들

〈6 언더그라운드〉. ⓒ Netflix

스코틀랜드 출신 작곡가 론 발프 Lorne Balfe는 〈폴아웃 Fallout〉〈탑 건: 매버릭 Top Gun: Maverick〉〈블랙 아담 Black Adam〉 등과 같은 영화 배경 음악으로 인지도를 알린 작곡가이다. 〈6 언더그라운드〉 개봉 이후 작곡 의뢰가

밀려들어 매우 분주한 나날을 보내고 있다는 소식이다.

마이클 베이는 '발프 작곡 음악의 가장 효과적인 측면은 영화를 위해 선택된 나머지 고옥탄 록 및 팝 히트곡과 응집력 있게 혼합된다는 것이다. 발프 작곡 음악은 영화에서 가장 인상적인 플롯 비트를 기록하고 추진력을 유지해주고 있다. The most effective aspect of Balfe's musical score is that it cohesively blends with the rest of the high-octane rock and pop hits chosen for the film. Balfe's music scores some of the most striking plot beats of the movie and maintains momentum'는 칭송을 보냈다.

사운드트랙에 수록 된 18개 트랙 중 발프는 1/3을 작곡하면서 전체 사운드에 많은 영향을 전파시킨다. 발프는 이 영화에서 전체적으로 인상적인 일렉트로/록 비트를 전면에 배치하고 있다. 이러한 음악 운용은 액션의 흥분을 높이면서 톤을 과격하지만 일관되게 유지시켜 배경 음악과 기존에 알려진 팝 음악 사이의 경계를 융합시켜주고 있다는 칭송을 듣는다.

애초 〈6 언더그라운드〉는 속편까지도 계획한 작품이었다고 한다.

하지만 영화 개봉 이후 '스토리와 상관없는 잔인한 장면이 반복적으로 등장하는 킬링 타임 용 영화'라는 아쉬운 지적을 받는다.

이런 악화된 여론 때문인지 프랜차이즈 계획은 철회됐다고 한다.

그럼에도 불구하고 너무 자만하지 않고 영화를 완벽하게 보완해 주고 있는 론 발프의 배경 음악은 높은 평점을 받아낸다.

1-2. <6 언더그라운드>에서 가장 환대를 받은 노래는?

〈6 언더그라운드〉 음악은 다양한 노래 모음을 담아내 음악 애호가들의 높은 관심을 받아낸다. 사운드트랙에서 어떤 곡이 가장 좋은지 결정하는 것은 순전히 주관적이며 팬들은 각자의 기호도에 따라 의견이 다를 수 있을 것이다.

그 중에서 스파이스 걸스의 'Wannabe'는 가장 잘 알려져 있는 노래. 영화에서 선곡 된 팝송의 상징적인 특성을 코미디 효과에 사용해서 거친 액션 시퀀스의 흥미감을 높여 주었다는 찬사를 얻어낸다.

〈6 언더그라운드〉. ⓒ Netflix

'Bulletproof'도 클로징 크레디트로는 최적의 선율로 추천 받았다.

마이클 베이 감독은 사운드트랙 중 '가장 돋보이는 곡은 뮤즈의 'Dig Down'이다. 이 곡은 플래시백 시퀀스와 섹스 장면에서 사용했을 뿐만 아니라 여러 기억에 남을 액션 장면에서 적절하게 사용해 분명히 친화력 있는 노래가 됐다.'는 후일담을 밝혔다.

아쉬운 점은 흥행에서는 실패했지만 음악 선곡은 극중 하이라이트 장면에 대한 기억을 각인시켜 주는 효과를 발휘했다는 칭송을 받았다.

1-3. Tracks listings

1. Dig Down performed by Muse
2. Glory performed by The Score
3. Wannabe performed by Spice Girls
4. The Fear performed by The Score
5. O Fortuna from Carmina Burana written by Carl Orff, performed by Spiritual Project
6. Legend performed by The Score
7. The Handler performed by Muse

8. Getting Aboard the Plane from 13 Hours(2016) performed by Lorne Balfe

9. Never Gonna Lose the Love performed by Maribou State

10. Leave It to Beaver Score written by Jeffrey Elliot

11. Blah Blah Blah performed by Armin van Buuren

12. Legendary performed by Welshly Arms

13. I'll Take You There performed by The Staple Singers

14. Nothing Burns Like the Cold performed by Snoh Aalegra featuring Vince Staples

15. Contains samples of Medley: Ike's Rap II/ Help Me Love performed by Isaac Hayes

16. Beautiful Sunday performed by Lorne Balfe

17. Lose Yourself written by Eminem, performed by AWOLNATION

18. Bulletproof performed by The Score

19. Venus Bass Trap performed by Corentin Henri Le Fur

20. White Flag performed by Bishop Briggs

<8 마일 The 8 Mile>(2002),
2000년대 힙합 사운드 퍼레이드

〈8 마일〉. © Imagine Entertainment

1995년 디트로이트가 배경.

8마일은 도시는 인종에 따라 마을을 반으로 나누는 도로 명칭이다.

젊은 백인 래퍼 지미 B-래빗 스미스 주니어. 힙합을 통해 성공하고자 하는 꿈을 이루기 위해 이러한 임의의 경계를 넘어 자신의 힘을 불러일으킨다.

친구 퓨처와 1/3이 있는 상태에서 그가 해야 할 일은 질식하지 않는 것뿐이다.

The setting is Detroit in 1995.

The city is divided performed by 8 Mile, a road that splits the town in half along racial lines. A young white rapper, Jimmy B-Rabbit Smith Jr. summons strength within himself to cross over these arbitrary boundaries to fulfill his dream of success in hip hop. With his pal Future and the three one third in place all he has to do is not choke.

- 빌보드 Billboard Magazine

백인 출신 래퍼 에미넴의 영화 데뷔작 〈8 마일 8 Mile〉 사운드트랙에는 에미넴 Eminem의 베스트 싱글이 다수 포진하고 있다. 이와 함께 장르를 정의하는 다수의 힙 합 노래도 영화에 등장, 지금까지도 음악 팬들의 환대를 받아내고 있다.

빌보드는 '〈8 마일〉 사운드트랙은 노터리어스 B.I.G와 같은 장르 베테랑의 클래식 곡과 주연 스타 에미넴 자신의 많은 상징적 트랙을 포함하는 상당한 힙 합 보물 창고이다. The 8 Mile soundtrack is quite a hip-hop treasure trove featuring classics performed by genre veterans like The Notorious B.I.G as well as many iconic tracks performed by leading star Eminem himself'는 평가를 내렸다.

힙 합 마니아들 사이에서 컬트적인 인기를 누리고 있는 〈8 마일〉은 논란이 되고 있는 랩퍼 에미넴에게 아카데미 주제가상을 안겨준다.

힙 합 최초 아카데미 주제가 상을 수여 받은 'Lose Yourself'은 지금도 파워풀 한 찬가로 굳건히 자리 잡고 있다.

랩 퍼 지망생의 삶과 디트로이트 랩 배틀 장면에 초점을 맞추고 있는 주인공의 여정은 몇 가지 독창적인 구절과 프리 음악 스타일을 유감없이 전달해 주고 있다.

〈8 마일〉 사운드트랙은 1990년대와 2000년대 히트 곡들을 중요한 장면에서 적절하게 활용하고 있다. 이런 선곡 배치는 에미넴의 솜씨로 알려져 있다.

그의 음악 큐레이션 감각이 사운드트랙을 통해 입증 됐다는 호평이 제기된 것은 전혀 이상한 일이 아니다.

〈L A 컨피덴셜 L A Confidential〉로 유명세를 얻은 커티스 핸슨 Curtis

Hanson이 연출을 맡고 있다.

〈8 마일〉은 시종 무대 위의 불안감, 어머니와의 긴장된 관계, 범죄에 휩싸인 이웃과의 관계에서 탈피해야 하는 배틀 래퍼 B-래빗 B-Rabbit의 행적이 펼쳐지고 있다. 캐릭터를 연기한 에미넴의 삶에 대한 반자전적 내용이라는 것이 알려지면서 대중적인 관심이 폭증하게 된다. 에미넴이 'Lose Yourself'에서 확립한 것처럼 B-Rabbit도 자신에게 주어진 '순간'을 놓치지 않고 있다.

주인공의 절대 포기하지 않는 태도는 궁극적으로 〈8 마일〉을 완벽한 약자의 성취 이야기로 받아들이게 된다.

오리지널 사운드트랙은 꾸준한 인기를 얻고 있다.

이런 흥행 파워와 영향력 덕분에 에미넴은 2022년 〈8 마일 8 Mile〉 개봉 20주년을 기념하는 디럭스 에디션 앨범을 출반하게 된다.

2-1. 〈8 마일〉 사운드트랙 해설

1. Shook Ones Pt. II performed by Mobb Deep

랩 듀오 몹 딥 Mobb Deep의 상징적인 히트 곡 'Shook Ones'의 이어지는 속편 노래가 'Pt. II'. 〈8 마일 8 Mile〉 서두를 장식하는 트랙이 되고 있다.

래빗이 욕실 거울 앞에서 악보를 연습하고 있다. 이런 장면의 배경에서 연주되는 노래가 'Shook Ones Pt. II'이다.

〈8 마일〉. ⓒ Imagine Entertainment

2. 8 Mile performed by Eminem

'8 Mile'은 제목 자체에서 뭔가 서정성을 제공하고 있다는 지적을 들었다. 에미넴의 음악적 장점이 농축된 대표적 노래가 '8 Mile'이다.

노래 '8 Mile'을 통해 에미넴은 목표 달성을 위해 겪어야 하는 여러 험난한 여정과 이에 과감하게 도전하겠다는 의지를 들려주고 있다.

타이틀 곡 '8 마일'은 중심 주제를 예고해 주면서 앞으로 전개될 여러 상황에 대한 기대감을 제공해 주는 역할을 해내고 있다.

3. Sweet Home Alabama performed by Lynyrd Skynyrd

퓨처(메키 파이퍼)가 몰고 있는 자동차 라디오에서 컨트리 록 히트 곡 'Sweet Home Alabama'가 흘러나오고 있다.

이 노래는 힙합으로 구성되어 있는 〈8 마일〉 사운드트랙 특성과는 다소 거리가 멀 수 있는 곡.

그렇지만 래빗은 레너드 스키너드의 노래 구성을 활용해 멋진 랩을 구사하고 있다. 래빗은 노래 멜로디를 불안으로 가득 찬 프리스타일로 변경시킨다.

래빗과 퓨처의 돈독한 설정은 에미넴의 실제 가장 친한 친구 프루프 Proof와의 관계를 떠올려 주고 있는 것으로 해석된다.

4. Juicy performed by The Notorious B.I.G

이스트 코스트 힙 합 East Coast hip hop을 기반으로 한 갱스터 랩 gangsta rap을 대중화시킨 래퍼가 노터리어스 B.I.G The Notorious B.I.G.

1994년 9월 13일 데뷔 앨범 'Ready to Die'를 통해 화려한 조명을 받아낸다.

앨범에서 히트 된 첫 번째 싱글이 'Juicy'. 이 노래는 에미넴이 친구들과 페인트볼 소총 paintball rifles으로 사람들을 쏘는 놀이 장면에서 흘러나오고 있다.

5. Gotta Get Mine performed by MC Breed and 2Pac

디트로이트를 기반으로 활동하고 있는 베테랑 뮤지션 MC Breed. 래빗이 랩 배틀 장소로 향하는 장면에서 들려오는 노래가 'Gotta Get Mine'. MC는 이 노래의 완성도와 대중적 호응을 염두에 두고 캘리포니아 출신 전설적 힙합 뮤지션 2Pac과 의기투합 했다고 한다.

6. Gang Stories performed by South Central Cartel

'Gotta Get Mine'에 이어 웨스트 코스트 West Coast 갱스터 랩 그룹 사우스 센트럴 카텔 South Central Cartel의 'Gang Stories'가 흘러나오고 있다. 래빗이 랩 배틀이 시작될 주차장에 도착하는 장면의 배경 곡이 되고 있다.

7. This Is How We Do It performed by Montell Jordan

래빗은 알렉스(브리트니 머피)를 처음 만나자 마자 운명적인 연결 고리가 될 것임을 직감하게 된다. 의미 있는 이러한 장면에서 몬텔 조단 Montell Jordan의 리듬 앤 블루스 곡 'This Is How We Do It'이 분위기를 고조시켜 주고 있다.

8. Feel Me Flow performed by Naughty performed by Nature

1995년 힙 합 히트 곡 'Feel Me Flow'. 래빗이 알렉스에게 매력을 느껴 클럽에서 흥겨운 춤을 추고 있을 때 배경 노래로 흘러나오고 있다.

9. Players Ball performed by Outkast

랩 듀오 아웃캐스트 Outkast. 이들의 음악적 존재감을 드러낸 첫 번째 싱글이 'Player's Ball'.

래빗이 알렉스와 차 안에서 대화를 시작하는 장면의 배경 노래로 선곡되고 있다.

10. Get Money performed by Junior M.A.F.I.A

주니어 M.A.F.I.A가 1995년 발표했던 'Get Money'.

이 노래는 알렉스가 출전할 랩 배틀에 래빗이 올 수 있는지 초대하는 장면의 배경 곡으로 활용되고 있다.

11. I'll be There for You/ You're All I Need to Get performed by performed by Method Man and Mary J. Blige

퓨처는 래빗에게 알렉스를 진정으로 사랑하는지 직설적으로 물어본다.

메소드 맨은 우-탕 클랜 Wu-Tang Clan에서 활동하던 멤버.

메리 J. 블라이지는 가수 겸 배우로 실력을 과시하고 있는 히로인.

두 사람의 매우 희귀한 콜라보레이션 'I'll be There for You/ You're All I Need to Get'는 래빗과 알렉스가 펼쳐나갈 로맨스를 예고시켜 주는 곡으로 활용되고 있다.

12. Shimmy Shimmy Ya performed by Ol Dirty Bastard

래퍼 올 더티 배스타드는 1992년 뉴욕시 스테텐 아일랜드 Staten Island, New York City를 근거지로 해서 출범한 힙 합 그룹 우-탕 클랜 Wu-Tang Clan 멤버 출신.

'Shimmy Shimmy Ya'는 래빗이 이전에 자신을 폭행하려고 했던 남자를 찾아 가기 위해 자동차를 몰고 가는 장면의 배경 곡으로 선곡되고 있다.

이 노래는 메소드 맨의 'I'll be There for You/ You're All I Need to Get performed by'와 함께 〈8 마일〉에서 우-탕 클랜과의 연결을 이어가는 곡이 되고 있다.

13. Bring The Pain performed by Method Man

메소드 맨의 'Bring The Pain'이 추가적으로 선곡되고 있다. 래빗이 혼란스러운 싸움에 휘말릴 때 배경 노래로 흘러나오고 있다.

래빗 친구 체다르(이반 존스)가 우발적으로 총을 쏘게 되면서 급작스런 소요 사태가 발생하게 된다.

〈8 마일〉. ⓒ Imagine Entertainment

14. Lose Yourself (Instrumental) performed by Eminem

래빗이 노랫말을 창작하는 모습이 보여 진다. 이러한 장면에서 'Lose Yourself' 연주 버전이 흘러나오면서 그의 창의적 열정을 드러내 주고 있다.

피아노를 전면에 배치해서 연주되고 있는 멜로디는 향후 래빗이 개척해 나갈 밝을 청사진을 예시하는 멜로디가 되고 있다.

15. Runnin performed by The Pharcyde

'Runnin'은 여러 영화에서 선곡되고 있는 노래로 유명하다.

얼터너티브 힙합 그룹 파사이드 Pharcyde의 음악적 특성이 부각되고 있는 'Runnin'은 알렉스가 래빗의 집을 방문하는 장면의 배경 노래가 되고 있다.

16. C.R.E.A.M performed by Wu Tang Clan

우-탕 클랜이 〈8 마일〉 사운드트랙을 통해 랩 그룹의 진수를 선사하고 있는 곡이 'C.R.E.A.M'이다.

영화 라스트 무렵 진행되는 랩 배틀 직전에 체다르가 자신의 랩 기술을 최종적으로 연습하는 장면에서 들을 수 있다.

17. Next Level performed by Showbiz and AG

'Next Level'은 1990년대 랩 스타일을 상징해 주는 곡으로 주목을 받은 바 있다. 이 노래는 퓨처가 래빗과 이야기를 나눌 때 클럽에서 흘러나오고 있다. 랩 배틀이 시작되기 전에 래빗을 응원하는 곡으로 이어지고 있다.

18. Temptations performed by 2Pac

2 Pac이 신을 믿지 않는 불신앙을 비롯해서 배우자나 애인에 대한 부정(不貞)에 대한 감정을 담은 곡이 'Temptations'.

이 노래는 래빗이 첫 번째 랩 배틀에서 승리한 뒤 축하 곡으로 선곡되고 있다.

19. Player's Anthem performed by Junior M.A.F.I.A

래빗이 2차전 배틀에서 연승 행진을 이어가고 있다. 주니어 M.A.F.I.A가 열창해 주는 'Player's Anthem'은 래빗의 승리에 대한 기쁨을 축하해주고 있다.

20. Lose Yourself performed by Eminem

최고의 프리 랩을 선보인 후 래빗은 3번째 라운드 배틀에서도 승자가 된다. 숙적 파파 독 Papa Doc(안소니 맥키)도 제압하는 쾌거를 이룩한다.

에미넴에게 그래미 어워드를 차지하게 해 준 'Lose Yourself'가 흘러나오면서 이제 래빗은 랩 최강자가 됐음을 선언하게 된다.

이 노래는 에미넴에게 역대 최고의 힙합 사운드트랙 싱글이라는 기록을 수여한다.

음악 영화 〈8 마일〉은 백인 래퍼 에미넴의 음악적 성과를 유감없이 발휘해 준 작품으로 남아 있다.
ⓒ Universal Studios

<가디언즈 오브 갤럭시 3
Guardians of the Galaxy 3>(2023),
플로렌스 앤 더 머신이 불러준 감성적 엔딩 곡

<가디언즈 오브 갤럭시 3>. ⓒ Marvel Comics Studio

그룹 플로렌스 앤 더 머신 Florence & The Machine 은 <갤럭시 오브 가디언즈 3> 의 엔딩 노래를 불러 주면서 감정적인 분위기를 고취시켜 주었다는 칭송을 듣는다.

<가디언즈 오브 갤럭시 Vol. 3>은 앞서 언급했듯이 영화 말미에 플로렌스 앤 더 머신

Florence & The Machine 노래가 선곡됐다.

밴드 리더 플로렌스 웰치 Florence Welch는 MCU에서 제작한 <가디언즈 오브 갤럭시> 시리즈 3부작 이벤트를 더욱 기억에 남게 하는 음악 향연을 펼쳐 주게 된다.

웰치가 불러주고 있는 노래는 'Dog Days Are Over'이다. 극중 갤럭시 팀이 악한 하이 에볼루션너리 High Evolutionary(츄크우디 아이이우지)를 제압하고 해체하기로 결정하는 매우 중요한 순간 음악으로 흘러나오고 있는 것이다.

'Dog Days Are Over'는 가디언즈 Guardians 여정을 축하하는 순간에 사용되고 있다. 이때 주요 캐릭터는 각자의 길을 가고 있다.

노훼어 Knowhere에서 노래에 맞추어 춤을 추기 위해 합류하게 된다.

3-1. 〈가디언즈 오브 갤럭시 Vol. 3〉 프랜차이즈에서 음악 중요성은 계속

고맙게도 〈가디언즈 오브 갤럭시 Vol. 3〉에서의 묘사되고 있는 극중 죽음을 당하는 캐릭터는 소문이 떠돌던 가디언즈 멤버가 포함되지 않았다.

영화에서 우주 팀 구성원은 아무도 죽지 않는다.

하지만 로켓 Rocket(브래들리 쿠퍼 목소리 출연)은 두 가지 다른 타임 라인에서 큰 고통을 겪게 된다. 현재 등장하고 있는 주요 캐릭터는 영화가 시작될 때 거의 죽을 뻔한 위험을 겪는다.

가디언즈 Guardians는 너구리 생명을 구할 방법을 찾기 위해 우주 전체를 수색하게 된다. 또한 과거 로켓의 비극적인 뒷이야기는 악한 하이 에볼루셔너리에게 실험 당하는 캐릭터로 밝혀지게 된다.

〈가디언즈 오브 갤럭시 Vol 3〉는 제임스 건 감독이 여러 번 확인한 것처럼 의심할 여지없이 로켓 Rocket이 주도하는 영화로 인정받는다.

영화는 마침내 로켓의 뒷이야기를 말했을 뿐만 아니라 캐릭터가 어렸을 때 그에게 너무 많은 고통을 안겨준 책임이 있는 사람을 물리치게 하게 된다.

악한 하이 에보류셔너리 High Evolutionary가 패배한 후 피터 퀼 Peter Quill(크리스 프래트)은 다른 멤버들과 마찬가지로 자신이 가디언즈 오브 갤럭시 Guardians of the Galaxy를 떠난다고 밝힌다.

이어 로켓 Rocket을 팀의 새로운 주장으로 지명하게 된다.

스타-로드 Star-Lord는 너구리 the raccoon가 우주에서 음악을 들을 수 있도록 로켓 Rocket에게 준 Zune을 제공하고 있다.

퀼과 음악의 연결은 MCU에서 가디언즈 Guardians 시간 내내 확립된 규칙이기 때문에 움직임은 큰 것이 된다.

그의 준 Zune을 로켓 Rocket으로 전달하는 캐릭터는 팀의 이전 주장과 새로운 주장 사이의 프랜차이즈에서 성화의 순간을 전달하고 있다.

그런 다음 로켓 Rocket은 'Dog Days Are Over'를 들려주기로 결정한다. 주요 캐릭터가 마침내 과거에서 벗어나 진정으로 행복하다는 것을 나타내는 노래로 들려오고 있다.

영화 엔딩 곡은 화려한 사운드트랙을 최고로 기억하게 만드는데 일조하게 된다.

〈가디언즈 오브 갤럭시 3〉. ⓒ Marvel Comics Studio

3-2. 플로렌스 앤 더 머신 Florence and the Machine은 어떤 음악인?

플로렌스 앤 더 머신(Florence + the Machine)은 2007년 런던에서 결성된 인디 록 밴드.

리드 보컬 플로렌스 웰치 Florence Welch, 키보드 이사벨라 썸머즈 Isabella Summers, 기타 로버트 애크로이드 Robert Ackroyd, 하프 톰 몽거 Tom Monger 등 8인조로 구성되어 있다.

이들 밴드는 인디 팝 Indie pop, 바로크 팝 baroque pop, 아트 팝 art pop, 네오 소울 neo soul, 포크 folk 장르 음악을 꾸준히 발표하고 있다.

극적이고 다소 기이한 공연 모습과 고음 영역을 우려하게 발산하는 웰치의 보컬 창법으로 주목을 받아내고 있다.

2009년 7월 6일 데뷔 앨범 'Lungs'을 발매한다.

2011년 10월 2집 앨범 'Ceremonials'이 빌보드 앨범 차트 6위, 2015년 6월 2일 발매한 3집 음반 'How Big, How Blue, How Beautiful'이 빌보드 앨범 차트 200 1위로 진입하는 성과를 거둔다.

2015년 음악 축제 글래스톤베리 축제 Glastonbury Festival에서 공연을 펼친다.

이후 리드 싱어 웰치는 '21세기 영국 최초의 여성 스타 the first British female headliner of the 21st century'라는 애칭을 부여 받는다.

2022년 5월 13일 5집 'Dance Fever'를 발매하는 등 꾸준한 활동을 지속해오고 있다.

2022-2023 시즌 미국, 유럽 및 오세아니아 주를 순방하는 콘서트 'Dance Fever Tour'를 진행했다.

밴드의 대표적 히트 곡 'Dog Days Are Over'는 2011년 발매돼 2011년 빌보드 뮤직 어워드 후보, 53회 그래미 어워드 베스트 뉴 아티스트 후보 등에 지명 받는다.

4

<가디언즈 오브 갤럭시 Vol. 3 Guardians of the Galaxy Vol. 3> 사운드트랙 가이드, Awesome Mix 3의 모든 노래

〈가디언즈 오브 갤럭시 Vol. 3〉. ⓒ Marvel Studios

2014년 7월 흥행가에 데뷔했던 〈가디언즈 오브 갤럭시 Guardians of the Galaxy〉.

우주를 떠도는 좀도둑에 불과한 피터 퀼(크리스 프랫).

그가 우연히 갤럭시의 절대악 타노스와 로난의 타겟이 된다.

감옥에서 만난 암살자 가모라(조 샐다나), 거구의 파이터

드랙스(데이브 바티스타), 현상금 사냥꾼 로켓(브래들리 쿠퍼), 그루트(빈 디젤) 콤비와 동맹을 맺고 '가디언즈 오브 갤럭시'를 결성하게 된다.

화려한 과거 경력을 자랑하고 있는 이들은 120억 명에 달하는 지구의 평온을 되찾아 주기 위한 운명적 작전을 펼치게 된다는 것이 1부의 핵심 줄거리다.

2023년 5월 극장가를 노크한 〈가디언즈 오브 갤럭시 Vol. 3〉.

절친 동료 가모라를 잃은 충격에 휩싸인 피터 퀼. 의기소침에서 벗어나 팀을 재결성시켜 우주를 수호하는 작전을 다시 펼친다는 사연을 들려주고 있다.

〈가디언즈 오브 갤럭시 Vol. 3〉 사운드트랙에는 Awesome Mix 3 일부인 16 곡에 달하는 신곡과 첫 번째 영화를 통해 이미 친숙해준 히트 곡들이 포진해 있다.

제임스 건 James Gunn 감독이 야심차게 공개하고 있는 '가디언즈 오브 갤럭

시 3 Guardians of the Galaxy 3〉 사운드 트랙인 'Awesome Mix Vol. 3'에
는 스타-로드(크리스 프랫), 로켓(브래들리 쿠퍼) 및 여러 등장인물들이 펼쳐
주는 이야기와 완벽하게 어울리는 세심하게 선별된 노래 세트 목록이 포진해
있다.

이러한 음악적 특징은 제작사 마블이 제임스 건 감독과 함께 '마블 시네마틱 유
니버스 Marvel Cinematic Universe' 영화에 등장하는 모든 노래를 포함시키는
'Awesome Mix 앨범'을 출시한다는 야심찬 계획 아래 추진되고 있는 것이다.

〈가디언즈 오브 갤럭시〉 덕분에 'Hooked on a Feeling' 및 'Come and
Get Your Love' 등과 같은 오래된 팝 송이 새로운 관객들에게 재차 호응을 받
아 낼 수 있는 기회를 제공하게 된다.

〈가디언즈 오브 갤럭시 3〉 사운드트랙에는 이미 공개 된 1, 2편에 비해 음악
팬들이 선택해서 들을 수 있는 노래가 풍성하다는 것이 매력점이다.

피터 퀼 Peter Quill 엄마는 죽기 전에 아들에게 1, 2편에 수록되어 있는 사운
드트랙 모음집 'Awesome Mix Vol 1, 2' 카세트테이프를 전달해 주어 이들
노래들이 음악 팬들의 호응을 받을 수 있는 발판을 제공한바 있다.

극중 피터 퀼/ 스타-로드(크리스 프랫)의 활약이 펼쳐질 때마다 액션 장면의
감정을 부추겨 주기 위한 다양한 음악이 선곡되고 있다는 것도 〈가디언즈 오브
갤럭시 3〉 사운드트랙만의 묘미로 언급되고 있다.

시나리오 작가 겸 감독 제임스 건은 〈가디언즈 오브 갤럭시 3〉의 사운드트랙
을 의미하는 'Awesome Mix Vol. 3'를 위해 몇 년 동안 심혈을 쏟아 노래 선곡
을 했다는 후일담을 공개했다.

작가이자 감독은 방대한 음악 라이브러리를 탐색한 뒤 〈가디언즈 오브 갤럭시
3 Guardians of the Galaxy 3〉 사운드트랙을 선곡하는 고충을 겪었다고 행복한
고민을 털어 놓았다.

'Awesome Mix Vol 3'는 감독이 연출했던 전작 영화와 동일하게 현장 분위

기에 맞는 곡이 흘러나오면서 촬영이 진행돼 연기자들도 사운드트랙의 묘미를 흥미롭게 체감하면서 영화 제작을 마무리 할 수 있었다는 소감을 드러낸다.

〈가디언즈 오브 갤럭시〉가 예상을 뛰어 넘는 히트를 기록한 덕분에 시리즈 3부 사운드트랙으로 선곡할 수 있는 노래의 선택 범위가 넓어졌다고 한다.

그럼에도 불구하고 제임스 건 감독은 대부분 과거 영화와 마찬가지로 1970 년대와 1980년대의 곡을 주로 선택하고 있다.

트랙 중 11곡은 극중 주역 피터 퀼 Peter Quill이 지구를 떠나기 전 장면에서 주로 들려오고 있다. 이런 설정은 피터 퀼이 어머니로부터 전달 받았던 노래에 대한 추억과 기억에서 벗어나지 못하고 있는 설정으로 풀이 받는다.

〈가디언즈 오브 갤럭시 3〉에서 가장 청각을 자극시킨 트랙 중 한 곡은 일본 노래 'Koinu no Carnival (From Minute Waltz)'이다.

'Come And Get Your Love'는 〈가디언즈 오브 갤럭시〉에 이어서 3번째 작품에서도 재차 선곡되고 있다.

〈가디언즈 오브 갤럭시 Vol. 3〉. ⓒ Marvel Studios

4-1. <가디언즈 오브 갤럭시 3> 사운드트랙 선곡 리스트

1. Creep (Acoustic) performed by Radiohead
2. Crazy on You performed by Heart
3. Since You've Been Gone performed by Rainbow
4. In The Meantime performed by Spacehog
5. Reasons performed by Earth, Wind & Fire
6. Do You Realize? performed by The Flaming Lips
7. We Care a Lot performed by Faith No More
8. Koinu no Carnival (From Minute Waltz) performed by Ehamic
9. I'm Always Chasing Rainbows performed by Alice Cooper
10. San Francisco performed by The Mowgli's
11. Poor Girl performed by X
12. This is the Day performed by The The
13. No Sleep Till Brooklyn performed by Beastie Boys
14. Dog Days are Over performed by Florence + the Machine
15. I Will Dare performed by The Replacements
16. Badlands performed by Bruce Springsteen
17. Come and Get Your Love performed by Redbone

5

<고스트버스터즈 Ghostbusters>가
탄생시킨 유명한 동명 테마 곡 2부 주제가
'On Our Own'을 제압

〈고스트버스터즈〉. ⓒ Columbia Pictures

레이 파커 주니어가 불러준 'Ghostbusters'는 역사상 가장 상징적인 영화 배경 음악 중 한 곡으로 남아 있다. 가사 중 '누구에게 전화할 것인데? who you gonna call?'가 반복되면서 후크 hook적인 매력을 더해주고 있다.

흥미롭게도 할리우드 현지 영화 음악 비평가들 중 일부는 널리 알려진 레이 파커 주니어 노래보다도 〈고스트버스터즈 2 Ghostbusters 2〉 사운드트랙을 보다 상징적인 곡으로 언급하고 있다.

팝 팬들은 여전히 레이 파커 주니어가 열창해준 'Ghostbusters'에 대해 프랜차이즈를 대표하는 사랑스런 노래라는데 이견이 없다.

그렇지만 할리우드 음악 전문가들은 〈고스터버스터즈〉 속편 노래가 더 나은 트랙이라는 의견도 제시해 주목을 받고 있다.

1984년 여름 이반 라이트만 감독의 〈고스트버스터즈〉에서 흘러 나왔던 찬가는 빌보드 싱글 차트 3주 1위를 차지하는 대단한 성공을 거둔 바 있다.

레이 파커 주니어가 TV 광고를 시청하고 떠오른 아이디어를 기반으로 해서 작곡했다는 노래는 프랜차이즈로 제작될 정도로 큰 성원을 받아낸다.

〈고스트버스터즈 2〉 사운드트랙을 개발할 때가 되었을 때 제작진은 레이 파커 주니어의 성공을 뛰어 넘는 곡을 만들겠다는 의욕이 넘쳐 났다고 한다.

1편 주제가와 영화가 모두 예상을 뛰어 넘는 흥행을 기록하게 되면서 감독과 제작사는 전 편을 능가하는 속 편 음악을 만들겠다는 야심찬 프로젝트를 가동시켰다는 것이다.

마침내 1989년 공개 당시 〈고스트 버스터즈 2〉는 Run-D.M.C. 오잉고 보잉고 Oingo Boingo, 엘튼 존 Elton John 등 1급 팝 아티스트들이 배경 곡을 불러 주었다.

이 가운데 바비 브라운 Bobby Brown 노래가 가장 유명세를 얻게 된다.

1편과 마찬가지로 〈고스트버스터즈 2 Ghostbusters 2〉는 사운드트랙과 영화 모두 흥행가에서 주목을 받아낸다. 바비 브라운이 불러 주었던 흥겨운 주제가 'On Our Own'은 단연 청각을 자극시켜 준다.

레이 파커 주니어의 'Ghostbusters' 열기를 단번에 제압해 버리겠다는 의욕을 갖고 발표된 'On Our Own'은 L. A. Reid, 베이비페이스 Babyface, 다릴 시몬즈 Daryl Simmons가 팀웍을 맞추어 만들어 낸 노래이다.

그렇지만 'On Our Own'은 빌보드 싱글 차트에서 2위까지 오르는데 그친다.

과소평가된 〈고스트버스터즈 Ghostbusters 2〉 자체와 마찬가지로 불행하게도 레이 파커 주니어 찬가 만큼의 뜨거운 열기에 도달하지 못하게 된 것이다.

그럼에도 불구하고 바비 브라운 보컬은 전염성이 강해 이반 라이트만 감독이 제시하고자 하는 속편의 메시지를 제시하는데 이바지하게 된다.

'On Our Own'에는 드라마 〈형사 콜롬보〉로 스타덤에 올랐던 피터 포크

Peter Falk가 에너지 넘치는 멋진 카메오로 출연한 뮤직 비디오로도 기억되고 있다.

앞서 잠깐 언급했듯이 'Ghostbusters'에는 '누구에게 전화할 건인가? who you gonna call?'라는 반복적인 후크를 과장되게 반복시켜 흥미 감을 고조시켜 주고 있다. 'On Our Own'에서도 〈고스트버스터즈 2〉 이야기를 매력적으로 재현하는 바비 브라운의 상징적인 보컬이 재미있는 영화 음악의 전형적인 매력을 전달해 주고 있다.

레이 파커 주니어 노래가 〈고스트버스터즈〉 존재감을 각인시켜준 것처럼 〈고스터버스터즈 2〉와 완벽하게 통합되지는 않았지만 주제가 'On Our Own' 도 2편을 통해 주요 등장인물들이 유령 퇴치를 위한 완전 복장을 하고 흥분된 임무 수행에 나서는 정경을 부추겨주고 있다.

〈고스트버스터즈 2〉는 개봉 당시 비평가들로부터 덜 열광적인 반응을 받았다. 이런 비우호적인 리뷰 때문인지 1부 보다도 당연히 수익이 적은 실망스러운 결과를 얻게 된다. 라이트만 감독 속편에는 여러 문제가 있지만 그래도 여전히 사랑할 만한 많은 매력적 요소를 갖고 있는 것 또한 부정할 수 없다.

시나리오 작가로서 라미스 Ramis와 애크로이드 Aykroyd는 〈고스트버스터즈〉에 대한 관심을 꾸준히 유지하기 위해 자신들이 창작해 낼 수 있는 많은 아이디어를 교환했다고 한다.

이런 창의적인 노력 덕분에 2편은 전편보다도 공포 강도를 증폭시켜 주는 여러 설정을 배치했다고 제작 후일담을 공개한 바 있다.

버라이어티도 '고스트버스터즈 2는 전작에 비해 독창성이 부족하다. 그러나 브라운의 트랙으로 구현된 고양된 내러티브는 훌륭한 메시지를 전달해주고 있다. Ghostbusters 2 does lack in originality when compared to the first film but its up-lifting narrative, embodied by Brown's track, delivers a great message.'는 리뷰를 보도한다.

결론적으로 'On Our Own'은 〈고스트버스터즈 2〉가 과소평가된 속편의 처지를 상징하는 노래가 되는 수모도 당한다.

의심할 여지없이 발표 당시에는 히트 차트 최상위권을 차지하면서 노래를 불러 준 바비 브라운의 인기도 절정에 달했다.

그럼에도 불구하고 레이 파커 주

〈고스트버스터즈〉. © Columbia Pictures

니어의 1편 주제가의 강력한 히트 여진에 의해 2편의 존재감은 다소 퇴색하게 됐다는 동정도 받고 있다.

5-1. 'Ghostbusters'는 어떤 노래?

1984년 6월 8일 영화 〈고스트버스터즈: 오리지널 사운드트랙 앨범 the album Ghostbusters: Original Soundtrack Album〉 타이틀곡으로 발표됐다.

레이 파커 주니어의 출세곡이 된 것이 'Ghostbusters'.

1984년 6월 16일 빌보드 싱글 차트 68위로 데뷔한다.

이후 8월 11일자 1위에 올라 연속 3주 정상을 차지하는 성원을 받는다.

57회 아카데미 어워드 주제가 상 후보에 지명 받지만 〈스티비 원더의 'I Just Called to Say I Love You'에게 수상 타이틀을 넘겨주게 된다.

노래가 정상을 차지한 뒤 휴이 루이스 앤 더 뉴스 Huey Lewis and the News 그룹이 발표한 'I Want a New Drug'의 멜로디를 표절했다는 소송을 당한다.

레이 파커 주니어는 합의금을 제시하고 법적 분쟁을 종결하는 곤욕을 치른다.

그룹 프리트우드 맥 멤버 린제이 버킹햄은 음악 잡지 '워즈 앤 뮤직 Words & Music'을 통해 흥미로운 일화를 공개한 적이 있다.

즉. 그는 영화 〈내셔널 램푼 버케이션 National Lampoon's Vacation〉 삽입 곡 'Holiday Road'가 기대 이상의 반응을 얻자 용기를 얻어 〈고스트버스터즈〉 테마 곡을 작곡하기 위한 작업에 착수했다고 한다.

하지만 그는 자신이 영화음악 작곡가로 알려지는 것에 대한 거부감 때문에 이 작업을 중단했다고 밝힌다.

또한 글렌 휴즈 Glenn Hughes와 팻 트롤 Pat Thrall도 〈고스트버스터즈〉 테마 곡을 제작사에 제출했지만 그만 거절당한다.

휴즈와 트롤이 이때 작곡한 곡은 편곡 작업을 거쳐 1987년 영화 〈드래그네트 Dragnet〉 중 'Dance or Die' 트랙으로 선곡됐다고 한다.

〈고스트버스터즈〉. ⓒ Columbia Pictures

6

<내 여자 친구의 결혼식 Bridesmaids>
(2011), 브리트니 스피어스 + 블론디 등이
불러주는 중독성 강한 팝 선율 가득

애니(크리스틴 위그).
가장 친한 친구 릴리안
(마야 루돌프)와 다채로운
신부 들러리 그룹(로즈 번,
멜리사 맥카시, 웬디 맥레
돈-코비, 엘리 켐퍼) 등이
자연스러운 결혼의 길을
이끌면서 삶을 풀어 나가
는 신부 들러리로 나선 미
혼 여성이다.

〈내 여자 친구의 결혼식〉. ⓒ Apatow Productions, Universal Pictures

Annie (Kristen Wiig),
is a maid of honor whose life unravels as she leads her best friend
Lillian (Maya Rudolph) and a group of colorful bridesmaids (Rose
Byrne, Melissa McCarthy, Wendi McLendon-Covey and Ellie Kemper)
on a wild ride down the path to matrimony.

애니의 일상은 엉망진창이다. 하지만 평생 가장 친한 친구가 약혼한 사실을
알게 되었을 때 그녀는 릴리안의 신부 들러리 역할을 해야 했다.

Annie's life is a mess but when she finds out her lifetime best friend
is engaged. she simply must serve as Lillian's maid of honor.

사랑에 빠지고 파산했지만 애니는 비싸고 기괴한 의식을 통해 허세를 부리고 있다. 완벽하게 할 수 있는 단 한 번의 기회로 그녀는 릴리안과 신부 들러리들에게 진정한 친구가 친구를 위해 얼마나 멀리 갈 수 있는지 보여줄 것이다.

Though lovelorn and broke, Annie bluffs her way through the expensive and bizarre rituals. With one chance to get it perfect,

she'll show Lillian and her bridesmaids just how far a true friend will go for a friend.

- 버라이어티 Variety

폴 페이그 감독의 〈내 여자 친구의 결혼식 Bridesmaids〉.

사운드트랙에는 크리스틴 위그 Kristen Wiig와 멜리사 맥카시 Melissa McCarthy의 절묘한 콤비 연기를 돋보이고 있다.

이들이 펼쳐 주는 코미디 영화의 재미를 더욱 포착해 주기 위해 '중독성 강한 팝송 catchy pop songs'이 화면에 가득 채워지고 있다.

〈내 여자 친구의 결혼식〉에는 피오나 애플 Fiona Apple에서부터 록 밴드 AC/DC, 스모키 로빈슨 Smokey Robinson 등에 이르기까지 다양한 아티스트 노래가 포함된 훌륭한 사운드트랙을 내세우고 있다.

크리스틴 위그는 애니 역할로 출연하고 있다.

극중 그녀의 가장 친한 친구 릴리안(마야 루돌프)이 약혼하면서 그녀를 신부 들러리로 선택하면서 삶이 풀려 나간다.

그렇지만 애니는 릴리안의 지극히 속물적인 새로운 친구 헬렌 해리스 3세와 치열한 경쟁에 직면하게 된다.

〈내 여자 친구의 결혼식〉 사운드트랙은 음악을 통해 주요 등장인물들이 사랑을 찾고, 성장하고, 우정을 회복할 때의 감정을 반영해 주는 역할을 톡톡히 해내고 있다.

영화의 모든 주요 줄거리에는 완벽한 노래가 조화를 이루고 있다.

영화는 관객과 비평가들의 고른 찬사를 받는다. 이런 호응 덕분에 전 세계 극장가에서 무려 3억 달러 이상의 수익을 올리는 선전을 한다.

주로 여성들을 출연시킨 코미디 장르로는 보기 드물게 아카데미 각본상, 멜리사 매카시는 조연 여우상 후보에 지명 받는다.

영화는 훌륭한 스토리와 실감나는 뛰어난 연기력을 펼쳐 주고 있을 뿐만 아니라 훌륭한 음악으로 가득 차 있다.

마이클 앤드류 Michael Andrews가 오리지널 배경 음악을 작곡하고 있다.

여기에 팝 그룹 블론디 Blondie, 힙합 뮤지션 아이스 큐브 Ice Cube, 아이돌 가수 브리트니 스피어스 Britney Spears 및 윌슨 필립 Wilson Phillips 등이 불러주고 있는 장수 인기를 누리고 있는 팝 라이센스 곡들이 포진하고 있다.

6-1. <내 여자 친구의 결혼식> 사운드트랙 해설

1. Rip Her to Shreds performed by Blondie

애니가 테드(존 햄)의 집을 떠나려고 한다.

이에 테드 하녀가 문 위로 올라가서 문을 열어 준다.

이러한 장면에서 블론디 그룹의 'Rip Her to Shreds'가 선곡되고 있다.

2. Blister in the Sun performed by Nouvelle Vague

애니가 머물던 어머니 집을 떠나 릴리안(마야 루돌프)이 치를 약혼 파티 장소로 차를 몰고 간다.

약혼 준비 관계로 여러 스트레스를 받은 릴리안은 분노감이 치솟을 상황이다.

그렇지만 애니는 릴리안이 곧 치를 결혼식에 대해 매우 낙관적인 태도를 보인다.

〈내 여자 친구의 결혼식〉. © Apatow Productions, Universal Pictures

애니와 릴리안의 이러한 에피소드를 보여 줄 때 누벨 바그 그룹의 'Blister in the Sun'이 흘러나오고 있다.

3. That's What Friends are For performed by Dionne Warwick

릴리안의 약혼 파티 장.

애니와 헬렌(로즈 번)이 축배를 건네면서 릴리안에게 충성 경쟁을 벌일 듯 불러 주는 노래가 'That's What Friends are For'이다.

노래를 불러 주는 와중에 애니와 헬렌은 한 치 양보 없이 자신이 릴리안에게 보다 좋은 친구라고 애쓰는 장면이 관객들에게 웃음을 유발시킨다.

우정을 소재로 한 노래 가사를 완벽하게 증명하려는 행동이 기억에 남는 명장면을 만들어 내고 있다.

4. Paper Bag performed by Fiona Apple

애니가 로즈 경관(크리스 오도우드)을 만난다.

이어 컵케이크를 굽기 위해 집으로 들어간다.

아름답고 깨끗한 베이커리 품질의 컵케이크 하나를 완성한 뒤 애니가 호기스럽게 그것을 먹어 본다.

애니의 이러한 행동을 보여 주는 장면에서 피오나 애플의 'Paper Bag'가 배경 노래로 흘러나오고 있다.

5. Dirty Deeds Done Dirt Cheap performed by AC/DC

애니와 헬렌은 이번에는 테니스 시합을 통해 서로의 자존심 대결을 펼치려고 한다. 테니스 시합에 들어갈 때 하드록 밴드 AC/DC의 'Dirty Deeds Done Dirt Cheap'이 강력한 리듬을 들려주고 있다.

시합 보다는 테니스 공으로 상대방을 때리려는 듯 후려치는 과격한 행동과 히스테리 성향이 거친 하드 록 비트가 최적의 분위기를 고조시켜 주고 있다.

6. Do Wah Doo performed by Kate Nash

애니와 릴리안은 결혼식장에 참석한 여러 명의 신부 들러리를 정통 브라질 레스토랑으로 데려온다.

그런데 신부 들러리 대부분이 음식을 먹고 식중독에 빠지는 돌발 상황이 벌어진다. 〈내 여자 친구의 결혼식〉 중 가장 재미있고 인상적인 장면에서 케이트 내시의 'Do Wah Doo'를 들을 수 있다.

7. I've Just Begun (Having My Fun) performed by Britney Spears

팝 요정으로 주가를 높였던 브리트니 스피어스의 'I've Just Begun (Having My Fun)'. 이 노래는 애니와 신부 들러리들이 독신 파티를 위해 라스베가스로 이동하는 비행기에 탑승할 때 흘러나오고 있다.

파티 장으로 가는 흥분된 감정을 더욱 고조시켜주는 노래로 기억되고 있다.

고소 공포증이 있는 애니는 비행에 대한 엄청난 두려움을 갖고 있다.

이를 진정시키기 위해 헬렌이 건네주는 진정제와 술을 받아 마시고 환각에 빠져 소동을 일으킨다. 결국 비행 도중 미국 공군 보안관에게 체포돼 와이오밍 주에서 강제로 내리게 된다.

브리트니 스피어스의 노래는 이때 다시 흘러나온다.

두 번째로 들려 올 때는 아이러니하게도 계획된 파티가 시작하기도 전에 중단됐기 때문에 노래는 흥분된 감정을 급격히 축소시켜 주는 분위기를 만들어 낸다.

8. My Love is Your Love performed by Smokey Robinson & The Miracles

애니가 공항에서 돌아와 로즈 경관과 외출한다.

두 사람의 관계는 본격적인 러브 라인을 형성하게 된다.

로맨스에 빠져 들고 있는 두 사람의 관계를 강조해주기 위해 스모키 로빈스와 미러클이 화음을 맞춘 'My Love is Your Love'가 들려오고 있다.

9. It's Raining performed by Inara George

애니가 직장에서 해고 된다. 졸지에 실직자 처지로 전락하게 된 애니.

그녀는 어머니와 함께 이사해야 할 상황을 맞게 된다.

아이나라 조지가 불러 주는 'It's Raining'은 모든 것이 엉망이 되어 가고 있는 애니의 처지를 상징시켜 주는 노래처럼 들려오고 있다.

한편 애니는 마침 탐 행크스가 무인도에서 생존해 나가는 영화 〈캐스트 어웨이 Cast Away〉를 시청한다.

'모든 것을 잃었다 All is lost'라고 체념하면서도 고립무원의 공간에서 꿋꿋이 생존 방법을 찾아가는 과정은 애니에게도 자신의 삶을 되찾겠다는 자극을 받게 된다.

10. Violet performed by Hole

애니가 결혼식을 앞두고 진행되는 선물 축하 파티 모임인 브라이덜 샤워 bridal shower에서 릴리안과 논쟁을 벌인다. 분노감을 진정시키지 못한 애니는 자동차를 몰고 현장을 떠난다. 이 장면에서 그룹 홀이 불러 주는 처연한 분위기의 노래 'Violet'이 흘러나오고 있다. 영화에서 가장 슬픈 장면 중 하나에 어울리는 감성적인 노래 선곡이라는 풀이를 듣는다.

11. Answering Bell performed by Ryan Adams

메간(멜리사 맥카시)이 애니 엄마 집을 방문한다. 메간은 애니에게 과거에 벌어졌던 모든 불미스런 일을 깨끗하게 털어 버리라고 권유한다. 이어서

'내가 그것에 대해 흥미롭게 생각하는 것이 무엇인지 알고 있어? 애니? 친구가 전혀 없다는 것이 흥미로워.
  그것이 왜 흥미로운지 알아? 여기 바로 앞에 서 있는 친구가 너에게 말을 걸고 있는데 너는 친구가 없다는 말을 하기로 선택했잖아.
  You know what I find interesting about that, Annie? It's interesting to me that you have absolutely no friends. Do you know why that's interesting? Here's a friend standing directly in front of you trying to talk to you and you choose to talk about having no friends'

〈내 여자 친구의 결혼식〉 중에서 가장 인상 깊은 명대사로 꼽히는 메간의 조언과 함께 라이안 아담스가 불러주는 'Answering Bell'이 들려오고 있다.

12. Natural Born Killaz performed by Ice Cube

애니가 로즈의 관심을 끌려고 그가 몰고 있는 순찰 차 squad car를 무모하게 앞뒤로 운전한다.
  아이스 큐브의 힙 합 히트곡 'Natural Born Killaz'가 흘러나온다.

노래가 계속 들려오면서 애니는 자동차 좌석에 깊숙이 앉아 한 손으로 운전을 하면서 조폭 흉내를 내고 있다.

13. Hold On performed by Wilson Phillips

라스트 장면.

헬렌은 결혼식 축하 가수로 3인조 팝 그룹 윌슨 필립스를 직접 초대하는 특별 이벤트를 벌인다.

초청 받은 윌슨 필립스가 현장에서 불러 주는 노래가 'Hold On'이다.

이 노래는 엔딩 크레디트 첫 번째 노래로 장식되고 있다.

14. Shakin All Over performed by Wanda Jackson

엔딩 크레디트 2번째 노래로 선곡된 곡이 완다 잭슨의 'Shakin All Over'이다.

15. Rip Her to Shreds (Live) performed by Blondie

오프닝을 장식했던 노래가 'Rip Her to Shreds'.

라이브 버전이 〈내 여자 친구의 결혼식〉 엔딩 크레디트 3번째 곡으로 선곡되면서 다양한 에피소드 로맨스 극이 완전하게 마무리 됐음을 선언해 주고 있다.

〈내 여자 친구의 결혼식〉. ⓒ Apatow Productions, Universal Pictures

<더 마블 The Marvels> 예고편
노래는 완벽하다!

〈더 마블〉. ⓒ Marvel Studios

2023년 11월 10일 할리우드 현지 개봉된 〈더 마블 The Marvels〉.

개봉 전부터 '마블 시네마틱 유니버스 MCU가 다가오는 우주 모험을 위한 완벽한 노래를 선보이고 있다.'는 칭송을 받아 낸 화제작이다.

2023년 5월 일반 개봉에 앞서 마블 스튜디오는 〈캡틴 마블 Captain Marvel〉 속편을 위한 완벽한 노래가 포함된 〈더 마블 The Marvels〉의 새로운 티저 예고편을 공개했다.

니아 다코스타 Nia DaCosta가 메가폰을 잡은 〈더 마블 The Marvels〉.

캐롤 댄버스/ 캡틴 마블(브리 라슨)이 카말라 칸(아이만 벨라니)와 모니카 람뷰(테요나 패리스)가 곤경에 빠져 있는 우주를 구하기 위해 의기투합한다는 것이 기둥 줄거리다.

〈더 마블 The Marvels〉예고편에서 모니카 람뷰는 물체를 강력하게 빨아들이고 있는 우주 웜홀의 상태를 조사하기 위한 작업에 나서는 것과 모니카, 카말라 및 캐롤의 힘이 얽히면서 이들 사이에 균열이 생기게 된다는 설정을 보여주고 있다.

그룹 비스트 보이스 Beastie Boys의 'Intergalactic'은 〈더 마블〉예고편 노래로 선곡되면서 팝 뉴스를 만들어낸다.

카말라 칸/ 미즈 마블(아이만 벨라니)이 닉 퓨리(사무엘 L. 잭슨) 바로 앞의 우주를 돌아다니는 장면에서 비스티 보이즈가 1998년 발표해 히트 시켰던 노래 'Intergalactic'이 흘러나오기 시작한다.

이어 모니카, 카말라, 캡틴 마블은 계속해서 자리를 바꾸며 서로가 무슨 일이 꾸미고 있는 가를 파악하려고 시도한다.

'Intergalactic'은 그룹 비스티 보이즈의 존재감을 드러낸 대표적인 트랙. 이번 〈더 마블〉을 통해 여러 메시지와 상황을 노출시켜 주는 노래로 활용되고 있다는 풀이를 받고 있다.

노래 후렴구는 영화의 복합적 설정과 다양한 행성, 은하계를 가로지르는 여행, 자발적 순간 이동-은하계, 행성계, 행성계, 은하계간... 또 다른 차원 등-을 묘사하는 장면과 완벽하게 어울리고 있다.

개봉 이후 관객과 음악 애호가들은 'Intergalactic'이 〈더 마블〉을 위한 완벽한 선곡이 된 이유에 대해 궁금증을 보냈다.

감독과 제작사측은 〈더 마블〉예고편에서 들려오는 'Intergalactic'의 가사는 영화 내용과 완벽한 조화를 이루고 있다는 의견을 제시하고 있다.

주요 가사 내용은 다음과 같다.

'자, 이제 웃으라고 하지 마

당신은 주위에 붙어, 내가 당신의 가치를 만들 것이야
내 번호는 그대가 걸 수 있는 범위를 넘어 섰어
어쩌면 우리가 다재다능하기 때문일지도 몰라'
Well, now, don't you tell me to smile
You stick around I'll make it worth your while
My number's beyond what you can dial
Maybe it's because we're so versatile'

특히 첫 번째 가사는 MCU의 첫 캡틴 마블 영화와 라슨이 충분히 웃지 않았다는 여성 혐오적 비판을 받은 예고편 논란에 대한 언급으로 해석됐다.

이런 이유 때문에 〈더 마블〉 예고편을 통해 가사를 듣도록 설정한 것은 제작사 마블 스튜디오 Marvel Studios가 인터넷 사용자들에게 입소문을 확장시키기 위해 펼치는 홍보 전략으로 받아 들여졌다.

가사 내용 중 '내 번호는 전화를 걸 수 있는 범위를 넘어 섰어!'는 닉 퓨리가 캐롤에게 연락하기 위해 특별한 호출기가 필요한 상황에서 그녀가 지구에서 부재중임을 나타내는 암시라고 해석됐다.

이와 같이 〈더 마블〉에서 의기투합하고 있는 3명의 핵심적 영웅과 그들이 펼쳐 놓고 있는 다재다능한 능력을 노래 가사를 통해 제시하고 있다는 것이다.

이러한 설정을 살펴보는 것도 매우 흥미로운 영화 감상이 될 것이라는 의견이 제기됐다.

전반적으로 삽입 곡 'Intergalactic'은 〈더 마블 The Marvels〉이 우주 중심의 이야기이기 때문에 선곡된 것은 아니라는 의견도 제기됐다.

보다 정확한 선곡 이유는 노래에서 풍겨 오는 펑크 분위기가 〈더 마블〉에서 새롭게 제시하고 있는 주제의 톤과 일치하기 때문에 유효적절한 배경 곡이 됐다는 것이다.

이런 이유 때문에 〈더 마블〉이 훨씬 더 재미있고, 가볍고, 코미디적인 분위기를 집중시켜 주는데 삽입 곡 'Intergalactic'이 기대 이상의 역할을 해냈다는 칭송을 듣고 있다는 것이다.

7-1. 'Intergalactic'은 어떤 노래?

'Intergalactic'은 1998년 6월 2일 미국 랩 록 그룹 비스티 보이스 Beastie Boys가 5집 앨범 'Hello Nasty'를 통해 발표한 노래이다.

장르는 힙 합 Hip hop.

싱글은 발표 당시 빌보드 핫 100 28위까지 진출하면서 밴드의 최대 히트 곡 중 한 곡으로 등극된다.

이 싱글로 밴드는 1999년 그래미 어워드 '듀오 혹은 그룹 공연상 Grammy Award for Best Rap Performance by a Duo or Group'을 수여 받는다.

'Intergalactic'는 발표 당시 흥미로운 뮤직 비디오 때문에 청춘 팝 마니아들을 사로잡았다.

감독 아담 야치 Adam Yauch는 래퍼, 베이스 연주자 겸 그룹 비스티 보이스 창단 멤버이다. 나다니알 혼블로워 Nathanial Hörnblowér라는 가명으로 뮤직 비디오를 발표한다.

비디오 영상 스토리는 거대한 괴생물체를 단골로 등장 시켰던 '카이주 Kaiju' 영화 형식을 패러디하고 있다. 거대한 로봇이 대도시에 출몰한 거대한 문어 괴생물체와 혈투를 벌이는 과정을 펼쳐주고 있다.

일본 도쿄 시부야 역과 신주쿠 역에서 현지 촬영됐다.

도쿄 도청도 잠깐 모습을 드러내고 있다.

영상이 진행되는 동안 밴드는 일본 거리에서 목격할 수 있는 건설 노동자들의 밝은 유니폼을 착용하고 등장하고 있다.

뮤직 비디오는 1998년 6월 14일 MTV를 통해 공개된다.

비디오는 방영 직후 단골로 신청되는 성원을 받아낸다.

1999년 MTV 비디오 뮤직 어워드 베스트 힙합 비디오 상을 수상한다.

비스티 보이스는 1998 MTV Video Music Awards 행사장에 초대되어 'Three MC's and One DJ'와 'Intergalactic'을 불러주어 갈채를 받아낸다.

〈더 마블〉. © Marvel Studios

<더티 댄싱 Dirty Dancing>(1987), 청춘 남녀 댄스 향연 부추겨준 1960년대 록큰롤

〈더티 댄싱〉. © Vestron Pictures

1963년.

프랜시스 베이비 하우스만은 가족과 함께 북부 뉴욕 캐스킬 마운틴 Catskill Mountains에 있는 리조트로 가게 된다.

베이비는 특권적인 환경에서 성장했다.

주변 사람들은 아버지 직업과 같은 의사와 결혼하기 전에 대학에 진학한 뒤 평화 봉사단에 들어가 세상을 구하기를 기대하고 있다

In 1963, Frances Baperformed by Houseman, a sweet daddy's girl goes with her family to a resort in upstate New York's Catskill Mountains.

Baperformed by has grown up in privileged surroundings and all expect her to go on to college join the Peace Corps and save the world before marrying a doctor just like her father.

예기치 않게 베이비는 캠프 댄스 강사 자니 캐슬이라는 배경이 크게 다른 남자에게 반하게 된다. 베이비는 자니의 댄스 파트너를 위해 불법 낙태 비용을 지불하기 위해 아버지에게 거짓말을 하게 된다.

Unexpectedly, Baperformed by becomes infatuated with the camp's dance instructor Johnny Castle a man whose background is vastly different from her own. Baperformed by lies to her father to get money to pay for an illegal abortion for Johnny's dance partner.

그런 다음 그녀는 자니의 댄스 파트너로 채워지게 된다.
그는 그녀에게 댄스 규칙을 가르쳐 준다.
그러면서 그들은 사랑에 빠지게 된다.
자니의 친구는 낙태 후 중병에 걸리게 된다.
그녀는 베이비 아버지의 도움을 받아 생명을 유지하게 된다.
She then fills in as Johnny's dance partner and it is as he is teaching her the dance routine that they fall in love.

It all comes apart when Johnny's friend falls seriously ill after her abortion and Baperformed by gets her father who saves the girl's life.

그 후 아버지는 딸 베이비가 불법 낙태에 자금을 지원했다는 사실을 알게 된다.

아버지는 '그 사람들'과 더 이상의 관계를 갖지 말도록 딸을 금지시킨다.

He then learns what Baperformed by has been up to who with and worse, that he funded the illegal

〈더티 댄싱〉. ⓒ Vestron Pictures

abortion. He bans his daughter from any further association with 'those people'.

그녀 삶의 첫 번째 고의적 행동을 통해 베이비는 나중에 자니를 만나러 몰래 빠져 나온다. 표면적으로는 아버지 무례함에 대해 사과하고 결국 자니와의 관계를 이루어 나간다.

In the first deliberately willful action of her life, Baperformed by later sneaks out to see Johnny ostensibly to apologize for her father's rudeness and ends up consummating her relationship with Johnny.

— 할리우드 리포터 Hollywood Reporter

에밀 아돌리노 감독의 〈더티 댄싱 Dirty Dancing〉은 1980년대 댄스 영화 신드롬을 선도한 빅히트작.

음악이 화면 진행에서 막대한 역할을 할 수 있다는 것을 입증한 작품이다.

사운드트랙은 1960년대 걸작 록큰롤 음악과 영화를 위해 특별하게 작곡 된 신작 노래가 적절하게 들려오고 있다.

지금도 클래식 음악 영화로 앵콜 상영 목록에 자리 잡고 있다.

〈더티 댄싱 Dirty Dancing〉은 1963년 7-8월 여름휴가 시즌을 배경으로 하고 있다. 프란시스 베이비 하우즈만이 여름 휴양지를 찾았다가 현지 댄스 강사와 사랑에 빠지는 과정을 펼쳐주고 있다.

영화는 제목 그대로 전형적인 스타급 연기자들이 펼쳐 놓는 로맨스 극.

출연 당시 뛰어난 춤 솜씨와 가창력을 과시했던 패트릭 스웨이지와 청순한 미녀 배우 제니퍼 그레이의 강렬한 댄스 공연이 완벽하게 어우러져 흥행 가를 강타한 바 있다.

〈더티 댄싱〉은 1980년대 주요 영화일 뿐만 아니라 세월의 흐름에도 불구하고 장수 인기를 누리고 있는 사운드트랙으로 널리 환대를 받고 있다.

600만 달러 Budget $ 6,000,000의 소품 영화로 제작됐지만 전 세계 누적 흥행 2억 1천 만 달러 Gross worldwide $ 214,577,242를 돌파하는 초대박 히트작이 된다.

라스트 엔딩 곡 '(I've Had) The Time of My Life'는 흥행 여세를 몰아 아카데미 주제가상을 수여 받는다. 사운드트랙은 2022년 미국 음반협회 RIAA로부터 1,400만장 판매고를 공인 받는다.

빌보드는 '〈더티 댄싱〉의 진정한 힘은 1960년대 지난 시대를 환기시키면서 1980년대 감성을 끌어 올렸다는 점이다. 이 결과 영화는 영구적인 향수를 불러 일으키며 2004년에는 뮤지컬로 각색됐다. The real power of Dirty Dancing is that it raised the sensibility of the 1980s while evoking the past era of the 1960s. The resulting film evokes a lasting nostalgia and was adapted into a musical in 2004.'는 리뷰 기사를 보도한다.

〈더티 댄싱〉. © Vestron Pictures

8-1. <더티 댄싱> 사운드트랙 해설

1. Be My Baby performed by The Ronnettes

걸 그룹 로넷츠가 불러 주는 경쾌한 두-왑 doo-wop 스타일 노래가 'Be My Baby'이다. 가족과 함께 여름 휴양지로 향하는 베이비.

휴가를 앞둔 다소 들 뜬 표정을 보여주고 있는 오프닝 장면의 배경 노래로 흘러나오고 있다.

2. Big Girls Don't Cry performed by The Four Seasons

베이비(제니퍼 그레이)가 가족과 함께 휴가 장소 켈러만 Kellerman에 도착하는 동안 흘러나오고 있다.

3. Where Are You Tonight performed by Tom Johnston

베이비는 자니를 따라 직원 숙소를 찾아가고 있다.

가는 도중 빌리(닐 존스)와 마주치게 된다.

이러한 장면에서 1960년대 두-왑 사운드 doo-wop sound의 진가를 드러내 주면서 폭발적인 인기를 얻었던 톰 존스의 'Where Are You Tonight'이 흘러나오고 있다.

4. Do You Love Me? performed by The Contours

베이비가 스탭 파티 장 the staff party에 도착한다.

그곳에서 자니와 페니(신시아 로즈)가 펼쳐주는 매우 도발적이고 관능적인 댄스 장면을 목격하게 된다.

순진했던 베이비. 일단의 청춘 남녀들이 펼쳐 보이는 육감적인 춤 파티 장면을 지켜보고 놀라움과 호기심을 하나 가득 느끼게 된다.

새로운 세계를 접한 감정은 그룹 콘투어스 The Contours가 불러 주고 있는 구애(求愛)의 선율 'Do You Love Me?'가 묘사해 주고 있다.

5. Hungry Eyes performed by Eric Carmen

자니가 호기심을 드러낸 베이비에게 본격적인 춤을 가르쳐 주게 된다.

댄스 열기에 서서히 입문하게 되는 베이비.

그녀의 상황은 1980년대 팝 선율을 특징으로 해서 주목을 받아낸 에릭 카멘의 'Hungry Eyes'로 표현되고 있다.

6. Stay performed by Maurice Williams and The Zodiacs

베이비는 페니가 원치 않는 임신을 했다는 것을 알게 된다.

같은 여성으로서 측은한 상황에 빠진 베이비.

그녀는 낙태 수술비용을 위해 아빠(제리 오바흐)에게 핑계를 대고 급전 250 달러를 꾸게 된다. 그리고 이 돈을 흔쾌히 페니에게 건네준다.

〈더티 댄싱〉. ⓒ Vestron Pictures

다소 방탕했던 행적에 대해 여성만이 겪어야 하는 고통에 대해 베이비는 여러 생각을 갖게 된다.

이러한 상황을 묘사해주는 배경 노래로 모리스 윌리암스와 조디악 밴드가 화음을 맞춘 'Stay'가 흘러나오고 있다.

7. Wipe Out performed by The Surfaris

자니의 엄격한 댄스 교습을 받고 있는 베이비. 춤을 배운다는 것이 생각만큼 쉽지 않다는 것을 단계가 진행될수록 체감하게 된다.

베이비는 힘겹지만 댄스 과정을 습득하기 위헤 고군분투 하고 있다.

이러한 장면에서 1960년대 서핑 록 surf rock의 흥겨움을 선사했던 그룹 서파리스 The Surfaris가 어깨춤을 들썩이게 만들어 주었던 'Wipe Out'이 흘러나오고 있다.

8. Overload performed by Alfie Zappacosta

자니가 자동차 문을 부수고 베이비와 춤을 연습하러가고 있다.

박력 있는 모습의 배경 노래로는 '싸구려 80년대 신세사이저 록 This cheesy 80s synth rock'이라는 칭찬인지 비난인지 모를 듯한 평가를 받았던 'Over-load'가 흘러나오고 있다. 〈더티 댄싱〉 사운드트랙 중 알피 자파코스타 Alfie Zappacosta가 불러준 곡은 사운드트랙 중 가장 독특한 노래로 기억되고 있다.

9. Some Kind of Wonderful performed by The Drifters

자니는 동료들과 함께 셸드레이크 호텔 Sheldrake에서 떠들썩한 댄스 향연을 펼치고 숙소로 귀환하고 있다.

이러한 장면에서 'Some Kind of Wonderful'이 흘러나오고 있다.

노래를 불러주고 있는 흑인 남성 중창단 드리프터스 The Drifters는 감성적인 창법으로 인기를 얻었던 주역. 이들이 남겨준 주옥같은 선율은 많은 영화 장르에서 단골 삽입곡으로 각광 받고 있다.

10. Hey! Baby performed by Bruce Channel

베이비와 자니가 자연 풍광이 멋진 숲 속 통나무 위에서 맹렬하게 춤 연습을 하고 있다. 오염 되지 않는 장소에서 상징적인 댄스 훈련을 하는 장면에서 흘러나오는 감성적인 노래가 'Hey! Baby'이다.

11. Yes performed by Merry Clayton

'Yes'는 〈더티 댄싱〉에서 2번 들려오고 있다. 첫 번째는 리사(제인 브럭커)가 로비의 오두막으로 이동해서 다른 소녀와 함께 행방이 묘연한 그를 찾는 장면에서 나오고 있다. 2번째는 엔딩 크레디트에서 다시 흘러나오고 있다.

12. Love Man performed by Otis Redding

자니가 베이비에게 새로운 춤 동작을 가르쳐 주고 있다.

열성적인 댄스 교습과 이를 적극 수용해서 스텝을 밟고 있는 청춘 남녀의 모습.

커플의 정겨운 모습을 뒤로 해서 들려오는 선율이 오티스 레딩의 리듬 앤 블루스 곡 'Love Man'이다.

〈더티 댄싱〉. © Vestron Pictures

〈더티 댄싱〉은 종종 요절한 패트릭 스웨이즈 최고 영화로 평가받고 있다. 그는 유려한 댄스 기술을 영화 속에서 펼쳐 보인 것으로 인정받고 있다.

13. Love is Strange performed by Mickey & Sylvia

자니와 베이비가 댄스 스튜디오에서 함께 커플 댄스를 추다가 흥에 겨워 장난을 친다. 춤을 통해 서서히 상대방에 대한 호감을 쌓아가는 순간이 되고 있다.

이런 정겨운 분위기의 배경 노래로 듀오 미키 앤 실비아가 불러주는 'Love is Strange'이다.

14. Cry to Me performed by Solomon Burke

자니의 숙소를 방문한 베이비.

그녀는 마침내 자니를 향한 애틋한 심정을 고백한다.

그리고 두 사람이 정겹게 춤을 추고 있다.

사랑의 결실이 서서히 맺어가고 있다는 희망적 메시지를 전달하는 장면에서 'Cry to Me'가 흘러나오고 있다.

15. (I'll Remember) In The Still of The Night performed by The Five Satins

침대에 함께 누워 있는 자니와 베이비.

비비안(미란다 개러슨)이 창 밖에서 두 사람이 함께 있는 장면을 목격하게 된다. 두 사람의 돈독한 관계가 발각되는 장면에서 은은한 리듬 앤 블루스 곡 '(I'll Remember) in The Still of The Night'이 흘러나오고 있다.

16. These Arms of Mine performed by Otis Redding

〈더티 댄싱〉에서 자니와 베이비의 나이를 정확하게 드러나지 않고 있다.

베이비 부친은 바람둥이라고 오해하고 있는 자니와 딸이 교제를 하는 것에 극렬 반대를 하고 있다. 하지만 이미 자니에게 푹 빠져 있는 베이비는 아버지의 질책을 아랑곳 하지 않고 자니의 숙소를 찾아간다.

이러한 장면에서 'These Arms of Mine'이 흘러나오고 있다.

오티스 레딩의 두 번째 노래이다.

17. Will You Love Me Tomorrow performed by The Shirelles

베이비는 자니 숙소에서 그와 함께 밤을 보낸다.

아침. 베이비가 자니의 방을 떠날 때 도발적인 사랑의 노래로 'Will You Love Me Tomorrow'가 선곡되고 있다. 많은 가수들이 단골로 취입해 주고 있는 이 노래는 〈더티 댄싱〉에서는 그룹 쉬렐레스 The Shirelles 버전이 채택되고 있다.

18. You Don't Own Me performed by The Blow Monkeys

로비(막스 캔터)가 베이비를 향해 다소 경멸적인 발언과 태도를 보인다.

이에 자니는 로비와 한바탕 주먹다짐을 벌이게 된다.

베이비를 향한 자니의 보호 본능을 노출시키는 이러한 장면에서 1960년대 히트 됐던 추억의 팝송 'You Don't Own Me'가 1980년대 버전으로 편곡 되어 흘러나오고 있다. 새로운 분위기로 고전 팝 명곡을 불러 주고 있는 이들은 블로우 몽키스 The Blow Monkeys이다.

19. Lover Boy performed by Mickey & Sylvia

여름휴가는 서서히 끝나가고 있다.

자니와 베이비는 그동안 혹독하게 연습했던 춤을 댄스 스튜디오를 통해 최종 점검을 한다. 많은 이들 앞에서 공연을 펼칠 것을 염두에 두고 커플은 혼신을 다해 팀웍을 맞춘 댄스 열정을 드러내 주고 있다.

이런 장면의 배경 곡으로 'Lover Boy'가 흘러나오고 있다.

〈더티 댄싱〉에서 들을 수 있는 미키 앤 실비아의 2번째 노래이다.

20. She's Like The Wind performed by Patrick Swayze

〈더티 댄싱〉의 출연진들은 춤과 노래 분야에서 일가를 이룬 재능꾼들이 대거 출연하고 있다.

이제 자니와 베이비는 한동안 머물렀던 휴양지 켈러만 Kellerman을 떠나야 하는 시기가 왔다. 춤을 통해 연인 베이비를 만나게 된 자니.

〈더티 댄싱〉. ⓒ Vestron Pictures

그가 베이비를 향한 연정 곡으로 열창해 주고 있는 노래가 'She's Like The Wind'이다. 패트릭 스웨이즈가 기본 이상의 가창력을 갖고 있다는 것을 유감 없이 발휘해 주고 있는 노래로 각광 받는다.

21. (I've Had) The Time of My Life performed by Bill Medley and Jennifer Warnes

여름 휴양지 켈러만에서 재회하게 된 자니와 베이비.

많은 이들이 마지막 여름 축제를 즐기고 있다.

이들 앞에서 그동안 갈고 닦은 춤 솜씨를 유감없이 발휘하고 있는 자니와 베이비.

주변 사람들은 뛰어난 댄스 향연에 박수와 환호성을 보낸다.

베이비의 아버지도 그동안 자니에게 가졌던 오해를 풀고 정식으로 사과를 한다.

〈더티 댄싱〉의 피날레를 장식해 주고 있는 '(I've Had) The Time of My Life'.

아카데미 주제가 상을 따내면서 영화 흥행의 촉진제 역할을 톡톡히 해낸다.

9

<러브 어게인 Love Again>(2023) - 셀린 디옹 신곡과 팝 클래식 풍성

<러브 어게인> 원작은 서피 크레이머 Sofie Cramer가 발표한 소설 '텍스트 포 유 Text for You'이다.

짐 스트로우즈 Jim Strouse 와 안드레아 윌슨 Andrea Willson이 공동 각색을 담당했다.

무작위로 받아 본 문자 메시지가 당신 인생의 사랑으로 이어진다면?

<러브 어게인>. ⓒ CTMG, Inc

로맨틱 코미디에서 미라 레이는 약혼자를 잃은 상황을 다루며 일련의 로맨틱한 문자를 그의 예전 휴대전화 번호로 보낸다.

저널리스트 롭은 아름답게 고백하는 텍스트의 정직성에 매료된다.

What if a random text message led to the love of your life?

In this romantic comedy, dealing with the loss of her fiancé, Mira Ray sends a series of romantic texts to his old cell phone number...not realizing the number was reassigned to Rob Burns' new work phone.

A journalist, Rob is captivated performed by the honesty in the beautifully confessional texts.

메가스타 셀린 디온-그녀의 첫 번째 영화 역할-의 프로필을 작성하라는 임무를 받았을 때 그는 미라를 직접 만나게 된다.

그녀의 마음을 얻는 방법을 알아내기 위해 셀린 디옹에게 도움을 요청한다.

When he's assigned to write a profile of megastar Celine Dion-playing herself in her first film role. He enlists her help in figuring out how to meet Mira in person and win her heart.

- 버라이어티 Variety

〈러브 어게인 Love Again〉 사운드 트랙에는 팝 디바 셀린 디옹 Celine Dion의 신곡과 클래식 팝 명곡들이 푸짐하게 선곡되어 있다. 로맨틱 극의 감성을 오래도록 각인시켜 주는데 음악이 톡톡히 제 역할을 하고 있는 것이다.

짐 스트라우즈 Jim Strouse 감독의 로맨틱 코미디에서 히로인 미라 레이 역에는 인도 출신 미녀 배우 프리양카 초프라-조나스 Priyanka Chopra Jonas가 출연하고 있다. 샘 휴간 Sam Heughan이 그녀와 핑크 빛 사연을 엮어나가는 롭 번즈 역으로 캐스팅 됐다.

눈길을 끌고 있는 출연자는 팝 가수 셀린 디옹이 실명으로 등장해 숨은 연기 실력을 드러내고 있다.

영화에 카메오로 등장한 또 다른 유명인은 초프라-조나스 남편 닉 조나스 Nick Jonas. 예고편에서 조엘로 출연하고 있다.

조나스는 노래와 연기에서 일가견을 발휘하고 있는 스타.

그렇지만 〈러브 어게인〉 사운드 트랙을 주도하는 것은 단연 셀린 디옹이다.

영화에서 롭이 셀린 디옹의 매니저 역할을 하고 있다.

셀린은 영화 데뷔로 연기뿐만 아니라 극중 신곡과 자신의 히트 명곡을 모두 적절하게 들려주고 있다.

음악을 강조해 주고 있는 로맨스 영화 장르 특성과 마찬가지로 〈러브 에게인〉에서도 배경 노래가 극중 캐릭터가 펼쳐주고 있는 감성적인 부분을 고조시켜 주는 역할을 해내고 있다.

연주 음악 3곡을 빼놓고 모든 배경 노래를 셀린 디옹이 불러주는 열의를 펼쳐 보이고 있다.

셀린이 2023년 4월 초에 발표한 타이틀곡이 'Love Again'이다. 노래는 영화 이야기 전반에 걸쳐 널리 퍼져 있는 슬픔과 다시 사랑을 찾는 주제를 효과적으로 들려주고 있다.

셀린의 주제가는 드라마의 감성을 고조시켜 주는 감초 역할을 해냈다는 평가를 듣고 있다.

〈러브 어게인〉. ⓒ CTMG, Inc

영화는 'Love Again' 외에도 'The Gift' 'I'll Be' 등의 신곡이 삽입됐다. 트랙에 담겨진 11곡의 셀린 디온 노래 중 6곡은 그녀가 팝계에서 이미 인정을 받았던 히트곡이다.

가장 눈에 띄는 노래 중 하나는 1996년 그녀의 인기 싱글 'It's All Coming Back To Me Now'이다.

〈러브 어게인〉 전체 사운드트랙은 2023년 5월 12일 애플 뮤직 Apple Music을 통해 출반됐다.

스트리밍으로 들을 수 있는 동시에 앨범은 Amazon에서 구매할 수 있다.

타이틀 트랙은 YouTube에서 볼 수 있다. 셀린 디옹의 6곡의 히트 곡은 온라인 스트리밍도 가능하며 디온의 Spotify 페이지에서 쉽게 감상할 수 있다.

9-1. 사운드트랙 에피소드

〈러브 어게인〉 사운드트랙은 2023년 5월 12일에 출반됐다.

앨범에는 셀린 디온의 신곡 5곡과 그녀의 과거 히트 곡 6곡이 수록되어 있다.

첫 번째 싱글 'Love Again'은 2023년 4월 13일에 발매됐다.

두 번째 곡 'I'll Be'는 2023년 5월 5일에 발매됐다.

2020년 10월, 프리얀카 초프라 Priyanka Chopra,

샘 휴간 Sam Heughan 및 셀린 디옹 Celine Dion은 잠정적으로 〈텍스트 포 유 Text for You〉라는 제목의 영화 출연진에 합류하게 된다.

주요 촬영은 2020년 10월에 시작되어 2021년 초에 끝났다.

2022년 11월, 영화 제목이 〈러브 어게인〉으로 변경된다.

영화는 2023년 5월 5일에 개봉된다.

〈러브 어게인〉은 셀린 디옹이 불러 주는 11곡이 영화 전개 과정의 곳곳에서 내러티브를 설명하고 캐릭터의 특성을 부각시켜 주는 역할을 해내고 있다.

사운드트랙 앨범에는 영화를 위해 작곡된 5곡의 신곡과 It's All Coming Back to Me Now' 'All by Myself' 'That's the Way It Is' 등 그녀의 과거 히트곡이 포진되어 있다.

2023년 4월 13일, 셀린 디옹은 사운드트랙 첫 번째 곡 'Love Again'은 2022년 12월 강직인 증후군 stiff-person syndrome diagnosis을 진단 받은 이후 발표된 팝계 컴백 곡이다.

팝 전문지 빌보드 Billboard의 음악 비평가 길 카프만 Gil Kaufman은 '디옹이 감정적인 가사를 부드럽게 부르는 감동적인 발라드와 부드러운 피아노 및 어쿠스틱 기타 트랙 a moving ballad and a gentle piano and acoustic guitar track in which Dion softly sings emotional lyrics.'이라고 설명해 주고 있다.

타이틀 곡 'Love Again'은 '산을 옮길 필요 없으니까 그냥 계속 움직여/ 모든 움직임이 새로운 감정이야/ 답을 찾지 않아도 계속 노력해/ 태양은 다시 떠오를 거야/ 폭풍은 다시 가라앉을 거야/ 이것은 끝이 아니야/ 그리고 그대는 다시 사랑하게 될 거야. Cuz you don't have to move a mountain, just keep moving/ Every move is a new emotion/ And you don't have to find the answers, just keep trying/ The sun will rise again/ The storms subside again/ This is not the end/ And you will love again.'라는 가사로 구성되어 있다.

영화의 주요 장면과 가사를 담은 비디오도 음반 발매와 같은 날 유튜브를 통해 업로드 된다.

9-2. Tracks listings

1. Love Again performed by Céline Dion
2. I'll Be performed by Céline Dion
3. Waiting on You performed by Céline Dion
4. Love of My Life performed by Céline Dion
5. The Gift performed by Céline Dion
6. It's All Coming Back to Me Now performed by Céline Dion
7. Orpheus & Eurydice (Love Again Score) performed by Keegan DeWitt
8. All by Myself performed by Céline Dion
9. Where Does My Heartbeat Now performed by Céline Dion
10. Celine Wisdom (Love Again Score) performed by Keegan DeWitt
11. A New Day Has Come performed by Céline Dion
12. Courage performed by Céline Dion
13. That's The Way It is performed by Céline Dion
14. Love Takes Courage (Love Again Score) performed by Keegan DeWitt
15. Rebel performed by Headband

<리치몬드 연애 소동 Fast Times at Ridgemont High>(1982), 시대를 초월해 호응 얻은 1980년대 록큰롤 가득

〈리치몬드 연애 소동〉. © Universal Pictures

브래드 해밀턴은 산 페르난도 밸리에 있는 가상의 학교 리지몬트 고등학교의 인기 있는 선배이다. 그는 학교의 마지막 해를 고대하고 있다.

카메론 크로우가 기록하고 있는 실제 모험을 바탕으로 남부 캘리포니아에서 성장하는 고등학생 그룹을 따라가고 있다.

스테이시 해밀튼과 마크 라트너는 사랑에 대한 관심을 찾고 있다.

나이 많은 동급생 린다 바레트와 마이크 다모네의 도움을 받고 있다.

후기에는 브래드가 Mi-T-Mart 관리자로 승진했다고 언급된다.

다모네는 오즈 오즈본 티켓에 흠집을 내다가 체포되어 편의점 라이벌 7-Eleven에 취직하게 된다.

미스터 베가스는 카페인이 함유된 커피로 되돌아간다.

린다는 리버사이드에 대학에 다니고 비정상 심리학 교수와 함께 이사하게 된다.

마크와 스테이시는 꾸준하게 진행되고 있으며 아직 끝까지 가지는 않고 있다.

미스터 핸드는 모든 사람이 마약에 빠져 있다는 믿음을 유지하고 있다.

스피콜리는 익사 직전의 브룩 실즈를 구출해 준다.

그는 생일 파티에서 연주하기 위해 록 밴드 반 헬렌을 초빙하는 바람에 보상금을 받은 것을 모두 날려 버리게 된다.

Brad Hamilton is a popular senior at Ridgemont High School, a fictional school in the San Fernando Valley and looks forward to his final year of school.

Follows a group of high school students growing up in southern California, based on the real-life adventures chronicled by Cameron Crowe.

Stacy Hamilton and Mark Ratner are looking for a love interest and are helped along by their older classmates Linda Barrett and Mike Damone, respectively. A postscript states that Brad was promoted to manager of Mi-T-Mart.

Damone was busted scalping Ozzy Osbourne tickets and was forced to take a job at convenience store rival 7-Eleven.

Mr. Vargas has gone back to caffeinated coffee. Linda attends college in Riverside and moves in with her abnormal-psychology professor.

Mark and Stacy are going steady and haven't gone all the way yet.

Mr. Hand maintains his belief that everyone is on dope.

Spicoli saved Brooke Shields from drowning and blew the reward money hiring rock band Van Halen to play at his birthday party.

— 버라이어티 Variety

에이미 핵커링 감독의 〈리치몬드 연예 소동〉은 고전적 10대 코미디로 인정받고 있다.

시대를 초월한 히트곡과 과소평가된 딥 컷 underrated deep cuts 모두 훌륭한 1980년대 노래로 가득한 멋진 사운드트랙을 자랑하고 있는 작품이다.

〈리치몬드 연예 소동〉 사운드트랙은 록 밴드 레드 제플린 Led Zeppelin에서 부터 스티브 닉스 Stevie Nicks 등과 같은 전설적인 음악가들의 훌륭한 노래로 가득 채워져 있다. 이들 배경 음악은 엄격한 교사, 어색한 초기 이성적 만남, 명문 고등학교 학생들이 겪는 초보적인 1년여 동안의 학창 생활 풍경을 묘사해주는 역할을 해내고 있다.

훗날 감독으로 주가를 높인 카메론 크로우(Cameron Crowe)가 무명 시절 샌디에고 클레어몬트 고등학교(Clairemont High School)에서 잠복근무 하면서 취재한 경험을 바탕으로 출간한 동명 소설을 시나리오로 구성했다.

〈리치몬드 연예 소동〉은 실제 경험에서 가져온 실화를 바탕으로 하고 있다. 이런 이유 때문에 극중 등장하고 있는 개성 강한 캐릭터들의 존재감은 여느 10대 소재 영화보다 사실적이라는 지적을 받는다.

팝 전문지 '롤링 스톤'은 〈리치몬드 연예 소동〉 사운드트랙은 전통적인 배경 음악 대신에 탐 페티와 다린 러브 등과 같이 오늘날까지도 여전히 인기 있는 시간을 초월한 팝클래식과 모호하고 과소평가된 딥 컷을 특징으로 하고 있다.

〈청춘 낙서 American Graffiti〉 또는 〈라스트 스쿨 데이 Dazed and Confused〉와 마찬가지로 사랑스런 청소년들의 거대한 앙상블이 있는 여유롭게 구성된 수다 방 코미디다. In lieu of a traditional musical score, the Fast Times at Ridgemont High soundtrack features some timeless classics that are still popular to this day, from the likes of Tom Petty and Darlene Love as well as some deep cuts that remain obscure and underappreciated. Like American Graffiti or Dazed and Confused, Fast Times at Ridgemont High is a loosely plotted hangout comedy with a sprawling ensemble of lovable adolescents'는 리뷰를 보도한다.

세월이 흐른 지금까지도 명작 반열에 언급되고 있는 것은 현대 청소년 문화에 몰입시키는 멋진 사운드트랙을 첫 번째 이유로 꼽고 있다.

극중 시대 배경이 됐던 1980년대 10대들의 무모한 장난은 그들의 세대가 듣던 팝 음악에 의해 더욱 강조되고 있는 것이다.

〈리치몬드 연애 소동〉. ⓒ Universal Pictures

10-1. 〈리치몬드 연애 소동〉 사운드트랙 해설

1. We Got the Beat by The Go-Go's

영화 오프닝을 장식하는 흥겨운 록큰롤이다. 〈리치몬드 연애 소동〉의 주요 등장인물들이 쇼핑몰에 몰려 있는 장면에서 들을 수 있다.

2. I'll Leave It Up to You by Poco

페리 피자 Perry's Pizza에서 스테이시(제니퍼 제이슨 리)가 파트 타임으로 근무하고 있다. 손님으로 온 중년 남자 론 존슨(D. W. 브라운)이 스테이시에게 호감을 느껴 나이를 물어 보자, 실제 나이 보다 부풀려 이야기 한다.

이에 존슨이 그녀에게 데이트를 신청한다.

이러한 장면에서 포코 Poco-밴드 버팔로 스프링필드 Buffalo Springfield 해체 이후 1968년 LA를 활동 근거지로 결성 된 컨트리 록 밴드-의 'I'll Leave It Up to You'가 흘러나오고 있다.

3. Love is the Reason by Graham Nash

다모네(로버트 로마너스)가 침실에서 마크(브라이언 배커)와 이런저런 이야기를 나누고 있다. 이런 장면의 배경 곡으로 그래함 내시의 'Love is the Reason'이 흘러나오고 있다.

4. American Girl by Tom Petty and the Heartbreakers

스테이시가 학교에 첫 날 등교한다.
미국 역사 수업을 교실을 찾기 위해 서둘러 장소를 찾는다.
이러한 장면에서 탐 페티가 이끌었던 하트브레이커스와 팀웍을 이뤄 열창해 주었던 'American Girl'이 선곡되고 있다.

5. Somebody's Baby by Jackson Browne

스테이시가 마침내 중년 남자 론과 데이트를 하다 그에게 처녀성을 잃게 된다.
성장 과정에서 겪는 아픈 사연의 배경 노래가 되고 있는 곡이 잭슨 브라운의 'Somebody's Baby'이다.

6. Raised on the Radio by Ravyns

브래드(저지 레인홀드)가 여자 친구처럼 아끼는 자동차를 세차하고 있다.
라디오에서 들려주었던 여러 음악을 듣고 성장을 하게 됐다는 노래가 'Raised on the Radio'. 영화 속에서 등장하고 있는 여러 10대 청춘 남녀들도 대중음악을 듣고 성장했다는 일화를 증명해주고 있는 선곡이 되고 있다.

7. Winter Wonderland by Darlene Love

겨울 시즌 단골로 들을 수 있는 팝클래식이 'Winter Wonderland'.
영화에서도 크리스마스 시즌에 쇼핑몰에 몰려 든 아이들이 산타클로스를 보기 위해 대기 줄을 서고 있는 장면의 배경 노래로 들려오고 있다.

달린 러브(Darlene Love)-1941년 7월 26일 생, 미국 출신 영화배우, 걸 그룹 블러썸 the Blossoms 리드 싱어로 활동한 뒤 솔로로 독립했다-노래는 이 덧없는 계절 시퀀스로 청중을 즉시 연말연시 분위기로 만듭니다.

8. Uptown Boys by Louise Goffin

다모네는 마크에게 데이트 조언을 요청한다. 이에 마크는 이성 뿐 아니라 누군가의 마음을 얻기 위한 5가지 계획을 설명해 준다.

이런 상황에서 배경 노래로 선택된 곡이 'Uptown Boys'이다.

9. Kashmir by Led Zeppelin

영국 록 밴드 레드 제플린 Led Zeppelin의 'Kashmir'는 6집 앨범 'Physical Graffiti'(1975)이 탄생시킨 대표적 히트 곡. 이 노래는 〈러브 인 더 루인즈 Love in the Ruins〉(2008) 〈치카라 Chikara: The Renaissance Dawns〉(2010) 〈다큐멘터리 오브 라이프 A Documentary of Life〉(2012) 〈엘렌 드제네리스 Ellen DeGeneres in Ellen: The Ellen DeGeneres Show〉(2014) 〈위대한 댄서 The Greatest Dancer〉(2019) 〈다즌 복싱 DAZN Boxing〉(2022) 등 영화, TV 드라마, 쑈 배경 음악으로 단골로 선곡되면서 장수 인기를 누리고 있다. 〈리치몬드 연예 소동〉에서는 마크가 스테이시와 첫 데이트를 할 때 레스토랑으로 데려가는 장면의 배경 노래로 선곡되고 있다.

10. Love Rules by Don Henley

스테이시가 마크를 침실로 데려가 사진 앨범을 보여주고 있다.

마크는 약간 긴장한다. 이어 마크가 떠나기 전에 스테이시에게 키스를 건넨다.

사랑을 주제로 한 히트 곡 'Love Rules'는 마크와 스테이시가 막 시작해 나가

〈리치몬드 연애 소동〉. © Universal Pictures

는 로맨스의 풋풋한 분위기를 부추겨주는 최적의 배경 노래로 활용되고 있다.

11. Fast Times at Ridgemont High by Sammy Hagar

제프 스피콜리(숀 펜)와 제퍼슨 형제(스탠리 데이비스 주니어). 두 사람이 함께 탑승한 은색 카마로 the silver Camaro 자동차.

앞서 가는 자동차와 출동하기 직전에 새미 헤이가의 타이틀 곡 'Fast Times at Ridgemont High'가 들려오고 있다.

12. Fast Times (The Best Years of Our Lives) by Billy Squier

리치몬드 고등학교와 링컨 고등학교가 학교 자존심을 걸고 풋볼 시합 the football game을 펼친다. 한 치 양보 없는 치열한 승부전이 펼쳐진다.

이러한 때 긴박한 리듬을 앞세운 빌리 스콰이어의 'Fast Times (The Best Years of Our Lives)'이 운동장 주변으로 울려 퍼지고 있다.

13. Don't Be Lonely by Quarterflash

스테이시와 절친 린다(피비 캣츠)가 수영장을 찾아 서로 담소를 나누면서 즐거운 한 때를 보내고 있다.

이러한 정겨운 분위기에서 쿼터플래시-1980년 미국 오레곤 주 포트랜드에서 출범한 미국 록 밴드-히트곡 'Don't Be Lonely'가 흘러나오고 있다.

노래가 들려오는 동안 스테이시는 낭만적인 미래에 대한 걱정을 한다.

반면 린다는 약혼자 더그와 관계가 원만하지 않아 고민 상태에 있다.

이러한 상황에서 'Don't Be Lonely'가 다시 들려오고 있다. 노래 제목처럼 '외로워하지 말라'는 조언을 받아들이겠다는 태도를 보여 주고 있다.

14. Never Surrender by Don Felder

수영장에 스테이시와 린다가 있다는 것을 알고 마크와 다모네가 그곳을 찾아 간다. 이러한 장면을 보여 줄 때 그룹 이글즈 Eagles 리드 기타리스트 돈 펠더가 가창력을 발휘해 주고 있는 'Never Surrender'가 흘러나오고 있다.

15. Moving in Stereo by The Cars

브래드(니콜라스 케이지)는 린다(피비 캣츠)에게 은근한 연정을 품고 있다. 수영장에 있는 그녀를 바라보고 있다. 린다가 수영장에서 슬로우 모션으로 물 밖으로 나오는 육감적인 장면을 상상하고 있다. 이성에 대한 환상을 하나 가 득 품고 있는 이러한 장면에서 그룹 더 카스 The Cars-1976년 보스턴을 근거지 로 출범한 뉴 웨이브 록 밴드-히트 곡 'Moving in Stereo'가 흘러나오고 있다.

16. The Look in Your Eyes by Gerard McMahon

다모네가 스테이시를 자신의 집으로 초대 한다. 그 장소에는 마크도 동행하고 있다. 마크를 뒤에 두고 다모네와 스테이시가 담소를 나누면서 어울리고 있다. 이러한 장면에서 제라드 맥마혼 Gerard McMahon-영국 출신 싱어 송 라이 터 겸 〈로스트 보이즈 The Lost Boys〉 등 영화음악 작곡가-의 'The Look in Your Eyes'가 들려오고 있다.

17. Waffle Stomp by Joe Walsh

브래드가 해적 우두머리 후크 선장 복장을 하고 미모의 여성에게 추파를 던지고 있다. 이러한 행동의 배경 음악으로 조 월시 Joe Walsh-제임스 갱 James Gang, 이글즈 Eagles, 링고 스타 앤 히즈 올 스타 밴드 Ringo Starr & His All-Starr Band 등에서 활동했던 기타리스트 겸 싱어 송 라이터-의 솔로 히트곡 'Waffle Stomp'이 선곡되고 있다.

18. Sleeping Angel by Stevie Nicks

스테이시는 뜻하지 않게 임신했다는 사실을 알게 된다. 다모네에게 낙태 클리닉으로 동행해 줄 것을 요청한다. 하지만 그는 나타나지 않는다. 급기야 스테이시는 브래드에게 임신 중절을 위한 병원에 데려다 줄 것을 부탁한다. 이러한 절박한 상황에서 스티비 닉스의 'Sleeping Angel'이 처연하게 흘러나오고 있다.

19. Speeding by The Go-Go's

다모네는 자신의 사물함이 파손된 것을 발견한다.

그의 사물함에는 임신 중 스테이시를 무례하게 대한 것에 대한 보복으로 'Little Pr*ck'이라는 조롱조의 문구가 스프레이 낙서가 되어 있다.

이러한 상황이 펼쳐지는 장면에서 여성 록커들을 중심으로 1978년 LA에서 출범한 록 밴드 고-고스 The Go-Go's가 열창해 주고 있는 'Speeding'이 들려오고 있다.

20. I Don't Know (Spicoli's Theme) by Jimmy Buffett

미스터 바가스(빈센트 쉬아벨리)와 그의 학생들이 견학을 마치고 병원을 떠난다. 이어 학교에서는 학생들이 기말 고사를 치를 준비를 하고 있다.

이런 정경을 보여 줄 때 지미 부펫의 'I Don't Know (Spicoli's Theme)'이 흘러나오고 있다.

21. Life in the Fast Lane by Reeves Nevo & the Cinch

졸업식을 경축하는 최대 행사 중 하나가 무도회. 졸업의 기쁨과 석별의 아쉬움이 교차되는 순간의 경축 노래로 'Life in the Fast Lane'이 선곡되고 있다.

22. Wooly Bully by Reeves Nevo & the Cinch

졸업 무도회장 2번째 곡으로 흘러나오는 곡이 시종 흥겨움을 더해주고 있는 'Wooly Bully'이다.

'Wooly Bully'는 1965년 3월 12일 록큰롤 밴드 샘 더 쉐임 앤 더 파라오 Sam the Sham and the Pharaohs가 발표해 폭발적 성원을 받았던 노래.

1965년 6월 5일-12일자 빌보드 핫 100 싱글 차트 2위까지 진입하는 성과를 거둔다. 유서 깊은 록 명곡은 리브스 네보 앤 더 신치 Reeves Nevo & the Cinch 버전이 선곡되고 있다.

23. So Much in Love by Timothy B. Schmit

영화 관람을 하고 나온 스테이시와 마크. 그녀는 다가오는 여름 시즌에 데이트를 하자고 제안하면서 자신에게 전화 연락을 하라고 말한다.

핑크 빛 사연을 예고시켜 주는 장면에서 티모시 B. 슈미트-그룹 포코 Poco와 이글즈에서 베이스 연주자 겸 보컬리스트로 활동하고 있는 싱어 송 라이터-가 불러주는 'So Much in Love'가 들려오고 있다.

24. Goodbye, Goodbye by Oingo Boingo

리치몬드 고등학생들이 소란스럽게 펼쳐 놓는 여러 소동이 마무리 되고 있다.

영화 엔딩 크레디트를 장식하는 노래로 작별의 가사를 담고 있는 'Goodbye, Goodbye'가 적절하게 흘러나오고 있다. 오잉고 보잉고 Oingo Boingo는 뉴

웨이브 록 밴드 new wave rock band로 명성을 얻은 바 있다.

　1979년 팀 결성을 주도한 이는 1980년대 중반부터 영화음악가로 널리 알려지게 되는 대니 엘프만 Danny Elfman.

　'Weird Science'는 빌보드 싱글 45위에 진입시키는 최대 히트곡이 된다.

〈리치몬드 연애 소동〉. ⓒ Universal Pictures

<맘마 미아! Mamma Mia!>, 재능 있는 할리우드 연기자들이 커버 열창해 주고 있는 ABBA 히트 곡들

2008년 공개돼 전세계 극장가에서 무려 6억 9천만 달러의 흥행 수익을 거두어들인 <맘마 미아>.
© Universal Pictures, Relativity Media, Littlestar

〈맘마 미아! Mamma Mia!〉는 1970-1980년대 팝계를 선도했던 스웨덴 출신 혼성 4인조 아바 그룹의 노래로 진행되는 뮤지컬.

영화가 빅히트작이 된 것은 출연진들이 아바의 주옥 같은 노래들을 뻔뻔할 정도로 능숙하게 커버 버전으로 불러주고 있다는 점.

아바가 발표했던 최고의 팝을 할리우드에서 활동하고 있는 연기자들의 숨겨진 보컬 재능을 통해 부활 시켰다는 칭송을 받고 있다.

영화는 영국 웨스트엔드와 뉴욕 브로드웨이 뮤지컬로 호평 받았던 원작을 각색한 것은 잘 알려진 사실. 마법 같은 뮤지컬 넘버를 대형 화면으로 완벽하게 가져와 폭발적인 성원을 얻어내는 저력을 발휘한다.

〈맘마 미아! Mamma Mia!〉최고의 노래는 다수의 출연진들을 적극 활용해서 과장되고 규모가 있는 노래로 편곡한 것들이다. 프로 가수를 위협할 정도로 발군의 가창력과 출연진들의 감정 연기는 관객들을 놀라게 한 바 있다.

흥겹고 경쾌한 노래들을 불러 주는 것은 영화에서 가장 기억에 남을만한 장면을 만들어 주었다.

일부 음악 비평가들은 '실제로 맘마 미아 보컬이 훌륭하지 않더라도 진심과 열정을 담아 불러주고 있는 모든 노래들은 즐거운 음악 파티를 이끌어내는 방법을 제시했다. 이런 진행 방법은 관객들에게 신선한 매력점으로 다가 왔다.'는 지적도 해주고 있다.

11-1. 〈맘마 미아!〉사운드트랙 해설

20. Honorable Mentions: 'Chiquitita' And 'I Do, I Do, I Do, I Do, I Do'

〈맘마 미아〉. © Universal Pictures, Relativity Media, Littlestar

'Chiquitita'와 'I Do, I Do, I Do, I Do, I Do' 등 두 곡 모두 〈맘마 미아〉에서 언급되고 있다.

하지만 영화나 사운드트랙으로는 녹음되지 않았다.

이런 이유 때문에 순위가 매겨진 다른 〈맘마 미아 Mamma Mia〉 노래와는 차별적인 대접을 받게 된다.

2곡 모두 극적 재미를 추가시키는 역할을 해내고 있다.

'Chiquitita'는 도나(메릴 스트립) 친구들이 그녀가 과거 남자 친구들과 다시 만나게 됐다는 것을 알고 진심으로 축하해 주게 된다.

하지만 안타깝게도 도나 남자 친구들은 모두 다른 여성과 연정을 맺고 있다는 것을 알게 된다. 이에 친구들은 급하게 애초 계획을 변경시키려 하는 장면의 배경 노래로 불러주고 있다. 'I Do, I Do, I Do, I Do, I Do'는 도나와 샘(피어스 브로스넌)이 각자의 삶을 살아온 지 수십 년 후 만나게 된다.

그렇지만 서로에 대한 사랑의 감정은 식지 않았다는 것을 입증해 주는 곡으로 선곡되고 있다. 2곡 모두 영화 스토리에 맞게 사용됐다. 여타 곡과 비교할 때 관객들에게 깊은 인상을 던져 주지는 못했다는 아쉬운 지적을 받았다.

19. When All is Said and Done

도나와 샘은 깜짝 결혼식을 진행한다.

'When All is Said and Done'은 이후 관객들에게 도나와 샘이 행복한 결말을 맺을 것이라는 암시를 주는 노래로 선곡되고 있다.

감미로운 노래이기는 하지만, 그 시점까지 일어난 모든 일 이후

〈맘마 미아〉. © Universal Pictures, Relativity Media, Littlestar

에는 믿을 수 없을 정도로 느리게 진행된다는 것이 옥의 티로 지적 받았다.

이런 전개 과정은 도나와 샘의 로맨스 이야기가 시작할 때처럼 열정적 에너지로 결말이 되는 것은 아니라는 것을 암시하는 것이라고 알려졌다.

한편 영화에서 샘과 도나는 여러 주제가를 통해 훨씬 더 강력한 공연을 펼쳐 주는 바람에 'When All is Said and Done'은 특별한 기억을 남기지 못하는 삽입 노래가 됐다는 아쉬움을 받았다.

18. SOS

〈맘마 미아〉. © Universal Pictures, Relativity Media, Littlestar

영화에서 가창력을 발산하는 연기자 중 피어스 브로스난의 노래 솜씨는 사실 정상권은 아니다. 이것은 비밀이 아니다.

그렇다고 브로스난의 노래 솜씨가 극히 불량하다는 것은 아니다. 노래 발성력은 다소 약했지만 배역에 올인하고 있는 그의 열정은 평가 받을 만 하다. 그는 역할은 환상적이다. 그의 음악적 경험 부족은 오히려 캐릭터의 진실함을 전달시켜주는 긍정적 역할을 해낸다.

'SOS'를 불러주면서 연기에 전념하는 브로스난의 모습은 그 자체로 매우 돋보였다. 감정적으로 강한 노래인 'SOS'는 소피(아만다 세이프리드)를 홀로 키우는 도나의 스토리만큼 매력적인 노래는 아니라는 지적도 받았다.

도나와 샘이 엮어 나가는 중년의 로맨스는 〈맘마 미아 2 Mamma Mia: Here We Go Again〉에서 보다 구체적으로 진행되고 있다.

17. The Name of The Game

〈맘마 미아〉. © Universal Pictures, Relativity Media, Littlestar

세이프리드가 불러 주는 노래는 매우 훌륭하다.

그녀는 3명의 중년 남자 가운데 자신의 친부(親父)는 누구일까라는 궁금증을 'The Name of The Game'을 불러 주면서 제기한다.

소피는 자신의 아버지가 정말 빌(스테란 스카르스가르드)인지를 수수께끼처럼 묻고 있다. 빌과 소피가 이에대한 질의, 응답을 하면서 함께 불러 주는 노래는 아쉽게도 본편 영화에서는 삭제됐다고 한다. 노래에 대한 의미를 강하지만 영화에서 흘러나오는 많은 다른 좋은 노래 때문에 가치가 다소 퇴색했다.

이런 이유 때문에 뮤지컬의 수많은 노래 중 인기 순위에서는 하위권에 놓여진 노래이기도 하다.

16. Our Last Summer

'Our Last Summer'는 관객들이 콜린 퍼스의 육성으로 듣게 되는 보기 드문 노래이다.

예상을 깨고 노래 솜씨는 매우 뛰어나다는 호평을 받아낸다.

〈맘마 미아〉. © Universal Pictures, Relativity Media, Littlestar

대부분의 출연진과 마찬가지로 콜린 퍼스도 전문적으로 훈련 받은 가수는 아니다.

하지만 그의 보컬은 록큰롤 전성기 시절을 떠올려주고 있다.

브로스난과 스카르스가르드가 소피에게 엄마 도나가 생활력이 아주 강하다는 칭송을 할 때 콜린 퍼스가 이런 분위기에 합류하는 분위기로 'Our Last Summer'를 불러주고 있다. 음악 팬들은 'Our Last Summer'에 대해 '사운드 트랙을 위한 에너지 넘치는 노래가 아니다. 이런 이유 때문에 모든 영화 관객들에게 호응을 받지는 못했다.'는 의견을 내놓고 있다.

그렇지만 영화를 관람하는 동안 이 노래는 아버지가 누구인지 알아내려는 소피의 행적과 자신의 다소 방탕했던 처녀 시절의 방탕했던 과거 흔적이 공개되는 것을 피하려는 엄마 도나의 움직임을 묘사해 주려는 조용한 배경 곡 역할을 해내고 있다.

15. Waterloo

〈맘마 미아〉. © Universal Pictures, Relativity Media, Littlestar

'Waterloo'는 출연진이 불러주고 있지만 사운드트랙 목록에서는 포함되지 못했다. 엔딩 크레디트에서 들려오기 때문에 객석을 끝까지 지킨 관객들에게는 보너스로 감상할 수 있는 노래가 됐다.

출연진들의 보컬은 프로 가수처럼 완벽하지는 못하다.

그럼에도 불구하고 흥겨운 노래 분위기는 관객들의 공감을 불러일으킬 만큼 즐거운 기분을 제공하고 있다.

〈맘마 미아〉에서 'Waterloo'는 관객들에게 깊은 인상을 남긴 트랙 중 상위권을 차지하고 있다.

이런 호응 덕분에 속편에서는 업그레이드된 상태로 재녹음 됐다.

후속편에서는 극중 레스토랑 한가운데서 불러주고 있는 공연 모습으로 불리어져서 객석의 반응도 뜨거웠다.

음악 애호가들은 〈맘마 미아 2 Mamma Mia: Here We Go Again〉 버전이 더욱 좋다는 의견을 내놓았다.

14. I Have A Dream

'Waterloo'와 마찬가지로 'I Have A Dream'도 속편에서 더욱 업그레이드된 버전으로 녹음 됐다.

아만다 세이프리드 Amanda Seyfried가 첫 번째 영화에서 노래의 일부를 불러준 바 있다.

〈맘마 미아〉. © Universal Pictures, Relativity Media, Littlestar

2편에서는 릴리 제임스 Lily James가 더욱 많은 분량을 열의를 담은 독창으로 들려주고 있다. 음악 팬들은 '세이프리드의 목소리가 더욱 정감 있게 들려오고 있다.'는 의견을 제시했다. 〈맘마 미아〉의 떠들썩한 다른 곡들과 달리 'I Have A Dream'은 화면에서는 다소 조용한 노래로 선곡되고 있다.

감독은 '정든 그리스 해변 마을을 떠나 새로운 정착지에서 삶을 적극적으로 개척하겠다는 소피 캐릭터에 몰입했던 세이프리드의 열정이 담겨진 대표적 노래'라고 의미를 부여했다. 개봉 이후 관객들도 '소피에 대한 그리움을 떠올려 주는 노래'라고 기억해 주고 있다.

13. Thank You For The Music

'Thank You For The Music'은 영화에서는 제대로 들려오지 않고 있는 노래이다. 그 대신 CD 버전의 사운드트랙에서 보너스 트랙으로 수록된다.

'I Have A Dream'과 짝을 이루어 사운드트랙이 끝났다고 생각했을 때 몇 초간의 침묵 후에 들려오고 있다. 그룹 아바 ABBA 원곡은 음악에 대한 러브레터로 애창되고 있다. 이런 성원 덕분에 영화 팬들도 음악의 가치를 일깨워 주는 사랑스런 노래로 기억해 주고 있다.

〈맘마 미아〉. © Universal Pictures, Relativity Media, Littlestar

'Thank You For The Music'에서 솔로로 보컬을 주도해 나가고 있는 주역은 아만다 세이프리드이다. 그녀의 실제 목소리가 아름답게 드러나고 있다.

흥행 전문가들은 '이 노래는 팬들, 영화 속 캐릭터, 이야기와 음악에 생명을 불어넣을 수 있었던 배우 자신을 대변하는 노래 The song works as one that speaks for the fans, the characters in the movie and the actors themselves who were able to bring the story and music to life'라는 리뷰를 제시했다.

12. Gimme! Gimme! Gimme! (A Man After Midnight)

〈맘마 미아〉. © Universal Pictures, Relativity Media, Littlestar

'Gimme! Gimme! Gimme! (A Man After Midnight)'는 여러 사람의 화음이 어우러져야 진가가 발휘되는 앙상블 곡.

소피 아빠로 추정되는 2명의 중년 남자를 찾은 뒤 펼쳐지는 총각 파티 the bachelorette party 장소에서 불리어지고 있다. 현장에 집결한 일단의 여성들은 유력한 아빠 용의자(?) 해리와 빌을 주변에 있던 기둥에 묶어 놓는다.

여성들이 총각들의 구애를 받아 내는 파티의 원래 기대감에는 충족하지 못했다. 하지만 그나마 중년 남성들의 등장해 여성들이 갈망하던 유형의 즐거움을 조

금이나마 제공했다는 것은 분명했다.

앨범에 수록 된 노래 길이는 4분 48초. 시종 에너지가 넘치고 있다.

아바 전성기 시절인 1979년 10월 12일 발매된 곡은 당시 유행하던 음악 장르 디스코 감각을 융합시켜 들을 수 록 중독성을 선사했던 경쾌한 노래이다.

11. Voulez-Vous

'Voulez-Vous'는 'Gimme! Gimme! Gimme! (A Man After Midnight)'와 함께 총각 파티의 흥겨움을 더해주고 있는 노래이다.

〈맘마 미아〉. © Universal Pictures, Relativity Media, Littlestar

영화 초반에 들려오던 'Dancing Queen'처럼 댄스파티 장에 모여 든 섬마을 거주 남녀들의 흥겨운 모임을 부추겨주는 노래로 활용되고 있다.

비평가들은 군무(群舞) 장면은 'Dancing Queen'에서 펼쳐 주었던 것 보다 한 단계 좋았다는 지적을 보냈다.

카메라의 인상적인 움직임은 소피가 늘 궁금해 하던 생물학적 아버지가 누구 인지, 누가 그녀의 결혼식에 아버지로 동행해 줄 것인지에 대한 혼란함을 상징 시켜 주는 것으로 해석됐다.

10. Slipping Through My Fingers

'Slipping Through My Fingers'는 〈맘마 미아 Mamma Mia〉 사운드트랙 에서 가장 아름다운 노랫말을 담고 있는 한 곡이다.

엄마 도나는 어린 딸 소피가 어느덧 시집을 갈 만큼 성장했다는 것에 대해 뿌 듯함과 함께 야속한 세월의 흐름을 한탄하고 있다.

그렇지만 엄마 역의 메릴 스트립과 딸 역의 아만다 세이프리드가 주고받는 절묘한 화음을 '죽이는 하모니 killer harmonies'를 만들어냈다는 찬사를 받는다.

〈맘마 미아〉. ⓒ Universal Pictures, Relativity Media, Littlestar

팝 전문지 '롤링 스톤'은 이 노래가 묘사되는 장면에 대해 '영화는 엄청난 댄스 곡, 오류 코미디, 잃어버린 사랑에 대한 회상이 포함된 재미있는 볼거리다. 하지만 영화 핵심은 도나와 소피의 관계이다. 엄마와 딸은 가족보다 더 가깝고 서로가 행복하기를 바랄 뿐이다. 이와 같은 노래는 관객에게 영화의 진정한 마음이 무엇인지 상기시켜 주고 있다. Though the movies are fun spectacles involving huge dance numbers, comedies of errors and reminiscing about lost love. the heart of the movie is Donna and Sophie's relationship. The mother and daughter are closer than family and they only want each other to be happy. Songs like this one remind the audience what the real heart of the movie is'는 리뷰를 내놓았다.

9. Take A Chance On Me

영화가 서서히 마무리 될 즈음.

샘과 도나가 재결합하는 해피엔딩을 맞이할 것이라는 것이 알려진다.

약간의 질투심을 느낀 '자칭 외로운 늑대 self-proclaimed lone wolf' 로시(줄리 월터스). 빌에게 흥미로운 제안을 한다. 그녀는 탁자 위를 성큼 성큼 걸어 다니면서 빌에게 외박할 것을 당돌하게 제안하는 것이다.

로시는 '기회를 놓치지 말 것'을 강요하는 듯 'Take A Chance On Me'를 열창해 주고 있다.

노래는 놀랍도록 낙관적 메시지를 담고 있다.

로시의 일시에 폭발하는 성격을 상징하는 노래로 활용된다.

빌이 화답하는 보컬은 그다지 훌륭하지 않다.

〈맘마 미아〉. ⓒ Universal Pictures, Relativity Media, Littlestar

그렇지만 목소리에 담겨 있는 긴장감은 로시 제안을 받고 느끼는 감정을 정확하게 반영하고 있다.

노래를 불러주는 공연도 떠들썩하고 캐릭터들의 과장된 분위기도 흥겨움을 더해 주고 있다.

8. Super Trouper

소피가 결혼할 것임이 통보된다.

도나, 로지, 탄야(크리스틴 바란스키) 등 3명의 걸출

〈맘마 미아〉. ⓒ Universal Pictures, Relativity Media, Littlestar

한 중년 여성들은 총각 파티 장에서 'Super Trouper'를 합창해 주는 특별 공연을 준비한다.

왈가닥 같은 3명의 여성은 반짝이는 디스코 점프 수트와 플랫폼 부츠로 완벽한 트리오로 변신한다.

안무와 의상이 〈맘마 미아〉에서 가장 돋보인다는 칭송을 받는다.

스트립은 음악에 맞추어 소매를 앞뒤로 흔들어 대는 댄스 동작을 펼쳐 주어 단순했던 의상 소매가 절묘한 춤 소도구로 활용할 수 있음을 입증시킨다.

시종 재미있는 공연이 된다.

소피는 엄마 동료들이 펼쳐주는 공연에 열렬한 응원과 화답을 보낸다.

7. Does Your Mother Know

〈맘마 미아〉. ⓒ Universal Pictures, Relativity Media, Littlestar

시종 시시덕거리는 flirty 분위기는 탄야와 섬에서 일하는 젊은 총각 사이에서 벌어지는 스캔들에 관련이 있는 노래로 선곡되고 있다.

바란스키의 뛰어난 보컬과 드넓은 해변에서 펼쳐지는 기발하고 재미있는 스턴트 공연이 가미 되어 시선을 사로잡는다.

바란스키의 파워풀한 보컬과 카리스마 넘치는 존재감이 노래가 흘러나오는 장면에 대한 깊은 인상을 남겨 주었다.

그녀는 해변에서 일하는 작은 업소의 상사이자 자신만의 섹슈얼리티를 완전히 소유한 캐릭터여서 연하 남성의 데이트 요청을 받게 된다.

연상 직장 상급자와 연하 젊은 총각이 벌일 아찔한 로맨스가 펼쳐지기 직전.

탄야는 일말의 양심(?)을 음미하려는 듯 '엄마는 이 사실을 알고 있느냐?'는 제목의 'Does Your Mother Know'를 선창해 주어 관객들의 웃음보를 터트리게 만든다.

6. Money, Money, Money

도나는 한적한 그리스 해변가에서 작은 게스트 호텔을 꾸려 나가고 있다.

하지만 늘 재정 적자에 시달리고 있다고 하소연 한다.

돈이 궁핍해져 가고 있는 상황은 'Money, Money, Money'라는 노래를 통해 노골적으로 드러내고 있다.

도나는 호텔 주변을 친구들에게 보여 주면서 오래된 호텔이 낡아서 서서히 무너지고 있다는 것을 상기

〈맘마 미아〉. ⓒ Universal Pictures, Relativity Media, Littlestar

시키면서 더욱 절실하게 돈이 필요하다는 것을 역설하고 있다. 노래는 시종 일관 도나가 돈에 대해 걱정할 필요가 없는 환상적인 분위기를 제공하고 있다.

그렇지만 가혹한 현실은 노래와 정반대의 상황이라는 것을 적절하게 균형을 맞추면서 일깨워 주고 있다.

갑부가 된 환타지 장면은 대형 선박에서 진행되고 있다. 도나는 보트 앞쪽에서 풍족한 귀부인 자태를 호기스럽게 드러내는 극적인 자세를 취하고 있다.

이런 설정은 도나가 현실적으로 겪고 있는 재정적 압박에서 벗어나 부자가 되는 꿈을 분명하게 보여주는 낭만적 장면이 되고 있다.

5. The Winner Takes It All

〈마마 미아!〉에서 관객들에게 깊은 인상을 남기고 있는 것은 노래에 어울리는 화려한 춤과 다수의 백업 보컬 장면.

하지만 도나가 자신을 버리고 다른 여성을 찾아

〈맘마 미아〉. ⓒ Universal Pictures, Relativity Media, Littlestar

떠난 샘에게 세월이 흘러 여러 아쉬운 감정을 노출시키는 것은 단순하지만 강한

여운을 남겨 주고 있다.

샘이 도나의 본심을 배신하고 남성으로서 다른 여성을 선택했다는 것에 대한 서운한 심정을 'The Winner Takes It All'을 통해 열렬히 표현해주고 있다.

그리스 해안가 돌 무리가 무성한 장소에서 붉은 머플러를 휘날리면서 노래를 열창해 주고 있는 도나의 모습. 배역과 일치 된 메릴 스트립의 강력한 존재감으로 인해 강한 에너지를 전달시켜주고 있다. 단순한 장면이지만 극적 효과를 최대한 끌어올린 기억에 남는 시퀀스로 기억되고 있다.

빌보드는 이 장면에 대해 '노래를 열창해 주고 있는 메릴 스트립의 보컬은 관객들을 날려 버릴 만큼 강렬했다. 시끄러운 벨트 라인에서 더 부드러운 순간에 이르기까지 관객들은 스트립의 목소리를 통해 장면의 감정을 실제로 느낄 수 있었다. 그녀의 연기는 화려한 배경, 특히 노래가 끝날 때까지 달려야 하는 극적인 산비탈 계단의 도움을 받고 있다. Meryl Streep's vocals while singing passionately were strong enough to blow the audience away. From the loud belting lines to the softer moments viewers can really feel the emotion in the scene through Streep's voice. Her performance is aided by the gorgeous setting, most notably the dramatic mountainside staircase she has to run up towards the end of the song'는 호평이 담긴 리뷰를 보도한다.

4. Lay All Your Love On Me

결혼을 앞두고 있는 스카이에게 총각 파티가 기다리고 있다.

소피와 스카이(도미니크 쿠퍼)는 해변 가에서 서로에 대한 뜨거운 사랑의 감정을 담아 'Lay All Your Love On Me'를 주거니 받거니 듀엣으로 열창해 주고 있다. 노래를 통해 스카이는 소피에 대한 굳은 사랑을 맹세하고 있다.

덧붙여서 자신이 소피에 대한 사랑을 처리하고 그녀 인생에서 가장 필요한

유일한 남자임을 확신시키
고 있다.

팝 전문지 롤링 스톤은 '아
만다 세이프리드와 쿠퍼의
케미스트리를 유추해 소피
와 스카이의 강한 끌림과 결
혼식을 앞둔 날부터 쌓아온

〈맘마 미아〉. ⓒ Universal Pictures, Relativity Media, Littlestar

성적 긴장감을 표현한 곡이다. 그것은 재미있고 섹시하다. 스카이와 그의 신랑
들러리가 바닷가에서 오리발로 춤을 추는 재미있는 댄스 시퀀스를 포함하고 있
다. 노래와 장면은 관객들에게 안락함을 제공하고 있다. The song plays up the
chemistry between Amanda Seyfried and Cooper to display the strong attraction be-
tween Sophie and Sky and the sexual tension that has built up in the days leading to
their wedding. It's fun, sexy, and includes a hilarious dance sequence in which Sky and
his groomsman dance on the dock in flippers. Songs and scenes provide comfort to the
audience.'고 평가했다.

3. Honey, Honey

'Honey, Honey'는 소피
의 보컬이 돋보이는 비중 있
는 노래이다.

소피는 자신의 친 아버지
가 누구인지 알아내기 위해
엄마의 일기에서 발췌한 내
용을 친구들에게 읽어 주고

〈맘마 미아〉. ⓒ Universal Pictures, Relativity Media, Littlestar

있다. 이런 장면과 함께 들려주는 노래는 매우 감미롭고 발랄하며 아만다 세이
프리드만의 가창 능력을 유감없이 노출시켜 준다.

그녀의 친구들이 백그라운드 보컬로 나서고 있다.

아만다 세이프리드의 보컬은 무대의 정점을 이루고 있다. 노래가 진행되면서
소피의 얼굴은 행복과 흥분으로 빛나고 있다. 그녀가 노래 열창을 위해 쏟아 내
는 에너지는 객석으로 그대로 전달되어 찬사를 불러일으킨다.

덧붙여 'Honey, Honey'는 사운드트랙 중 별도의 싱글로도 발매 되어 전 세
계 여러 국가에서 팝 히트 차트 100위권에 진입하는 성과를 거둔다.

들을수록 세이프리드의 전염성 강한 보컬이 매력적이라는 찬사가 확산됐다.

2. Mamma Mia

〈맘마 미아〉. © Universal Pictures, Relativity Media, Littlestar

도나는 염소 집에 숨어 있는 3명의 전 애인을 발견하게 된다.

도나는 과거 한 때 정분을 나누었던 3명의 과거 남자를 동시에 목격하고 복잡다단한 감정의 홍수에 빠지게 된다.

깜짝 놀랐을 때 무의식중에 노출되는 감탄사를 제목으로 내세운 'Mamma
Mia'. 도나가 이제 중년이 된 3명의 옛날 애인들을 동시에 목격한 감정을 노출
시켜 주는 적절한 노래가 되고 있다.

영화 〈맘마 미아 Mamma Mia〉 시작 부분에서도 흘러나오고 있는 'Mamma
Mia'는 메릴 스트립의 뛰어난 보컬, 안무 및 율동을 가미시킨 댄스 장면 등이
어우러져 매우 훌륭한 노래라는 찬사를 불러 일으켜 주었다.

〈맘마 미아〉 속편에서는 릴리 제임스 Lily James가 이 곡을 매우 다르게 편곡시켜 불러주어 주목을 받아냈다.

메릴 스트립이든 릴리 제임스 버전이든지 결국 'Mamma Mia'는 도나의 캐릭터 특징을 완벽하게 노출시켜주는 대표적 노래로 회자(膾炙) 됐다.

1. Dancing Queen

시종 흥겨운 멜로디로 구성된 'Dancing Queen'은 영화 〈맘마 미아〉를 재미있고 즐거운 로맨틱 드라마로 만들어 내는 모든 요소를 담고 있는 노래이다.

〈맘마 미아〉. ⓒ Universal Pictures, Relativity Media, Littlestar

대형 뮤지컬 무대에서도 효과를 발휘할 모든 장점을 갖추고 있다는 격찬을 받고 있다. 도나를 비롯해 여러 여성들은 헤어진 연인의 흔적으로 인해 정신적 스트레스를 받는다는 이야기를 털어 놓는다.

이어서 홀로 남은 여성들끼리 서로에게 위안을 던져 주면서 자기애와 여성들만의 우정의 가치를 일깨워 주면서 'Dancing Queen'을 열창해 주고 있다.

음악 전문지들은 이 장면에 대해 'Dancing Queen이 궁극의 걸 파워 곡으로 활용되고 있다. Dancing Queen is being utilized as the ultimate girl power song'는 해설을 제시했다.'

도나가 선창해 주고 있는 노래에는 '춤, 유머 등 정말 모든 것이 담겨져 있다.'는 풀이를 받아낸다.

<문에이지 데이드림 Moonage Daydream>(2022), 데이비드 보위의 화려했던 이력을 담은 음악 다큐

〈문에이지 데이드림〉. ⓒ BMG, Live Nation Productions, Public Road Productions

데이비드 보위의 창의적이고 음악적인 여정을 탐구하는 시네마틱 오디세이다.

선구적인 영화감독 브렛 모겐이 보위의 음악 유산에 대한 승인을 받아냈다.

A cinematic odyssey exploring David Bowie's creative and musical journey.

From visionary filmmaker Brett Morgen and sanctioned by the Bowie estate.

　　　　　　　- 빌보드 Billboard Magazine

브렛 모겐 Brett Morgen이 시나리오와 연출을 맡은 음악 다큐멘터리 〈문에이지 데이드림 Moonage Daydream〉. 무려 50여곡이 넘는 데이비드 보위 David Bowie 노래가 2시간 15분의 상영 시간을 장식해 주고 있다.

데이비드 보위 David Bowie는 의상, 무대 장치 등 전반적인 스타일의 대대적인 변화와 노래가 추구하는 급진적인 다양성으로 유명세를 얻은 음악인이다.

〈문에이지 데이드림 Moonage Daydream〉 사운드트랙은 그가 음악 아티스트로서 누구였는지에 대한 응집력 있는 감각을 유감없이 제공하고 있다.

전반적으로 브렛 모겐 Brett Morgen 감독의 다큐멘터리는 시각적 몽타주와 오디오 샘플링을 통해 보위의 변화무쌍한 음악 세계를 펼쳐주고 있다.

오디오 샘플링에는 인터뷰 스니펫과 50곡 이상의 노래로 구성된 사운드 스케이프가 포함되어 있다.

대부분은 영화 주제를 강조시켜 주는 선곡으로 활용되고 있다.

음악 없이 이 영화를 관람한다는 것은 불가능하다.

이를 염두에 둔 듯 사운드트랙은 2장 앨범으로 구성되어 발매됐다.

다큐멘터리의 사운드 디자인은 데이비드 보위의 음악 콜라주를 포함하고 있다.

이것은 보위의 여러 노래들의 특징들을 결집시켜서 흡사 새로운 곡처럼 음원을 만들어내는 '매시업 mashup' 기법 특징을 선사하고 있다.

'Moonage Daydream-A Brett Morgen Film'이라는 제목으로 출반된 사운드트랙은 영화 속 노래의 레이아웃과 범위를 잘 표현하고 있다.

라이브 공연과 재작업 된 스튜디오 녹음의 연속 배열이 특징이다.

45곡을 담고 있는 트랙 중 일부는 보위의 생전 대화를 들려주고 있다.

앨범을 감상하고 있으면 영화 화면에서 들려주었던 음악과 함께 등장했던 이미지를 떠올리게 해주고 있다는 칭송을 듣고 있다.

12-1. <문에이지 데이드림> 사운드트랙 해설

1. Ian Fish, U.K. Heir

〈문에이지 데이드림〉의 서막을 열고 있는 노래.

'Ian Fish, U.K. Heir'는 데이비드 보위 David Bowie가 1993년 발매한 앨범 'The Buddha Of Suburbia'에 수록된 곡을 리믹스 버전으로 들려주고 있다.

2. 대니 케이 Danny Kaye의 'Inchworm'

사운드트랙에서 데이비드 보위 David Bowie가 불러 주지 않고 있는 몇 안

되는 노래 중 한 곡이다. 'Inchworm'는 1952년 공개된 영화〈한스 크리스찬 앤더센 Hans Christian Andersen〉장면과 믹스되어 오프닝 뮤직 콜라주 the opening music collage로 들려오고 있다.

이어 'Ian Fish, U.K. Heir'는 1960년 영화〈유니버스 Universe〉에서 인간이 달에 착륙하는 장면을 자료 영상으로 보여줄 때 배경 노래로 들려오고 있다.

3. Space Oddity

데이비드 보위가 1969년 발표한 고전적인 히트곡이 'Space Oddity'.
이 노래는 'Ian Fish, U.K. Heir' 리믹스 일부로 들려오고 있다.

4. Life on Mars

오프닝 장면.
'Ian Fish, U.K. Heir' 리믹스 버전을 통해 예고 음악처럼 들려오고 있는 노래가 'Life on Mars'이다.

5. Hallo Spaceboy

'Hallo Spaceboy'는 1995년 앨범 'Outside'에 수록됐던 노래이다.

뮤직 비디오, 고전적 공상과학 영화의 몽타쥬, 공포 영화, 우주 탐사를 과정을 담은 자료화면, 1970년대 보위 공연장을 가득 메운 열성 팬들의 모습.

이러한 장면들이 파노라마처럼 숨 가쁘게 펼쳐지면서 'Ian Fish, U.K. Heir'이 주축이 되고 있는 믹스 작업의 일부로 'Hallo Spaceboy'가 들려오고 있다.

〈문에이지 데이드림〉. ⓒ BMG, Live Nation Productions, Public Road Productions

6. Wild-Eyed Boy from Freecloud

음악 다큐 전문 감독으로 유명세를 떨쳤던 D. A. 페니베이커 D. A Penne-baker 감독이 1979년 공개한 다큐멘터리 〈지기 스타더스트 Ziggy Stardust and the Spiders from Mars〉.

이 다큐에서 1973년 보위의 콘서트 영상이 보여질때 라이브 버전의 'Wild-Eyed Boy from Freecloud'가 들려오고 있다.

1984년 아시아 주요 국가 순회공연을 담은 콘서트 영화 〈리코쳇 Ricochet〉 장면에서도 'Wild-Eyed Boy' 음원이 들려오고 있다.

7. All the Young Dudes

음악 다큐 〈지기 스타더스트 Ziggy Stardust and the Spiders from Mars〉 에서 'Wild-Eyed Boy from Freecloud'에 이어 라이브 버전의 'All the Young Dudes'가 들려오고 있다.

8. Oh! You Pretty Things

〈지기 스타더스트 Ziggy Stardust and the Spiders〉에서 화성 풍경을 보여 주는 장면에서는 'All the Young Dudes'에 이어 라이브 버전의 'Oh! You Pretty Things'이 연속해서 들려오고 있다.

9. Life on Mars?

뮤직 비디오 클립, 보위의 열성 팬들을 대상으로 한 인터뷰 자료화면, 그리고 팝 비평가 러셀 하티 Russell Harty로부터 '음악 및 구두 및 의상 등 패션 스타일, 성 정체성 등에 대한 질문을 받고 이에 응답하는 자료화면.

이러한 장면과 함께 1971년 발표됐던 싱글 'Life on Mars?'가 들려오고 있다.

10. Moonage Daydream

음악 다큐 〈지기 스타더스트〉에서 진행된 공연 모습, 화성을 다룬 다수의 공상 과학 영화 자료화면, 찰리 채플린의 여러 영화 클립 장면. 이러한 자료 화면과 함께 타이틀 노래 'Moonage Daydream'가 들려오고 있다.

11. The Width of a Circle

보위가 생각하고 있는 '종교와 영성 religion and spirituality'에 대한 생각을 들려주고 있다.
영화 속에서 보기 드물게 보위의 육성을 접할 수 있는 장면에서 배경 음악으로 1969년 발매된 'The Width of a Circle'이 짧게 흘러나오고 있다.

12. The Jean Genie

런던 해머스미스 오데온 the Hammersmith Odeon에서 진행된 콘서트 'Ziggy Stardust show' 자료 장면.
보위는 '종교 religion'에 대한 자신의 의견을 계속 말하고 있다.
이때 1972년 발매됐던 'The Jean Genie'의 라이브 버전이 들려오고 있다.
이 곡에서 기타 협연 연주자로 나선 음악인은 제프 벡 Jeff Beck이다.

13. Love Me Do

1962년 비틀즈 그룹이 데뷔 싱글로 발표 했던 명곡이 'Love Me Do'.
보위가 1973년 런던 햄머스미스 오데온 콘서트 장에서 커버 버전으로 불러주고 있다. 노래와 함께 오디오 클립을 통해 보위는 '지기 스타더스트 캐릭터 the Ziggy Stardust character'에 대한 의견을 들려주고 있다.

〈문에이지 데이드림〉 사운드트랙 앨범에서는 'The Jean Genie'와 'Love Me Do'가 메들리 트랙으로 수록되어 있다.

14. The Light by Bournemouth Symphony Orchestra

'The Light'는 1987년 필립 글래스 Philip Glass가 작곡해준 곡이다.

본마우스 심포니 오케스트라가 'The Light'를 연주곡으로 들려주고 있을 때 보위는 춤과 그림을 그린다는 것에 대한 의견을 들려주고 있다.

이어 오디오에서는 보위가 자신의 예술과 기타 창의적 관심사에 대한 생각이 덧붙여져서 들려오고 있다.

15. Warszawa

싱글 곡 'Warszawa'는 앨범 'Low'에 수록된 바 있다.

데이비드 보위와 브라이언 에노 Brian Eno가 듀엣으로 불러주고 있다.

이들 노래는 1978년 데이비드 헤밍스 David

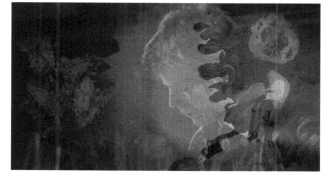

〈문에이지 데이드림〉. © BMG, Live Nation Productions, Public Road Productions

Hemmings 감독의 음악 다큐 〈얼스 코트 Earls Court〉에서도 들을 수 있다.

16. Quicksand

영화 〈지구로 떨어진 사나이 The Man Who Fell to Earth〉에서 보위가 얼굴 모형을 뜨는 모습. BBC에서 방영한 음악 다큐 〈크랙드 액터 Cracked Actor〉

의 일부 화면. 영화배우로 겸업 활동을 하는 것에 대한 보위의 생각.

이런 장면이 자료 화면으로 보여 지면서 1971년 발표됐던 싱글 'Quicksand'
가 들려오고 있다.

17. A Natural Woman (You Make Me Feel Like) by Aretha Franklin

아레사 프랭크린의 'A Natural Woman (You Make Me Feel Like)'는 보위
의 노래로 점철된 사운드트랙에서 몇 곡 안 되는 외부 뮤지션 곡.

음악 다큐 〈크랙트 액터 Cracked Actor〉 장면에서 들려오고 있다. 사운드트
랙에서는 누락 된다.

18. Future Legend

보위가 '보수 예술 right-wing art'에 대한 생각을 털어 놓는다.

그의 육성 발언과 함께 다양한 공연 클립 영상이 몽타주로 펼쳐 보여 지고 있다.

이러한 장면에서 1974년 발표된 싱글 'Future Legend'가 배경 노래로 들려
오고 있다.

19. Diamond Dogs

'Future Legend' 배경 영상으로 보여 주었던 여러 영상 화면과 함께 사운드
콜라주 sound collage가 들려올 때 배경 노래로 'Diamond Dogs'가 선곡되
고 있다.

20. Cracked Actor

〈지구로 떨어진 사나이 The Man Who Fell to Earth〉 출연 장면, 콘서트

하이라이트, 보위와 엘리자베스 테일러를 결합시킨 몽타쥬, 보위의 인터뷰.

이런 복합적인 장면이 보여 지면서 1973년 발표된 싱글 'Cracked Actor'가 앨범 타이틀 곡 'Diamond Dogs'에 이어 들려오고 있다.

2곡이 메들리로 편집된 음원은 사운드트랙에 수록된다.

21. Rock N Roll With Me

'Rock N Roll With Me'는 1974년 발매된 앨범 'Diamond Dogs'에 수록된 곡이다.

보위가 영국의 서민들 술집에서 흑백 영상으로 회고해 주고 있는 어린 시절의 추억, 순회 콘서트 'Philly Dogs tour' 공연장에서 애니메이션으로 보여준 전쟁과 포로수용소 모습. 배다른 형제 테리 Terry가 어린 시절 자신에게 영향을 준 사례 등에 대한 육성 증언.

이러한 장면들이 자료 화면과 함께 보여 지면서 'Rock N Roll With Me'가 흘러나오고 있다.

22. Aladdin Sane

데이비드 보위는 예술이 인간의 정신과 육체적 질환을 완화시켜 줄 수 있다는 '치료로서의 예술 art as therapy'을 역설한다.

보위의 이러한 발언과 함께 1973년 발매된 앨범 'Aladdin Sane'의 동명 타이틀이 보위의 자료 영상 배경 노래로 흘러나오고 있다.

노래가 흘러나오는 와중에 보위가 마스크를 착용하고 춤을 추는 장면, 'Cracked Actor' 뮤직 비디오 클립, 빙 크로스비가 불러주는 'Peace on Earth/ Little Drummer Boy'를 활용한 보위의 뮤직 비디오 영상이 잇달아 보여 지고 있다.

23. Subterraneans

영화 〈지구로 떨어진 사나이 The Man Who Fell to Earth〉의 몇 몇 장면, 별자리 the Zodiac에 대한 의견 그리고 보위가 자신의 정체성, 부모의 존재 그리고 어린 시절 궁핍했던 것을 찾아 나선 과정 등.

이러한 여러 생각을 털어 놓는 와중에 1977년 발표된 대부분연주 음악으로 구성된 'Subterraneans'이 들려오고 있다.

24. Space Oddity

뮤직 비디오 'Life on Mars' 및 'Space Oddity'가 보여 지는 동안 보위는 '글을 쓰지 않고 감정이 없다는 것에 대한 의견을 밝히고 있다.

이어 50살 생일을 맞아 진행된 뉴욕 메디슨 스퀘어 가든 콘서트 장면과 영화 〈지기 스타더스트〉 장면 등이 혼합되어 보여 지고 있다. 이러한 화면 배경 음악으로 보위의 클래식 노래 'Space Oddity'가 흐르고 있다.

25. V-2 Schneider

'V-2 Schneider'는 'Subterraneans'와 마찬가지로 주로 연주로 진행되는 노래. 보위는 서 베를린으로 건너가서 브라이언 에노 Brian Eno와 함께 현지 지역 풍경을 담아 뮤직 비디오 'Sense of Doubt'를 제작한다.

그리고 자신의 음악적 변화에 대한 의견을 주고받는다.

이러한 장면이 보여 지면서 배경 노래로 1977년 앨범 'Heroes'에 수록된 'V-2 Schneider'가 흘러나오고 있다.

26. Sound and Vision

1977년 발매된 앨범 'Low'에 수록된 곡이 'Sound and Vision'이다.

화려한 물보라를 배경으로 해서 노래가
공연되고 있다.

노래가 나오는 동안 보위는 1977년 네
덜란드 암스테르담 호텔 드 유럽 Hotel
de L'Europe에서 진행된 인터뷰를 통해
새롭게 추구하려는 음악 특성과 새로운
노래 언어를 발견해 나가고 있다는 것에
대해 역설해 주고 있다.

〈문에이지 데이드림〉. ⓒ BMG, Live Nation
Productions, Public Road Productions

또한 그가 세상에서 벌어지고 있는 혼돈스런 상황을 수용하고 있는 방법에
대한 의견도 제시하고 있다.

27. A New Career in a New Town

'A New Career in a New Town'도 앨범 'Low'에 수록된 곡이다.

노래가 흐르는 동안 1978년 쾰른에서 진행됐던 베를린에서의 행적을 비롯해
그동안 시도했던 예술적 변화, 독일 감독 프리츠 랑 Fritz Lang의 공상 과학 걸
작 〈메트로폴리스 Metropolis〉 일부 장면, 인터뷰에서 도중 발언한 no sh*t,
Sherlock 코멘트에 대한 설명 등 암스테르담에서 진행된 인터뷰 장면 등이 보
여지고 있다.

28. Word on a Wing

싱글 'Word on a Wing'은 1976년 발매된 앨범 'Station to Station'에 수
록된 노래이다.

이 곡이 흘러나오는 동안 보위는 베를린에 체류하는 동안 시도했던 자신의
예술 정체성을 해체하려 했던 것에 대한 의견을 들려주고 있다.

29. Heroes

1977년 발매된 앨범 'Heroes'의 동명 타이틀 곡.

보위가 콘서트를 준비하고 있는 영상, 공개되지 않은 콘서트 영화 〈얼스 코트 Earls Court〉 일부 장면이 보여 지면서 라이브 버전의 'Heroes'가 흘러나오고 있다.

30. D.J

1979년 발매된 앨범 'Lodger'에 수록된 싱글이 'D.J'이다.

노래를 구성한 뮤직 비디오와 함께 보위가 공연 중에 펼치는 판토마임, 무대극 〈엘리펀트 맨 The Elephant Man〉의 작업 과정 등 그가 시도했던 예술적 과정이 보여 지고 있다.

31. Ashes to Ashes

싱글 'Ashes to Ashes'는 1980년 발매된 앨범 'Scary Monsters (and Super Creeps)'에 수록됐다. 호화로운 저택을 소유하지 않고 자유롭게 세계 각지를 여행하는 소감, 〈엘리펀트 맨〉 공연 장면 등이 몽타주로 보여 지면서 'Ashes to Ashes'가 들려오고 있다.

32. Move On

앨범 'Lodger'에 아카펠라 버전으로 담겨진 노래가 'Move On'이다.

음악 전문가들은 'Move On'의 일부 리듬이 'All the Young Dudes'를 떠올려 주고 있다는 지적도 하고 있다. 'Move On'은 보위가 일본에 대한 깊은 관심을 드러내는 장면의 배경 노래로 사용되고 있다.

33. Moss Garden

싱글 'Moss Garden'은 앨범 'Heroes'에 수록된 노래.

이 노래는 보위가 자신의 정체성을 드러내는 수단으로 선택하는 패션과 무대 소품에 대한 의견을 드러내는 장면의 배경 곡이 되고 있다.

34. Cygnet Committee

보위가 노랫말을 작사하고 자신이 원하는 양질의 작품이 탄생되도록 노력하는 것에 대한 일화, 영화 〈저스트 어 지골로 Just a Gigolo〉 〈헝거 The Hunger〉 〈메리 크리스마스 미스터 로렌스 Merry Christmas, Mr. Lawrence〉 출연 장면, 뮤직 비디오 'Ashes to Ashes' 일부 장면, 1979년 'Saturday Night Live'에 출연해서 펼친 짧은 공연 등. 이러한 보위의 다양한 활동 모습의 배경 노래로 1969년 발표 된 'Cygnet Committee'가 선곡되고 있다.

35. Lazarus

보위의 마지막 출반 앨범으로 기록된 2016년 'Blackstar'에 수록된 싱글이 'Lazarus'이다. 사운드트랙 〈문에이지 데이드림〉에서는 'Lazarus'와 'Cygnet Committee'를 적절하게 믹스한 곡이 수록된다.

36. Memory of a Free Festival

'Memory of a Free Festival'은 인트로에서 들려오는 하모니 연주가 일품이다. 다채로운 하트 모양의 이미지, 영화 〈리코쳇 Ricochet〉에 담겨져 있는 아시아 가수들 모습 등이 보여 지면서 'Memory of a Free Festival'이 흘러나오고 있다.

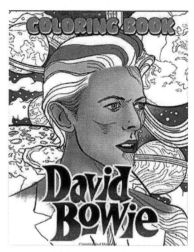

〈문에이지 데이드림〉. © BMG, Live Nation
Productions, Public Road Productions

37. Ian Fish, U.K. Heir

보위가 30대 중반의 자기 인생을 들려주고 있다.

영화 〈리코쳇 Ricochet〉에 담겨져 있는 다양한 영상이 보여 지고 있다. 이런 에피소드 장면과 함께 배경 곡으로 'Ian Fish, U.K. Heir'가 들려오고 있다.

38. Modern Love

싱글 'Modern Love'는 1983년 발매된 앨범 'Last Dance'에 수록된 곡이다.

1980년대 진행된 기자 회견 모습, 'Fame 90' 뮤직 비디오에서 루이스 르카발리에르 Louise Lecavalier와 함께 춤을 추는 장면, 보위의 콘서트를 관람하기 위해 장사진을 이루고 있는 열성 팬들의 모습 등. 이런 다채로운 장면과 함께 'Modern Love'가 들려오고 있다.

노래가 흘러나오는 동안 보위가 '새로운 심플 음악 new simple music'에 대한 의견을 언급하는 오디오 클립이 함께 들려오고 있다.

39. Let's Dance

1983년 콘서트 영상, 팬 인터뷰, 'Fame 90 뮤직 비디오, 수년 동안 춤을 추는 보위의 여러 영상 등. 이런 장면이 보여 지면서 배경 노래로 라이브 버전의 'Let's Dance'가 들려오고 있다.

40. The Mysteries

싱글 'The Mysteries'는 앨범 'Low'에 수록 곡.

보위가 '내일 tomorrow'과 미래에 대한 생각, 더욱 많은 노래를 작사하고 싶다는 음악인으로서의 열망, 1980년대 진행했던 여러 콘서트 장면 등. 이런 모습이 보여 지면서 'The Mysteries'가 들려오고 있다.

41. Absolute Beginners

보위가 공연했던 수많은 콘서트 장면 등이 1986년 발표됐던 싱글 'Absolute Beginners'와 'The Mysteries'를 믹스시킨 배경 노래 속에서 보여지고 있다.

42. Rock n Roll Suicide

1987년 진행된 '글라스 스파이더 투어 Glass Spider tour', 영화 〈리코쳇 Ricochet〉과 〈라비린스 Labyrinth〉 영상 컷, 티나 터너와 함께 출연했던 펩시 Pepsi 광고 장면 등. 보위의 다양한 활동 상황을 펼쳐 주는 장면과 함께 1972년 발표 된 'Rock n Roll Suicide' 라이브 버전이 들려오고 있다.

43. Ian Fish, U.K. Heir

보위는 가수로서 어려운 시절과 이후 성공했지만 사실 음악적으로는 성장하지 못했다고 털어 놓는다. 영화 〈리코쳇 Ricochet〉에서 에스컬레이터를 타고 있는 보위의 시각적 영상이 반복적으로 보여 지고 있다.
이런 장면이 보여 지면서 'Ian Fish, U.K. Heir'의 믹스 버전이 들려오고 있다.
또한 'Ian Fish, U.K. Heir'와 'Hallo Spaceboy'를 믹스한 버전이 추가적으로 배경 노래로 선곡되고 있다.

44. Word on a Wing

보위가 아내 아이만 Iman와 만나 그들의 결혼 생활로 겪게 된 여러 혼란스런 상황과 각자의 생각의 차이에서 초래 된 문제점에 대해 의견을 나누고 있다.

보위가 무대 공연을 통해 펼쳐 주었던 실루엣 댄싱 silhouette dancing, 프레드 아스테어와 진저 로서스의 뮤지컬 명작 〈탑 햇 Top Hat〉 장면, 뮤직 비디오 'Jump They Say' 제작 장면, 보위가 무성 영화 시절 스타 버스터 키튼 복장을 하고 등장해 뮤직 비디오 'Miracle Goodnight'을 촬영하는 로케이션 현장 모습, 미래 우주 모습인 스타게이트 이미지 Stargate imagery 등.

이러한 다양한 활동 장면이 보여 지면서 1975년 앨범 'Station to Station' 수록된 'Word on a Wing'이 들려오고 있다.

45. Hallo Spaceboy

1990년대 발표된 공상 과학 영화의 영상화면, 보위의 뮤직 비디오에 대한 클립, 1996년 진행된 피닉스 페스티벌 the Phoenix Festival 콘서트 출연 장면 등.

보위와 그의 예술 활동과 관련이 있는 영상을 몽타쥬로 펼쳐 보이면서 배경 노래로 라이브 버전 'Hallo Spaceboy'가 들려오고 있다.

46. I Have Not Been to Oxford Town

1995년 앨범 'Outside' 수록곡이 'I Have Not Been to Oxford Town'. 이 노래는 화면이 잠시 흑백으로 바뀌면서 아카펠라 버전 a capella version 으로 들려오고 있다.

47. Heroes: IV. Sons of the Silent Age by Bournemouth Symphony Orchestra

필립 글래스가 발표했던 앨범 'Heroes' 수록 곡 'Sons of the Silent Age'을 심포니 버전으로 편곡한 곡이 'Heroes: IV. Sons of the Silent Age'이다.

보위가 점차 나이가 들어가면서 갖게 되는 생각과 과거 행적에 대한 회고조의 이야기를 말하고 있다. 이어 보위가 무대 공연 중에 드러내 주었던 화려한 페인팅 분장, 춤, 영화〈지기 스타더스트 Ziggy Stardust〉〈스파이더 프럼 마즈 the Spiders from Mars〉 그리고 여러 콘서트 실황 등.

이러한 다채로운 장면이 보여 지면서 배경 선율로 'Heroes: IV. Sons of the Silent Age' 연주되고 있다.

〈문에이지 데이드림〉. ⓒ BMG, Live Nation Productions, Public Road Productions

48. Silly Boy Blue

1967년 보위의 데뷔 앨범 'Silly Boy Blue'의 동명 타이틀곡이 'Silly Boy Blue'이다.

영화 엔딩 장면에서 'Blackstar'와 'Silly Boy Blue'가 믹스된 선율이 들려오고 있다.

49. Blackstar

1996년 앨범 'Blackstar'의 동명 타이틀 곡이 'Blackstar'.

보위가 죽어 간다는 것에 대한 생각을 말하고 있다.

이어 우주에 관련된 여러 장면이 자료 화면으로 보여 지고 있다.

이런 영상 화면의 배경 노래로 'Blackstar'가 들려오고 있다.

50. Ian Fish, U.K. Heir

여러 우주 장면이 영화〈유니버스 Universe〉 클립으로 변환되고 있다.

'Blackstar' 뮤직 비디오 영상이 보여 지고 있다.

이런 장면의 배경 노래로 'Ian Fish, U.K. Heir'가 짧게 들려오고 있다.

51. Memory of a Free Festival

뮤직 비디오 'Blackstar' 클립 영상이 보여 지면서 수많은 관객들이 노래를 따라 부르는 장대한 장면이 이어진다.

이어서 'Memory of a Free Festival' 노래가 들려오고 있다.

52. Starman

1972년 앨범 'The Rise and Fall of Ziggy Stardust'와 'the Spiders from Mars'에 수록된 싱글이 'Starman' 영화 엔딩 크레디트가 시작되면서 'Starman'이 들려오고 있다.

53. Changes

1971년 앨범 'Hunky Dory'에 수록됐던 트랙이 'Changes' 엔딩 크레디트 2번째 노래로 'Changes'가 선곡돼 들려오고 있다.

13

<물랑 루즈! Moulin Rouge!>(2001), 음악 테크니션 바즈 루어만이 선곡한 팝의 진수성찬(珍羞盛饌)

〈물랑 루즈〉. © Twentieth Century Fox, Bazmark Films

1899년. 젊은 영국 작가 크리스티안은 도시의 마약과 매춘부가 들끓는 지하 세계를 장악한 보헤미안 혁명을 따르기 위해 파리로 오게 된다.

The year is 1899 and Christian, a young English writer has come to Paris to follow the Bohemian revolution taking hold of the city's drug and prostitute infested underworld.

그리고 부자와 가난한 사람 모두가 춤을 추기 위해 찾아오는 나이트클럽 물 랑 루즈보다 지하 세계의 스릴이 살아 있는 곳은 없다.

And nowhere is the thrill of the underworld more alive than at the Moulin Rouge, a night club where the rich and poor men alike come to be entertained by the dancers.

하지만 크리스티안은 클럽 스타이자 매춘부 새틴과 치명적인 사랑 관계를 시작하면서 상황이 좋지 않게 변하게 된다.

그녀의 애정은 클럽 후원자 듀크도 탐을 내기 때문이다.

but things take a wicked turn for Christian as he starts a deadly love affair with the star courtesan of the club, Satine.

But her affections are also coveted by the club's patron: the Duke.

새틴과 크리스티안은 함께 하기 위해 모든 역경과 싸우려 한다.

그렇지만 사랑으로도 정복할 수 없는 힘이 새틴에게 피해를 입히면서 위험한 3 관계가 이어지게 된다.

A dangerous love triangle ensues as Satine and Christian attempt to fight all odds to stay together but a force that not even love can conquer is taking its toll on Satine.

- 할리우드 리포터 Hollywood Reporter

엘튼 존 팝 명곡 'Your Song' 뿐만 아니라 음악에 조예가 깊은 바즈 루어만 Baz Luhrmann의 특성이 가득 담겨 있는 주크박스 뮤지컬 〈물랑 루즈!〉.

19세기 시대 배경에 20세기 히트 음악을 사용한다는 시대착오오적인 오류가 있지만 시종일관 활기차고 다양한 장르의 사운드트랙을 내세워 관객 모두의 탄성을 불러일으킨 작품이다.

앞서 잠깐 언급했듯이 〈물랑 루즈!〉 사운드트랙은 여러 장르에 걸친 다양한 선곡을 제공하고 있다. 바즈 루어만의 거의 모든 영화에는 생동감 있는 음악적 에너지가 가득한 것으로 이미 정편이 듣고 있다.

이번 영화에서도 감독의 음악적 특징이 다채로운 장르 음악을 통해 재차 증명되고 있다.

이완 맥그리거 Ewan McGregor와 니콜 키드만 Nicole Kidman이 주연을 맡은 주크박스 뮤지컬은 1899년 파리가 무대. 가난하지만 지적인 시인과 뭇 남성에게 웃음과 춤을 팔고 있는 육감적인 카바레 댄서가 펼쳐 놓는 금지된 사랑 사건을 중심으로 사연이 전개되고 있다.

영화 제목은 실존하고 있었던 '전설적인 쇼 극장' 명칭이다.

열애에 빠진 두 주인공이 로맨틱한 듀엣 곡을 불러 주고 있는 것도 매력점이다.

물랑 루즈 사운드 트랙은 시대 설정과 불일치되는 현대 노래를 혼합하고 있다는 점도 이채로움을 선사했다.

영화에서 묘사되고 있는 프랑스 파리는 산업화 초기 단계 상황이다.

그럼에도 불구하고 선곡 음악은 너바나 Nirvana, 데이비드 보위 David Bowie, 마돈나 Madonna, 팻보이 슬림 Fatboy Slim, U2, 냇 킹 콜 Nat King Cole 및 여러 곡의 현대화 되고 세련된 오리지널 작곡 음악이 포진하고 있다.

다양한 장르의 노래들이 물랑 루즈에서 펼쳐지는 특별한 경험을 더욱 흥미진진하게 채색해 주는 역할을 해내고 있다.

13-1. <물랑 루즈! Moulin Rouge!> 사운드트랙 해설

1. Nature Boy performed by John Leguizamo

화려한 쇼와 긴박감 있는 스토리를 들려주고 있는 <물랑 루즈!>.

존 레귀자모 John Leguizamo가 열창하는 'Nature Boy'로 그 화려한 막을 열어 젖힌다.

그가 맡고 있는 캐릭터 툴루즈는 크리스찬(이완 맥그리거)이 겪게 될 비극적 사랑 이야기를 소개하고 있다.

1948년 냇 킹 콜(Nat King Cole)이 첫 취입한 'Nature Boy'는 프랭크 시나트라(Frank Sinatra), 레이디 가가(Lady Gaga) 등이 커버로 발표할 만큼 환대

받는 노래가 된다.

〈물랑 루즈!〉 사운드트랙 앨범에는 영화 전용으로 녹음 된 데이비드 보위 David Bowie 커버와 매시브 어택 Massive Attack 리믹스가 포함되어 있다.

〈물랑 루즈〉. © Twentieth Century Fox, Bazmark Films

2. Complainte de la Butte performed by Rufus Wainwright

조르쥬 반 파리스 Georges Van Parys와 장 르노와르 Jean Renoir가 1955년 듀엣으로 발표한 샹송 'Complainte de la Butte'.

루퍼스 웨인라이트 Rufus Wainwright 커버를 〈물랑 루즈〉에서 들을 수 있다!

유서 깊은 이 노래는 메인 스토리를 본격적으로 펼쳐주기 위해 영화 시대 배경을 1899년으로 되돌아갈 때 배경 노래로 흘러나오고 있다.

3. Children of the Revolution performed by John Leguizamo, Jacek Koman, and Matthew Whittet

크리스찬이 툴루즈와 함께 길을 건너고 있다. 이러는 동안 작가 크리스찬과 그의 동료들은 'Children of the Revolution'을 불러 주고 있다.

노래는 보헤미안 문화 혁명의 이상을 소개하는 가사로 꾸며졌다.

노래를 듣고 있는 동안 툴루즈는 자신이 등장할 연극 〈스펙터쿨라 스펙터쿨라 Spectacular Spectacular〉에 대해 설명해 주고 있다.

툴루즈는 작곡가 샤티(매튜 휘테트)와 언컨셔스 아르헨틴(야섹 코만)이 불러 주는 노래에도 찬조자로 합류하고 있다.

영국 록 밴드 T. 렉스가 1972년에 취입했던 'Children of the Revolution'. 이 노래는 U2 리더 보노 Bono가 가빈 프라이데이 Gavin Friday 및 모리스 시저 Maurice Seezer 등과 함께 공연했던 대체 커버 노래가 사운드트랙 앨범에 수록된다.

4. The Sound of Music performed by Ewan McGregor, John Leguizamo and Matthew Whittet

1959년 공연된 뮤지컬 〈사운드 오브 뮤직〉 타이틀곡이 〈물랑루즈〉에서도 연주되고 있다. 크리스찬은 가사를 통해 음악이 그에게 얼마나 큰 의미가 있는지 설명하고 있다. 그는 또한 툴루즈, 사티와 함께 공연한다.

노래의 원래 버전은 메리 마틴 Mary Martin이 무대에서 공연한 것.

나중에 1965년 〈물랑 루즈〉와 같은 각색 영화에서 인기를 얻어 낸다.

줄리 앤드류스 Julie Andrews가 출연한 작품은 할리우드 역대 최고 뮤지컬 영화 중 한 편으로 등록되어 있다.

뮤지컬 〈외로운 염소 돌보는 사람 The Lonely Goatherd〉에서 사용됐던 연주 샘플링도 이 장면에서 들려오고 있다.

5. Green Fairy Medley performed by Kylie Minogue, Ewan McGregor, John Leguizamo, Jacek Koman and Matthew Witet

〈물랑 루즈〉 제작 비하인드 하나!

'Green Fairy Medley'에서 오지 오스본 Ozzy Osbourne이 악마 요정 a demonic fairy으로 출연하기로 되어 있었다고 한다.

하지만 최종 순간에 카일 미노그 Kylie Minogue로 교체됐다고 한다.

그녀는 크리스티안이 압생트 absinthe-쓴 쑥으로 제조 된 녹색 독주(毒酒)-

를 마시고 환각에 빠져 있을 때 녹색 요정으로 등장한다.

크리스티안과 보헤미안들 Bohemians이 'The Sound of Music'을 계속 부르는 동안 미노그가 맡은 녹색 요정 Green Fairy은 환각적인 보컬을 과시하면서 합창으로 동참한다.

이 메들리는 'Nature Boy'와 'Children of the Revolution'으로 이어진다.

오즈본은 요정이 악마 같은 비명을 지를 때 크레디트에 표기되지 않는 음성 카메오 voice cameo로 합류하고 있다.

6. Zidler's Rap Medley performed by Jim Broadbent, Fatboy Slim, Pink, Christina Aguilera, Lil' Kim, Mýa and the cast of Moulin Rouge!

'Zidler's Rap Medley'는 〈물랑 루즈〉의 음악적 하이라이트로 평가 받은 곡이다. 지들러가 운영하고 있는 카바레 극장에서 야간 행사를 소개하는 배경 음악으로 쓰이고 있다. 지들러 역의 짐 브로드벤트 Jim Broadbent는 몇 마디의 랩 구절을 제공하고 있다.

여기에 물랑 루즈 Moulin Rouge 댄서들은 1991년 록 밴드 너바나 Nirvana의 대표적 히트곡 'Smells Like Teen Spirit'를 커버로 불러주고 있다.

뮤지컬 매시업-여러 노래를 유기적으로 결합하여 완전히 새로운 노래 장르를 만들어낸 것-에는 영화를 위해 독점적으로 녹음된 2곡의 트랙도 포함되어 있다. 그것은 팻보이 슬림 Fatboy Slim이 불러주고 있는 'Because We Can'이라는 캉 캉 댄스에 대한 일렉트로닉 헤비 도입부가 첫 번째 노래이다.

두 번째는 핑크 Pink, 크리스티나 아귈레라 Christina Aguilera, 릴 Lil 등이 불러 주는 라벨 Labelle의 히트곡 'Lady Marmalade'에 대한 커버 노래이다.

7. Sparkling Diamonds performed by Nicole Kidman

클럽 '물랑 루즈'에서 가장 인기 있는 카바레 댄서이자 창녀 새틴(니콜 키드만)이 자신만의 뮤지컬 메들리로 불러 주는 재즈 명곡이 'Diamonds Are a Girl's Best Friend'이다.

〈물랑 루즈〉. © Twentieth Century Fox, Bazmark Films

이 노래는 1953년 코미디 영화 〈신사는 금발을 좋아해Gentlemen Prefer Blondes〉에서 여배우 마릴린 몬로(Marilyn Monroe)가 불러 주어 대중적으로 익히 알려진 노래.

그렇지만 이 노래는 캐롤 채닝(Carol Channing)이 히로인으로 출연했던 1949년 오리지널 무대 뮤지컬을 위해 작곡된 노래이기도 하다.

〈물랑 루즈! Moulin Rouge!〉에서 새틴은 영화 〈신사는 금발을 좋아해 Gentlemen Prefer Blondes〉와 상징적인 마릴린 몬로 Marilyn Monroe 장면에 경의를 표한 1984년 마돈나 뮤직 비디오 'Material Girl'과 재즈곡을 혼합시켜 불러 주고 있다.

8. Rhythm of the Night performed by Valeria

물랑 루즈에서 활동하는 다재다능한 클럽 댄서들이 새틴이 들려 주었던 메들리 공연 이후 후속 노래로 선곡한 것이 발레리아 Valeria의 'Rhythm of the Night' 커버 곡이다.

'Rhythm of the Night'은 1985년 5인조 리듬 앤 블루스 및 소울, 펑키 그룹 드바지 DeBarge가 취입해 팝계에 알려진 노래이다.

9. Sparkling Diamonds (Reprise) performed by Nicole Kidman

'Rhythm of the Night' 커버 공연이 마무리 될 즈음 창녀 새틴이 다시 등장해 'Sparkling Diamonds'를 보다 비극적인 분위기의 커버 노래로 불러주고 있다.

10. Diamond Dogs performed by Beck

'Diamond Dogs'는 1974년 데이비드 보위 David Bowie가 발표해서 익히 알려진 팝송. 〈물랑 루즈〉에서는 벡 Beck의 커버 버전이 선곡되고 있다.

새틴이 그네에서 떨어진다.

이어서 군중들이 춤을 추면서 노래할 때 들려오고 있다.

11. Meet Me in the Red Room performed by Amiel

새틴은 호남형의 크리스티안에 대해 귀족으로 오해한다.

사실 그는 배고픈 무명 시인이다. 새틴은 귀족으로 여긴 크리스티안과 친밀한 만남을 계획을 하면서 몸치장을 하고 있다.

이러는 와중에 아미엘 Amiel이 불러주는 매우 관능적인 리듬의 팝 넘버 'Meet Me in the Red Room'이 울려 퍼지고 있다.

12. Your Song performed by Ewan McGregor

콤비 창작 파트너이자 작사가 버니 타핀 Bernie Taupin과 함께 작곡한 엘튼 존 Elton John의 감동적인 발라드 'Your Song'.

팝 명곡은 크리스티안이 새틴에게 진실한 사랑을 고백하는 데 사용하고 있다.

〈물랑 루즈!〉의 극적 스토리 전개를 위해 차용된 노래라고 할 수 있다.

13. Your Song (Reprise)

'Your Song'의 또 다른 버전이 선곡되고 있다. 반복되는 노래은 새틴이 독창으로 불러주고 있다. 진짜 공작(리차드 록스버그)가 그녀의 방에 들어 왔는데도 새틴은 노래를 계속 부르고 있다. 새틴이 'Your Song'을 재차 불러 주고 있는 것은 크리스티안이 불러 주었던 노래에 대해 그녀가 매혹적인 영향을 받았다는 것을 제시해 주는 증거로 풀이 받는다.

14. The Pitch: Spectacular Spectacular performed by Jim Broadbent, Nicole Kidman, Jacek Koman, John Leguizamo, Ewan McGregor, Garry McDonald, Richard Roxburgh and Matthew Whittet

듀크는 새틴과 크리스티안이 함께 침대에 있는 것을 목격하게 된다.

이때 지들러는 새틴과 크리스티안이 클럽에서 공연할 새로운 뮤지컬 제작에 대해 논의하고 있었다고 상황 설명을 해준다. 툴루즈와 일단의 보헤미안들이 도착한다.

지들러와 보헤미안들이 뮤지컬 연극 〈스펙터쿨라 스펙터쿨라 Spectacular Spectacular〉 줄거리를 즉흥적으로 만들어낸다.

짐 브로드벤트 Jim Broadbent와 존 레귀자모 John Leguizamo 등 두 명의 주연 배우와 함께 공연되는 〈더 피치: 스펙터쿨라 스펙터쿨라 The Pitch: Spectacular Spectacular〉.

이 주제가는 전적으로 오페라 작곡가 자크 오펜바흐 Jacques Offenbach의 명작 'Can Can'에 대한 권위에 도전장을 내걸고 만들어진 노래로 알려졌다.

15. One Day I'll Fly Away performed by Nicole Kidman and

Ewan McGregor

마침내 그녀의 방에 홀로 남겨진 새틴. 달빛이 내리 비치는 어스녘한 저녁.
1980년 미국 재즈 가수 랜디 크로포드 Randy Crawford가 발표했던 명곡
'One Day I'll Fly Away'.
그녀만의 매혹적인 보컬에 담아 커버 버전으로 불러주고 있다.
방에 있던 크리스티안이 노래에 합류한다.
이 노래는 본질적으로 진정한 사랑을 추구하고 간힌 삶에서 벗어나고 싶은
두 인물의 열망을 상징하는 노래로 불리어지고 있다.

16. Elephant Love Medley performed by Nicole Kidman and Ewan McGregor

크리스티안과 새틴은 그룹 스위트 Sweet 히트곡 'Love Is Like Oxygen',
그룹 포 에이스 The Four Aces가 불러 준 'Love Is a Many-Splendored
Thing' 등의 가사를 원용하여 자신들이 엮어가는 사랑에 대한 생각을 드러낸다.
이어 비틀즈 명곡 'All You Need Is Love', 그룹 키스 Kiss의 'I Was Made
For Lovin You', 필 콜린스의 'One More Night', 그룹 U2의 'Pride(In The
Name of Love)', 해롤드 멜빈 Harold Melvin과 블루 노트 The Blue Notes
의 콤비 곡 'Don't Leave Me This Way', 그룹 윙스 Wings가 노래해준 'Silly
Love Songs', 조 카커 Joe Cocker와 제니퍼 원스 Jennifer Warnes의 듀엣
곡 'Up Where We Belong',
데이비드 보위 David Bowie의 'Heroes', 달리 파튼의 'I Will Always Love
You' 그리고 'Your Song' 등이 사랑의 메들리로 선곡돼 하이라이트 가사가
쉴 새 없이 불리어지고 있다.

〈물랑 루즈〉. ⓒ Twentieth Century Fox, Bazmark Films

17. Górecki performed by Nicole Kidman

'Górecki'는 1997년 영국 전자 음악 듀오 램 Lamb이 작곡하고 연주한 어두운 트립 합 트랙으로 알려진 곡이다.

오프닝 라인을 눈물을 흘리면서 새틴이 불러주어 강한 여운을 남겨주고 있다.

새틴은 지글러가 공작 Duke과 강제적으로 교제를 강요 당한 뒤 처연한 심정으로 이 노래를 불러 주고 있다.

새틴은 결국 노래가 끝날 때 기력이 소진해 져 기절하고 만다.

점차 병세가 심해지고 있다는 것을 노출시킨다.

18. Like a Virgin performed by Jim Broadbent and Richard Roxburgh

'Material Girl' 외에도 〈물랑 루즈〉 사운드트랙에서는 마돈나의 노래가 커버 버전으로 활용되고 있다. 새틴이 'Górecki'를 불러 주고 있다.

이러한 때에 공작 Duke과 지들러는 고딕 탑에서 새틴이 오기를 기다리고 있다.

공작 Duke은 자신을 기다릴 줄 알았던 새틴이 없자 당혹감과 함께 약간의 분노감에 휩싸인다.

이 같은 감정을 간파한 지들러는 서둘러 변명거리를 늘어놓는다.

그리고 새틴이 공작과 결혼하기를 갈망하고 있다고 거짓말을 한다.

새틴이 신부만의 수줍음을 드러내 주겠다고 하면서 지들러는 마돈나의 'Like a Virgin'을 유쾌하게 불러 주기 시작한다.

흥에 겨워 한 공작도 노래 몇 소절을 따라 부른다.

19. Come What May' performed by Ewan McGregor and Nicole Kidman

새틴은 나날이 건강 상태가 악화된다. 크리스티안과 공작은 새틴을 두고 상대방의 존재에 신경을 쓰면서 질투심을 드러낸다.

공작과 크리스티안의 감정 다툼은 가장 로맨틱한 노래 중 한 곡인 'Come What May'를 부르기 시작하면서 서서히 사랑의 승자가 크리스티안이 될 것임을 예고시켜 준다. 데이비드 배월드 David Baerwald+케빈 길버트 Kevin Gilbert의 협력 작품이 발라드 곡 'Come What May'이다.

애초 이 노래는 바즈 루어만 감독의 전작 〈로미오와 줄리엣 William Shakespeare's Romeo + Juliet〉 사운드트랙을 위해 작곡했지만 안타깝게 누락된다.

그렇지만 루어만 감독의 〈물랑 루즈〉에 선곡 된다.

로맨틱 분위기가 청춘 관객들의 호응을 받으면서 〈물랑 루즈〉 사운드트랙 중 가장 뜨거운 반응을 얻은 수록곡이 된다.

20. El Tango de Roxanne performed by Jacek Koman and Ewan McGregor

1978년 발표된 그룹 폴리스 The Police의 뉴웨이브 록 'Roxanne'는 탱고 리듬을 가미시켜 신선한 호응을 불러일으킨다.

언컨셔스 아르헨티안 The Unconscious Argentinean이 탱고 스핀 tango spin을 가미시켜 발표한 곡이 'El Tango de Roxanne'.

이 노래는 크리스티안이 새틴과의 사랑을 엮어 나가면서 겪는 고충을 드러내 주는 곡으로 불리어지고 있다. 크리스티안은 바닥에서 춤을 추기 시작한다.

그리고 한 때 자신의 마음을 아프게 한 록산느 Roxanne라는 창녀와 어떻게 사랑에 빠졌는가를 들려주고 있다.

사랑에 빠진 크리스티안이 들려주는 우울한 분위기의 노래라고 할 수 있다.

'El Tango de Roxanne'에서는 아르헨티나 피아니스트 마리아노 모레스 Mariano Mores가 연주한 탱고 클래식 'Tanguera' 음악도 샘플링으로 삽입 시키고 있다. 〈물랑 루즈〉 사운드트랙 앨범에서는 푸에르토리코 가수 호세 펠리치아노 José Feliciano가 연주한 보컬 부문도 자연스럽게 포함 시켰다.

이러한 장치들은 팝 팬들에게 음반 구매 열기를 불러일으킨다.

21. Fool to Believe performed by Nicole Kidman

새틴은 지들러로 부터 자신의 생명이 얼마 남지 않았다는 소식을 듣게 된다.

한껏 슬픔에 빠진 새틴. 'Fool to Believe'를 불러 주는 새틴의 감정은 지극히 처연(悽然) 할 수 밖에 없다. 새틴은 '진정한 사랑을 믿은 자신이 바보였다.'는 노랫말이 자신의 처지를 그대로 떠올려 주고 있다는 것을 새삼 음미하게 된다.

22. One Day I'll Fly Away (Reprise) performed by Nicole Kidman and Ewan McGregor

크리스티안과 새틴. 연극의 마지막 리허설이 시작되기 전 'One Day I'll Fly Away'를 듀엣으로 불러 준다.

그리고 자신들에게 처한 우울한 상황을 음미해 보고 있다.

23. The Show Must Go On performed by Jim Broadbent and Nicole Kidman

〈물랑 루즈〉. © Twentieth Century Fox, Bazmark Films

항상 돈을 모아서 갑부가 되겠다는 집착에 빠져 있던 지들러.

그는 죽음을 앞두고 있는 새틴의 처지를 이해하면서 자신이 지속해 왔던 돈에 대한 만능주의 생각을 서서히 변화시키게 된다.

하지만 그는 곧 물랑 루즈 극장에 대한 자신의 충성심을 드러낸다.

극적으로 무대에 올라 록 그룹 퀸 Queen의 1991년 히트 곡 'The Show Must Go On'을 커버 버전으로 열창해 준다. 새틴도 자신이 처해 있는 운명을 받아들인다.

그리고 지들러와 화음을 맞추어 노래를 불러 준다.

24. Hindi Sad Diamonds performed by Nicole Kidman, John Leguizamo, and Alka Yagnik

물랑 루즈에서 펼쳐질 화려한 쇼. 한창 무르 익어가는 밤.

'Hindi Sad Diamonds'가 축제의 시작을 알리게 된다.

연극 〈스펙타쿨라 스펙타쿨라 Spectacular Spectacular〉의 무대 배경은 인도로 설정되어 있다.

이런 이유 때문에 볼리우드 영화 〈차이나 게이트 China Gate〉에서 알카 야그닉 Alka Yagnik이 공연해 주었던 힌디어 노래 'Chamma Chamma'가 추가로 덧붙여진다.

툴루즈가 'I only speak the truth'라는 대사를 반복하고 있다.

연극배우들은 인도 포크 팝 트랙에 맞추어 춤을 추고 있다.

'Hindi Sad Diamonds'가 메들리로 들려온다.

노래 후반부에서는 새틴이 'Diamonds Are a Girl's Best Friend'를 재차 커버 버전으로 들려주고 있다.

25. Coup d'État/ Finale performed by Nicole Kidman, Ewan McGregor, and the cast of Moulin Rouge!

루어만 감독이 시종 떠들썩하고 화려하게 펼쳐 주었던 뮤지컬의 놀라운 휘날레가 시작된다.

물랑 루즈의 마지막 메들리와 함께 아름답게 포착되고 있는 것이다.

악랄한 마하라자 역할을 하고 있는 지들러와 함께 연극배우 및 무용수 극단은 'The Show Must Go On' 및 'Children of the Revolution'의 일부 가사를 열창해 주고 있다. 이어서 크리스티안과 새틴이 무대 중심에 오른다.

두 연인은 'Your Song' 'One Day I'll Fly Away' 'Come What May'를 재차 열창해 준다. 그리고 두 사람이 사랑에 빠져 있음을 공개적으로 선언한다.

26. Nature Boy (Reprise) performed by John Leguizamo and Ewan McGregor

급성 백혈병으로 알려진 새틴은 마침내 크리스티안 품에서 죽음을 맞는다.

시인은 자신이 겪는 비극적 러브 스토리가 이제 마무리 되고 있음을 알게 된다.

툴루즈는 이런 정황 속에서 'Nature Boy'를 불러 준다.

엔딩 크레디트가 올라가기 시작하면서 이번에는 감정적인 크리스티안이 툴루즈와 화음을 맞추기 위해 노래 속으로 합류한다.

27. Bolero (Closing Credits) performed by Steve Sharples

〈물랑 루즈〉의 엔딩 크레디트가 진행되는 동안 연주 곡 'Bolero (Closing Credits)'이 흘러나오고 있다.

13-2. <물랑 루즈! Moulin Rouge!> 사운드트랙은 2장

여러 음악에서 채택 되었던 노래들이 다양한 커버 버전으로 〈물랑 루즈〉에서 등장하고 있다.

음악적 다양성은 〈물랑 루즈〉 사운드 트랙만의 특징이 되고 있다.

〈물랑 루즈〉. © Twentieth Century Fox, Bazmark Films

음악 시장에서는 2장의 앨범이 출반된다.

첫 번째는 2001년 'Moulin Rouge! Music from Baz Luhrmann's Film'으로 출반됐다.

이 앨범에는 영화 속에서 사용됐던 대부분의 노래가 포함되어 있다.

다른 아티스트가 연주한 대체 버전도 다수 수록된다.

예를 들어 'Children of the Revolution'은 주요 등장인물들이 불러 주는 커버가 아닌 록 밴드 U2 리더 보노 Bono 버전이 수록되고 있다.

앨범 'original Moulin Rouge! soundtrack' 수록 리스트는 다음과 같다.

1. Nature Boy performed by David Bowie
2. Lady Marmalade performed by Christina Aguilera, Lil Kim, Mýa and Pink
3. Because We Can performed by Fatboy Slim
4. Sparkling Diamonds performed by Nicole Kidman, Jim Broadbent, Caroline O'Connor, Natalie Mendoza and Lara Mulcahy
5. Rhythm of the Night performed by Valeria
6. Your Song performed by Ewan McGregor and Alessandro Safina
7. Children of the Revolution performed by Bono, Gavin Friday, and Maurice Seezer
8. One Day I'll Fly Away' performed by Nicole Kidman
9. Diamond Dogs performed by Beck
10. Elephant Love Medley performed by Nicole Kidman, Ewan McGregor and Jamie Allen
11. Come What May performed by Nicole Kidman and Ewan McGregor
12. El Tango de Roxanne performed by Ewan McGregor, José Feliciano and Jacek Koman
13. Complainte de la Butte performed by Rufus Wainwright
14. Hindi Sad Diamonds performed by Nicole Kidman, John Leguizamo, and Alka Yagnik
15. Nature Boy performed by David Bowie and Massive Attack

2002년, 두 번째 물랑루즈 음반인 'Moulin Rouge! Music from Baz Luhrmann's Film, Vol. 2'가 출반된다. 리믹스 및 연주 곡 그리고 영화 출연진이 공연해 준 오리지널 버전이 포함되어 있다.

2번째 앨범에는 스티브 샤플스 Steve Sharples의 엔딩 크레디트 곡 'Bolero (Closing Credits)'가 포함되어 있다. 크레이그 암스트롱 Craig Armstrong이 작곡한 'Moulin Rouge!' 오리지널 영화 스코어 일부로 착각해서는 안 된다.

14

<바비 Barbie>, 팬들이 원했던 'Barbie Girl'은 본편 사운드트랙에서는 누락

〈바비〉. ⓒ Heyday Films

바비 랜드에 산다는 것은 완벽한 장소에서 완벽한 존재가 된다는 것. 전면적이고 실존적 위기가 있지 않는 곳. 당신은 켄(라이언 고슬링)이 된다.

To live in Barbie Land is to be the perfect being in the perfect place. Where there is no sweeping, existential crisis. You become Ken (Ryan Gosling).

- 버라이어티 Variety

그레타 거윅 Greta Gerwig+노아 바움바흐 Noah Baumbach 공동 각본, 그레타 거윅 연출. 아리아나 그린블라트, 마고 로비, 라이언 고슬링 등 1급 흥행 배우들이 대거 출연. 2023년 7월 21일 개봉된 환타지 코미디 〈바비 Barbie〉.

로맨틱 액션이 가미 된 〈바비〉의 관심을 높여 준 요소 중 하나는 바로 경쾌한 멜로디가 일품인 'Barbie Girl'을 예고 편(Trailer) 배경 곡으로 선정했다는 것을 빠트릴 수 없다.

〈바비〉는 시종 시선을 자극시키는 원색의 화면이 일품.

'Barbie Girl'은 여기에 어울리는 완벽한 노래가 됐다.

인기 있는 마텔 Mattel 패션 인형 바비와 켄 역할은 오스카 상 후보 배우 마고 로비 Margot Robbie와 라이언 고슬링 Ryan Gosling이 연기하고 있다.

2023년 여름 시즌 가장 기대작으로 주목 받았던 〈바비〉는 예고편을 통해 사탕 색깔의 바비 랜드 Barbie Land를 채우는 많은 바비와 켄의 모습을 전격 공개해 팬들의 이목을 끌어내는데 성공한다.

관객들은 〈바비〉를 관람하고 인형과 노래를 완벽하게 연결시키는 설정으로 그룹 아구아 Aqua의 대표적 히트 곡 'Barbie Girl'이 예고 편 음악으로 선곡됐다는 것을 언급하고 있다.

그런데 많은 영화 팬들은 영화 전개 과정과 최적의 조화를 이루고 있는 'Barbie Girl'이 정작 사운드트랙으로 선곡되지 못한 이유에 대해 많은 궁금증을 드러냈다. 이런 세간의 여론을 의식한 듯한 발언이 나왔다.

〈바비〉 예고편의 폭발적 관심을 불러일으킨 'Barbie Girl' 노래가 실제 영화에서는 사용되지 못했다는 것이 많은 팬들은 실망감을 표시했다.

〈바비〉 영화의 로케이션이 진행될 1년 전 아쿠아 밴드 매니저인 울리치 몰레-요헨센 Ulrich Møller-Jørgensen은 'Barbie Girl' 노래가 영화 〈바비〉에 사용되지 않을 것이라고 단호하게 밝힌 바 있다.

이것은 미국 최대 장난감 제조 회사 마텔 Mattel과 그룹 아구아 Aqua 사이의 분쟁이 벌어졌던 후유증 때문이다.

'Barbie Girl'이 출반되어 세계적인 히트작이 된지 6개월 후인 1997년 장난감 회사 마텔은 자신들의 제조 인형을 성적 이미지를 내세우는 등 왜곡 된 이미지로 사용했단 것을 이유로 해서 법적 소송을 걸었다.

당시 마텔 Mattel은 노래의 암시적인 가사가 바비 Barbie를 섹스 대상으로 만들고 건전한 브랜드에 막대한 피해를 끼쳤다는 이유를 들어 상표권 침해에 대해 음반사를 상대로 소송을 제기한 것.

하지만 마텔의 거대한 소송은 법원 판단에서는 '지나치게 광범위한 저작권 소송'이라는 이유를 들어 패소하게 된다.

법적 분쟁으로 그룹 아구아와 마텔 사의 관계는 악화 된다.

그럼에도 불구하고 'Barbie Girl'은 마텔 사의 대표적인 인형 상표이기 때문에 마텔은 자사 대표적 수익 인형 광고에 그룹 아구아 노래 가사를 수정한 것을 몇 년 동안 사용하는 편법을 사용했다.

이런 이유 때문에 그레타 거윅 감독은 영화 〈바비〉가 추구하는 주제와 노래 'Barbie Girl' 가사 내용이 정확하게 일치하지 않기 때문에 본 편 영화에서는 이 노래를 사용하지 않기로 했다고 밝힌다.

이런 저간의 사정 때문에 영화 팬들은 흥겹고 경쾌한 노래 'Barbie Girl'은 영화 홍보를 위한 미끼 도구 예고편 배경 음악으로 만족해야 하는 불운(?)을 겪게 됐다는 후문이다.

14-1. 'Barbie Girl'은 어떤 노래?

'Barbie Girl'은 덴마크+노르웨이 음악인들로 결성된 댄스 팝 그룹 아구아 Aqua의 대표적 히트 곡. 1997년 4월 발매한 데뷔 앨범 'Aquarium'에 수록됐다.

버블 껌 팝 Bubblegum pop, 유로댄스 Eurodance의 붐을 일으키는데 일조한다. 소렌 라스테드 Søren Rasted가 바비 인형 Barbie dolls을 전면에 내세운 덴마크 키치 문화 전시회 exhibit on kitsch culture in Denmark를 관람하고 난 소감을 노랫말로 구상했다고 한다.

노래는 발표되자마자 전 유럽에서 빅히트된다.

영국에서는 4주 동안 1위를 차지하면서 그룹 아구아의 대표적 히트곡으로 기록된다. 미국 빌보드 싱글 100에서는 7위까지 진입한다.

유로비전 송 콘테스트 2001 Eurovision Song Contest 2001 축하 공연 곡으로 선정되기도 했다.

인형 제조사 미국의 마텔 Mattel, Inc와 음반 제작사 MCA Records가 상표 및 저작권 침해 소송을 벌여 한 동안 팝 뉴스를 제공한다.

노래 가사는 마텔이 만든 인형 바비와 켄에 대한 내용을 담고 있다.

노래와 뮤직 비디오 모두 렌 니스트롬 Lene Nystrøm이 바비 역할로 렌 디프 René Dif가 켄으로 출연하고 있다.

성적 뉘앙스를 담겨 준 가사 내용 때문에 아동용 인형의 대명사 바비 기업주들의 분노를 불러일으켰고 결국 마텔이 소송을 제기하는 빌미를 제공하게 됐다.

법정 분쟁 때문에 앨범 'Aquarium CD' 케이스 뒷면 각주를 통해 'Barbie Girl'은 사회적 의견이다. 이 노래는 바비 걸 인형 제작자가 만들거나 승인하지 않았다. The song Barbie Girl is a social comment and was not created or approved by the makers of the doll'는 공지문을 게재하는 해프닝이 벌어진다.

팝 비평가 스테판 토마스 얼와인 Stephen Thomas Erlewine은 '바비 걸은 설명할 수 없는 대중문화 현상 중 하나이며 미칠 정도로 눈길을 끈다. 여성스러움과 바비 인형을 동시에 보내는 탄력 있고 약간 뒤틀린 유로 댄스 노래이다. Barbie Girl is one of those inexplicable pop culture phenomena and insanely catchy. it as a bouncy, slightly warped Euro-dance song that simultaneously sends up femininity and Barbie dolls.'라는 리뷰를 게재한다.

팝 전문지 '인사이더'는 '이 노래는 달콤하고 완전히 중독성 있다. 1990년대 최고의 노래 중 하나이다. 노래는 바비와 켄의 페르소나가 보컬 대비와 완벽하게 어울리는 재미있고 의심할 여지없이 눈길을 끌고 탄력이 있다. the song is sugary sweet and totally catchy. it as one of the best songs of the 90s. this song is fun, undoubtedly catchy and bouncy with the personas of Barbie and Ken fitting perfectly with the vocal contrast.'는 인기 비결을 보도한다.

〈바비〉. ⓒ Heyday Films

15

<보디가드 The Bodyguard>(1992)
주제가 선정을 위해 막후 역할 한 케빈 코스트너

팝 디바로 한 시대를 풍미했던 휘트니 휴스턴의 영화 데뷔작 <보디가드 The Bodyguard>.

휘트니는 <보디가드>에서 달리 파튼이 불러 주었던 원곡 'I Will Always Love You'를 샤우트 창법을 가미시킨 편곡을 주제가로

<보디가드>. ⓒ Warner Bros

취입해 1990년대 최대 히트 곡으로 만들어낸 바 있다.

흥미롭게도 이 같은 주제가 선정에는 중견 배우 케빈 코스트너 Kevin Costner의 막후 역할이 있었다는 뉴스가 보도돼 흥미를 끌고 있다.

2023년 5월 할리우드 영화 음악 전문지에서는 '케빈 코스트너는 로맨틱 스릴러 <보디가드> 사운드트랙에 포함된 휘트니 휴스턴의 필수 노래를 포함해서 여러 측면에서 도움을 주었다.

Kevin Costner assisted in many aspects of the romantic thriller, The Bodyguard, including one essential Whitney Houston song in its soundtrack'는 흥미로운 뉴스를 보도한다.

놀랍게도 <보디가드>에서 휘트니 휴스턴은 무려 6곡-아래 리스트 참조-의 삽입곡을 불러 주는 열정을 발휘한다.

1. I Have Nothing
2. Run to You
3. I Will Always Love You
4. Queen of the Night
5. I'm Every Woman
6. Jesus Loves Me

휴스턴과 코스트너는 1992년 영화에서 공동 주연으로 헤드라인을 장식한 바 있다. 팝 메가스타와 그녀를 보호하기 위해 고용된 은퇴한 비밀 요원의 역할을 통해 놀라운 콤비 연기를 펼쳐 준 것이다.

2,500만 달러 $ 25,000,000의 제작비가 투자된 〈보디가드〉는 연기자들의 열연과 청각을 자극시킨 사운드트랙 덕분에 전 세계 흥행 시장에서 무려 4억 1천만 달러 이상 Gross worldwide, $ 411,046,449의 누적 수익을 거두어 낸다.

휴스턴은 〈보디가드〉 음반 발매 당시 이미 음악계 슈퍼스타였다.

이런 이유 때문에 그녀가 극중 허구의 아이돌 레이첼 마론 역할로 불러준 모든 음악은 그녀 자신의 예술적 능력을 재차 입증시켜준 본보기가 된다.

코스트너는 자신의 극중 캐릭터인 에이전트 프랭크 파머 역할 뿐만 아니라 영화 제작자로서 〈보디가드〉 제작에 중요한 책임을 맡은 것으로 알려졌다.

감독 믹 잭슨 Mick Jackson과 시나리오를 맡은 로렌스 카스단 Lawrence Kasdan은 할리우드 리포터와 진행된 인터뷰를 통해 '휴스턴과 코스트너는 서로 협력해서 캐릭터 간의 낭만적인 유대감이나 개별적으로 만든 선정적인 노력을 제외하고 훨씬 더 많은 마법을 만들어 냈다.

〈보디가드〉에서 휴스턴과 코스트너는 평생 친구가 되었으며 세계 최대 히트곡 중 한 곡을 만드는데 협력했다. Cooperatively though, Houston and Costner made even more magic aside from the romantic affiliation between their characters or the sensational efforts they made individually. Out of The Bodyguard, Houston and Costner became lifelong friends and collaborated in the making of one of The Bodyguard's and the world's biggest hit songs.'는 후일담을 공개한다.

15-1. 케빈 코스트너, <보디가드>에서 'I Will Always Love You'를 사용할 것을 조언

휴스턴이 코스트너와 함께 <보디가드>에 출연하는 것을 확정 짓는다.

이때 휴스턴이 갖고 있는 한 세대의 독보적인 목소리에 걸 맞는 <보디가드>를 상징하는 싱글 주제곡을 찾는 것이 최대 관건이 된다.

<보디가드 The Bodyguard> 제작자로 참여했던 이들은 케빈 코스트

<보디가드>. © Warner Bros

너를 비롯해 레이몬드 헤르난데즈 주니어 Raymond Hernandez Jr, 로렌스 카스단 Lawrence Kasdan, 짐 윌슨 Jim Wilson 등.

프로듀서들은 이구동성으로 사운드트랙의 성공을 추구한다. 이들은 지미 러핀 Jimmy Ruffin의 'What Bes Of The Brokenhearted'를 포함한 수십 곡을 주제가 예비 후보 곡으로 염두에 두었지만 최종적으로는 선택하지 못한다.

이런 와중에 코스트너는 천재적인 음악적 재능을 갖고 있던 컨트리 가수 돌리 파튼이 취입했던 'I Will Always Love You'를 휴스턴에게 강력 추천한다.

코스트너는 휴스턴에게 'I Will Always Love You' 서두 부문에서 아카펠라 인트로를 삽입시키는 것에 대해 제안한다.

휴스턴은 이 같은 아이디어를 즉각 수용한다.

코스트너는 〈보디가드〉 출연 직전에 〈JFK〉(1991) 〈로빈 후드 Robin Hood: Prince of Thieves〉(1991) 〈늑대와의 춤을 Dances with Wolves〉(1990)을 연타석 히트시키면서 최고의 흥행 주가를 높이고 있었던 탑 스타였다.

그는 〈보디가드〉를 통해서는 음악적 선별력을 발휘해 이 영화의 사운드트랙이 밀리언셀러가 되는 막후 역할을 해낸 것이다.

〈보디가드〉 영화 공개와 함께 'I Will Always Love You'는 음악 역사상 가장 위대한 노래로 승격된다. 휴스턴에게도 엄청난 성공을 가져다준다.

그녀의 노래 흥행 카탈로그의 상위 리스트를 차지하게 된 것은 당연지사였다.

코스트너는 천부적 연기 감각을 통해 〈보디가드〉에서 휴스턴이 레이첼 마론 Rachel Marron 역할을 완벽하게 열연해 낼 것임을 간파했다고 한다.

코스트너는 제작 과정에서 휴스턴이 연기 경력이 전무했지만 그녀를 과감하게 히로인으로 캐스팅 하는데 막후에서 상당한 역할을 했다는 것도 밝혀진다.

대형 화면을 통해 흑인 여성과 백인 남성이 커플을 이루면서 은근한 로맨스를 엮어 나간다는 묘사에 대해 반대 여론도 있었다.

코스트너는 〈보디가드〉가 공개된지 2023년 기점으로 무려 31년이 지났음에도 불구하고 이제 고인이 된 휴스턴과 프로젝트를 성공시킨 것에 대해 많은 경로를 통해 칭송을 아끼지 않고 있다.

15-2. 2023년 4월 30일 Yahoo Entertainment와 진행된 인터뷰.

코스트너는 휴스턴과 〈보디가드 The Bodyguard〉 초기 제작 과정에서 제기 됐던 여러 가지 부정적인 저항 요인에도 불구하고 성공적인 결과를 얻은 시간을 매우 보람 있고 긍정적인 시각으로 회상해 주었다.

인터뷰 당시 코스트너는 '제작에 대한 반대 의견은 나에게 중요하지 않았다. 나는 단지 휴스턴이 완벽한 선택이라고 생각했다. 모든 사람들은 그녀가 흑인이라는 사실을 나에게 경고했다. 나는 그것을 알고 있었다. 그녀의 정점에서 2년 전이 더 쉬웠을 수도 있다. 하지만 이후 그 영화로 그녀는 세계에서 가장 큰 스타 중 한 명이 됐다. The opposition didn't matter to me. I just thought she was the perfect choice. Everybody alerted me to the fact that she was Black which I knew. It might have been easier two years earlier at her peak. But after that movie, she became, I think one of the biggest stars in the world.'고 회고해 주었다.

뉴욕 포스트는 '세상의 많은 사람들과 마찬가지로 코스트너는 다재다능한 아이콘인 그녀가 예기치 않게 세상을 떠났을 때 그녀를 애도했다. 그녀 장례식에 따뜻한 추도사를 전하기 위해 참석했다. 〈보디가드〉는 명곡 'I Will Always Love You'와 두 스타의 소중한 우정을 탄생시켰다. Like much of the world, Costner mourned the multitalented icon when she passed unexpectedly and was in attendance to give a heartwarming eulogy at her funeral. The Bodyguard produced the classic in 'I Will Always Love You' but also a very precious friendship between two stars.'고 특별 기사를 보도한다.

15-3. 'I Will Always Love You'는 어떤 노래?

'I Will Always Love You'는 미국의 싱어 송 라이터 달리 파튼이 1974년 3월 11일 발매 한 앨범 'Jolene' A면 수록 곡. B면에는 'Lonely Comin Down'.
그녀의 비즈니스 파트너이자 멘토 포터 와고너 Porter Wagoner와 결별하는 소감을 담고 있다.
파튼이 솔로로 본격 활동에 나서면서 발표한 의미 있는 노래이다.

1974년 6월 빌보드 핫 컨트리 차트 1위를 차지한다.

1982년 7월 달리 파튼이 버트 레이놀즈와 출연한 영화 〈베스트 리틀 호어하우스 인 텍사스 The Best Little Whorehouse in Texas〉에 수록하기 위해 재녹음한다.

휘트니 휴스턴 Whitney Houston은 1992년 영화 〈보디가드 The Body-guard〉 사운드트랙을 위해 소울 발라드로 편곡시킨다.

휴스턴 버전은 빌보드 핫 100에서 14주 동안 1위를 차지하는 기록을 수립한다.

싱글은 전 세계 음반 시장에서 누적 2,000만 장 이상이 팔려 나가면서 휴스턴은 '여성 솔로 아티스트 중 가장 많은 음반을 판매한 가수 the best-selling single of all time by a female solo artist'로 등극한다.

휴스턴은 1994년 'I Will Always Love You'로 그래미 올 해의 레코드 상 the Grammy Award for Record of the Year'을 수여 받는다.

이 노래는 린다 론스타트 Linda Ronstadt, 존 도 John Doe, 엠버 라일리 Amber Riley, 리안 라임스 LeAnn Rimes 등이 속속 커버 버전을 발표한다.

사라 워싱턴 Sarah Washington의 댄스 버전은 영국 팝 싱글 12위까지 진입한다. 미국 BMI는 'I Will Always Love You'가 방송을 통해 1,000만 ten million broadcast performances' 번 이상 송출 되었다고 밝힌다.

15-4. 'I Will Always Love You' 작곡 일화

앞서 잠깐 언급했듯이 컨트리 가수 달리 파튼 Dolly Parton은 7년 동안 음악 협력자이나 멘토로 여겼던 포터 와고너 Porter Wagoner의 매니지먼트에서 벗어나 솔로 독립을 생각한다.

그동안 포터와 나누었던 추억과 감사의 염원을 담아 1973년 6월 12일 내슈

빌에 있는 RCA 스튜디오 B에서 노래를 녹음하게 된다.

음악 전문 작가 커티스 W. 엘리슨 Curtis W. Ellison은 '노래는 끊임없는 내부 혼란에 빠지지 않고 대신 존경심으로 이별을 상상하는 남자와 여자 사이의 관계를 여성 주도로 이야기 하고 있다.

〈보디가드〉. ⓒ Warner Bros

the song speaks about the breakup of a relationship between a man and a woman that does not descend into unremitting domestic turmoil but instead envisions parting with respect because of the initiative of the woman.'는 촌평을 발표한다.

이 노래는 10대 데뷔 프로그램 '아메리칸 아이돌에서 가장 많이 불리어지는 노래로 알려진다. 흥미롭게도 원곡 자가 달리 파튼이라는 것을 알지 못했다.'고 전해진다. 달리 파튼은 'I Will Always Love You'를 작곡한 날 자신의 대표곡 중 한 곡인 'Jolene'도 탈고 했다고 밝힌다.

휘트니 휴스턴 Whitney Houston이 노래를 녹음하기 오래 전에 달리 파튼 Dolly Parton은 가수 패티 라벨 Patti LaBelle에게 'I Will Always Love You'를 커버 버전으로 녹음할 것을 권유했다고 한다.

하지만 라벨은 차일피일 미루었다고 한다. 휘트니 휴스턴 버전 노래를 듣고 '자신에게 찾아온 기회를 놓친 것 같아 깊이 후회를 했다.'는 후일담을 밝힌다.

15-5. 1974년 버전에 얽힌 일화

'I Will Always Love You'는 1974년 3월 11일 파튼의 13번째 솔로 정규

앨범 'Jolene'의 두 번째 싱글로 발매된다. 처음 공개될 당시 'I Will Always Love You'는 캐나다 RPM Country Tracks 차트에서 4위에 오른다.

이어 빌보드 핫 컨트리 차트 Billboard Hot Country Songs 차트에서 1위에 오르는 동시에 1974년 베스트셀러 싱글 중 한 곡으로 등록된다.

1974년 컨트리 차트에서 1위에 올랐을 때 엘비스 프레슬리는 이 노래를 커버하고 싶다고 말했다.

파튼은 프레슬리 매니저 톰 파커 Tom Parker 대령이 엘비스가 녹음한 모든 노래에 대한 저작권료는 작곡가에게는 50%만 지불하겠다고 통보한다.

이런 조건에 대해 파튼은 즉각 거절했다고 한다.

당시 상황에 대해 그녀는 다음과 같이 회상하고 있다.

나는 '정말 미안하다'고 밤새 울었다. 내 말은, 그것은 최악의 일이었다. 알다시피, 마치, 오, 맙소사... 엘비스 프레슬리.

그리고 다른 사람들은 '넌 미쳤어. 엘비스 프레슬리야'.

나는 '그럴 수 없어. 마음 속 어딘가에 그러지 마.

그리고 나는 그것을 하지 않았다...그는 노래를 히트시켰을 것이다.

하지만 어쨌든 엘비스 취입은 물거품이 됐다. 세월이 흘러 휘트니 휴스턴 버전이 출반됐을 때 난 엘비스 저택 그레이스랜드 Graceland를 구입할 만큼 충분한 돈을 벌었다.

I said, I'm really sorry and I cried all night.

I mean, it was like the worst thing. You know, it's like, Oh, my God... Elvis Presley. And other people were saying.

'You're nuts. It's Elvis Presley'.

I said, I can't do that. Something in my heart says, Don't do that.

And I just didn't do it. He would have made the song a hit.

But anyway, taking Elvis was a waste.

Years later when the Whitney Houston version came out.
I made enough money to buy Graceland, the Elvis mansion.

'I Will Always Love You'-1982년 버전

달리 파튼은 1982년 7월 12일 앨범 'The Best Little Whorehouse in Texas'를 통해 'I Will Always Love You'를 손질해서 발매한다.

앨범은 달리 파튼이 출연한 동명 영화의 사운드트랙이다.

1982년 버전 'I Will Always Love You'도 빌보드 컨트리 싱글 차트 1위에 다시 진입하는 진기록을 수립한다.

팝 전문지 빌보드는 '〈베스트 리틀 훼어하우스 인 텍사스 The Best

〈보디가드〉. ⓒ Warner Bros

Little Whorehouse in Texas〉 첫 번째 싱글은 일반적으로 주요 영화 뮤지컬을 시작하는 데 사용되는 일종의 듣기 싫은 메인 테마가 아니다. The first single from The Best Little Whorehouse in Texas isn't the sort of brassy main theme normally used to launch a major movie musical.

여기에서 파튼은 순수 팝 작사를 통해 그녀의 초기 연습 곡 중 한 곡을 재해석하고 있다. 나이 든 팬들은 그녀가 여기에서 제공하는 더 숨 쉬고 더 양식화된 독해로 분열될 수 있다. 하지만 노래 자체는 여전히 치솟는 후렴구가 있는 사랑스러운 발라드이다. here Parton reinterprets one of her earliest exercises in pure pop writing, and while older fans may be divided over the breathier, more stylized reading she offers here, the song itself is still a lovely ballad with a soaring chorus.'는 호의적 리뷰를 보도한다.

15-6. 'I Will Always Love You'-1995년 버전

1995년 11월 달리 파튼은 빈스 길 Vince Gill과 화음을 맞춘 듀엣 곡을 앨범 'Something Special'을 통해 발매한다.

이에 앞서 8월 26일 두 사람은 그랜드 올 오프리 the Grand Ole Opry에서 듀엣으로 'I Will Always Love You'를 불러준다. 이 곡은 빌보드 핫 컨트리 싱글 53위에 진입한다. 여세를 몰아서 29회 컨트리 뮤직 어워드 the 29th Annual CMA Awards에서도 초빙 받는다.

예상을 뛰어 넘는 뜨거운 반응에 용기를 얻은 두 사람은 급기야 1995년 11월 정식 앨범을 통해 두 사람의 콤비 곡을 발매하기에 이른 것이다.

앨범에 실린 노래는 빌보드 컨트리 15위에 진입한다. 38회 그래미 컨트리 콜라보레이션 보컬 부분 the 38th Annual Grammy Awards for Best Country Collaboration with Vocals 후보 곡으로 지명 받는다.

15-7. 'I Will Always Love You' - 휘트니 휴스턴 버전

1992년 11월 3일 〈보디가드 사운드트랙 앨범 The Bodyguard: Original Soundtrack Album〉을 통해 'I Will Always Love You'가 발매된다.

휘트니 영화 데뷔작 주제곡으로 선곡된 'I Will Always Love You'에서는 커크 와룸 Kirk Whalum의 색소폰이 가미돼 달리 파튼의 원곡과는 차별적인 분위기를 선사한다. 애초 휘트니는 〈보디가드〉 주제가로 지미 러핀 Jimmy Ruffin의 'What Becomes of the Brokenhearted'를 시대감각에 맞게 편곡시킨 노래를 취입할 생각도 했다고 한다.

그런데 지미 러핀의 노래가 영화 〈후라이드 그린 토마토 Fried Green Tomatoes〉에 이미 사용됐다는 것을 알게 된다.

이런 와중에 케빈 코스트너는 린다 론스타트가 1975년 발매한 앨범 'Prisoner in Disguise'를 통해 'I Will Always Love You'를 수록했다는 것을 알게 된다.

케빈은 이 노래를 음반 프로듀서 데이비드 포스터와 휘트니에게 적극 추천한다.

마침내 휘트니는 작곡가인 포스터가 소울 발라드 soul ballad 분위기를 강조시켜 편곡한 노래를 1992년 11월 3일 아리스타 레코드 Arista Records를 통해 발매하기에 이른 것이다. 휴스턴의 노래는 영화에서 등장하는 유일한 버전은 아니다. 그녀가 극중 케빈 코스트너와 춤을 추는 장면에서는 존 도 John Doe 버전이 주크박스에서 흘러나오고 있다.

뉴욕 타임즈는 '휴스턴은 애처로운 컨트리 발라드를 떠나는 연인에 대한 지속적인 헌신에 대한 우뚝 솟은 팝 가스펠로 변환시키고 있다. 그녀의 목소리는 깨지고 긴장하고 있다. 그녀 노래를 최종적인 완전한 선언을 향해 꾸준히 오르는 일련의 감정적 폭발로 취급하고 있다. 그 과정에서 그녀의 기교적인 가스펠 장식은 감정을 고조시키고 있다. 결코 단순히 장식적인 것처럼 보이지 않고 있다. Houston transforms a plaintive country ballad into a towering pop-gospel assertion of lasting devotion to a departing lover. Her voice breaking and tensing, she treats the song as a series of emotional bursts in a steady climb toward a final full-out declamation. Along the way, her virtuosic gospel embellishments enhance the emotion and never seem merely ornamental'는 찬사가 가미 된 리뷰를 보도한다.

휘트니가 불러준 싱글은 미국 빌보드 핫 100 정상에서 14주 동안 1위를 차지하는 대기록을 수립한다.

1986년 'Greatest Love of All'로 빌보드 3주 1위를 차지한 이번 기록을 가뿐하게 제치는 동시에 휴스턴의 최장기 차트 1위 기록이 된다. 사운드트랙 앨범 가운데 가장 오랜 기간 동안 1위를 차지한 싱글 노래로도 기록된다.

16

<북 클럽: 넥스트 챕터 Book Club: The Next Chapter>(2023), 베티 미들러의 'Mambo Italiano' 등 널리 알려진 칸소네를 팝 버전으로 들려줘

〈북 클럽: 넥스트 챕터〉. © Focus Features, Apartment Story, Fifth Season

한 번도 경험하지 못한 재미있는 소녀 여행. 이것을 위해 북 클럽을 이태리로 데려가는 4명의 가장 친한 친구의 새로운 여행을 따라가고 있다.

Follows the new journey of four best friends as they take their book club to Italy for the fun girls trip they never had.

- 할리우드 리포터 Hollywood Reporter

2023년 5월 12일 할리우드 개봉.

〈북 클럽: 넥스트 챕터 Book Club: The Next Chapter〉에는 익히 알려진 칸소네를 팝 버전으로 편곡한 노래들을 적극 사용하고 있다.

익히 알려진 이태리 노래를 미국 팝 음악으로 커버해 준 노래가 다수 선곡돼 이채로움을 더해 주고 있는 것. 〈북 클럽: 넥스트 챕터 Book Club: The Next Chapter〉는 2018년 공개된 〈북 클럽 Book Club〉 후속편이다.

빌 홀더맨 Bill Holderman은 연출과 에린 심즈 Erin Simms와 공동 각색을 맡았다. 〈북 클럽: 넥스트 챕터〉는 주인공을 이태리로 데려 가는 것이 핵심 내용.

그런데 애초 계획이 무려 40여 년이 걸려서 오랫동안 기한이 지난 여행이 된다.

세월이 많이 흘러 삶의 행적도 상당한 변화를 맞게 된다.

절친한 관계인 비비안(제인 폰다), 샤론(캔디스 버겐), 다이안(다이안 키튼), 캐롤(메리 스틴버겐) 등 4명의 중년 여성은 인생 말년의 추억을 위해 함께 이태리 여행을 떠나기로 한다. 멤버 중 비비안은 아서와 황혼 결혼을 앞두고 있다.

이들 중년 여성들의 여행은 생각만큼 순조롭게 진행되지는 않는다.

그럼에도 불구하고 여전히 즐거운 시간을 보내게 된다. 〈북 클럽: 넥스트 챕터〉는 영화의 경쾌한 분위기에 어울리는 멋진 노래들로 가득 차 있다.

이태리 노래들이 다수 포함되어 여행 배경지 이태리의 정취를 더욱 실감시켜 주는 소품 역할을 해내고 있다.

16-1. 〈북 클럽: 넥스트 챕터〉 사운드트랙 해설

1. American Girl performed by Tom Petty & The Heartbreakers

영화가 시작되는 오프닝 크레디트를 장식하는 노래로 'American Girl'이 선곡되고 있다.

2. Mambo Italiano performed by Bette Midler

베티 미들러가 불러주고 있는 'Mambo Italiano' 버전은 주요 등장인물들이 이태리 행 비행기에 탑승할 때 배경 음악으로 흘러나오고 있다. 여행이 선사하는 시종 흥겨운 분위기를 고조시켜 주고 있는 'Mambo Italiano'

이 노래는 주인공들이 로마와 다른 이태리 명소를 차례대로 관광하는 장면의 배경 곡으로 흘러나오고 있다.

〈북 클럽: 넥스트 챕터〉 엔딩 크레디트에서도 다시 반복되어 흘러나오고 있다.

3. Ciao Ciao performed by La rappresentante di lista

타이틀 'Ciao Ciao'는 '안녕?' 혹은 '잘 가!'라는 짧은 인사 말.

이 노래는 4명의 여성들이 웨딩 샵을 방문해서 비비안이 결혼이라는 매우 중요한 날을 위해 착용해야 웨딩드레스를 입어 보는 장면에서 흘러나오고 있다.

샤론과 다이안은 비비안이 착용한 신부 드레스에 축하 겸 부러운 질투심마저 드러낸다.

4. Tango Italian performed by Cocki Mazzetti

콕키 마제티 버전의 'Tango Italiano'는 샤론이 현지 극장을 찾아 갔을 때 'Tango Italiano'가 짧게 흘러나오고 있다.

이어 그녀는 호텔 바에서 오스만과 대화를 나눈다.

5. Gloria performed by Umberto Tozzi

비비안, 캐롤, 샤론, 다이안은 오스만의 초대를 받아 근사한 레스토랑을 방문한다. 이때 초청자인 오스만이 육감적으로 불러 주고 있는 노래가 'Gloria'이다.

6. Sono Bugiarda (I'm a Believer) performed by Deana Colon

현지 경찰서장의 도움을 받아 등장인물들이 감옥에서 석방될 때 'I'm a Believer'의 이태리어 버전 'Sono Bugiarda'가 흘러나오고 있다.

7. Felicità performed by Al Bano & Romina Power

경찰서장의 배려를 받아 주요 등장인물들이 헬리콥터에 탑승해서 비비안의 깜짝 결혼식으로 이동하게 된다.

이동하는 동안 헬기 아래에서 펼쳐지는 이태리 전경을 감상하게 된다.

다이안은 고인이 된 남편의 유골을 이태리 하늘 아래로 뿌려준다.

〈북 클럽: 넥스트 챕터〉. ⓒ Focus Features, Apartment Story, Fifth Season

이러한 장면에서 행복을 축원하는 흥겨운 칸소네 'Felecità'가 흘러나오고 있다.

8. You Make My Dreams (Come True, Italian Cover) performed by Scott Stallone

마침내 다이안과 미첼은 결혼식을 치른다.

반면 비비안과 아서는 결혼식 없이 서로에게 나머지 인생을 충실하게 헌신하기로 약정한다.

중년들의 인생 후반에 맞게 되는 진실된 사랑 맺기 축하 노래로 이태리어 버전의 'You Make My Dreams (Come True)'이 흘러나오고 있다.

9. Anywhere With You performed by Mary Steenburgen, Candice Bergen, Diane Keaton, Jane Fonda & Erin Simms

〈북 클럽: 넥스트 챕터〉 오프닝 크레디트에서 주요 출연진 명단이 보여 진다. 이러한 장면에서 4명의 주요 출연진과 프로듀서로 참여한 에린 심즈가 불러 주는 'Anywhere With You'가 흘러나오고 있다.

〈북 클럽: 넥스트 챕터〉. ⓒ Focus Features

<브이 포 벤데타 V for Vendetta>(2006), 다리오 마리아넬리가 브라스와 관현악으로 들려주는 통제된 미래 사회 풍속도

먼 미래, 에베이 해몬드(나탈리 포트만)는 파시스트이자 독재적인 노세파이어 당 통치 하에 있는 영국의 평범한 시민.

그녀는 국영 영국 텔레비전 네트워크 직원이지만 곧 'V'로만 알려진 수수께끼의 실물보다 큰 자유 전사와 함께 국가의 제1의 적이 된다. V(휴고 위빙)는 에베이

〈브이 포 벤데타〉. © Warner Bros

에게 최소 1년 동안 그의 지하 은신처에 숨어 있어야 한다고 알려준다.

In the distant future, Evey Hammond is an average citizen of the United Kingdom which is under the rule of the fascist and tyrannical Norsefire Party. She is an employee of the state-run British Television Network but soon, she becomes the number one enemy of the state together with an enigmatic and larger-than-life freedom fighter known only by the letter 'V'. V informs Evey that she must hide in his underground lair for at least one year.

그녀는 처음에는 그 생각을 꺼려했다. 하지만 곧 두 사람 사이에 유대가 형성된다. 한편, 그를 체포하는 임무를 맡은 경찰 조사관 에릭 핀치(스테판 리)에

게 V의 불가사의한 과거가 서서히 드러나게 된다.

머지않아 그는 정부가 지지하는 모든 것에 의문을 제기하기 시작한다.

while she is reluctant to the idea at first, a bond soon forms between the two individuals. In the meanwhile, the mysterious past of V is gradually revealed to the police inspector tasked with capturing him Eric Finch and it is not long until he starts questioning everything his government stands for.

- 할리우드 리포터 Hollywood Reporter

2001년 9/11 테러 사태 이후. 극단주의 세계를 지향하고 있는 테러리스트와 자유 투사 사이의 경계에 대한 지적인 논쟁은 그 어느 때보다 뜨거웠다.

작가 알란 무어(Alan Moore)는 1982년 발표한 그래픽 노블 〈브 포 벤데타 V for Vendetta〉에서 이미 이런 주제를 심도 있게 제시한바 있다.

〈브 포 벤데타〉는 영화 〈프롬 헬 From Hell〉〈젠틀맨 리그 The League of Extraordinary Gentlemen〉 등이 제작되는데 큰 영향을 준 것으로도 유명하다.

영국에 대한 시간 변경, 고딕 묘사에 대한 개념은 다양한 수준의 성공으로 독자들의 흥미를 끌었다.

While his notions of time-altered, gothic depictions of the United Kingdom have intrigued readers with varying levels of success.

그렇지만 작가 무어는 각색 조건에 대한 의견 차이로 인해 자신의 대표작 3편에 대한 영화 제작을 모두 거부한다.

마침내 〈브이 포 벤데타 V for Vendetta〉 각색은 〈매트릭스 Matrix〉 시리즈로 유명세를 얻은 앤디와 래리 워쇼스키 형제 Wachowski brothers, Andy and Larry가 맡았다.

연출자로는 신인 제임스 맥티그 James McTeigue가 초빙된다.

나치 독일이 제 2차 세계 대전에서 영국을 정복한다. 2020년 여전히 전체주의적 통제 하에 국가를 유지했다면 발생할 수 있는 대체 현실을 제시하고 있다.

미국은 내전과 역병으로 대부분 인구를 잃게 된다.

〈씬 시티 Sin City〉와 〈브이 포 벤데타〉 등 그래픽 소설 특성이 동일하다.

끊임없이 미스터리한 가이 포크스-1605년 영국 의회를 폭파하려 시도했다. 이후 매년 11월 5일 모닥불 축제 bonfire celebrations에 영감을 준 자유 투사 the freedom fighter-의 가면을 쓴 남자. 그는 테러 행위를 통해 빅 브라더 국가 the big brother state를 혼란에 빠뜨린다.

의미가 잔인할 정도로 어두운-그리고 위대한 건축물의 파괴- 브이 포 벤데타 V for Vendetta는 오늘날 세계 사회에 대해 위험한 질문을 제기하고 있다.

이런 설정을 제시한 영화는 대부분 비평가와 영화 관람객

〈브이 포 벤데타〉. © Warner Bros

들로부터 긍정적 반응을 얻어낸다.

이태리 출신 작곡가 다리오 마리아넬리 Dario Marianelli가 〈브이 포 벤데타〉 배경 음악 작곡을 맡는다. 다리오는 〈그림 형제 The Brothers Grimm〉 (2005)를 통해 끈질기고 밀도 높은 배경 음악을 들려주었다는 칭송을 듣는다.

조 라이트 감독, 키이라 나이트리 주연의 〈오만과 편견 Pride & Prejudice〉

(2005)에서 클래식한 분위기 배경 음악을 창작해내 아카데미 작곡상 후보로 지명 받는다.

빌보드는 '〈그림 형제〉에서 가장 흥미로웠던 점은 마리아넬리가 혼돈의 난장판이 되지 않도록 하면서 놀라울 정도로 활동적이고 지능적으로 층을 이룬 음악을 작곡하는 능력이었다.

〈브이 포 벤데타〉는 비트 하나도 놓치지 않고 〈그림 형제〉에서 들을 수 있는 오케스트라와 합창의 완성도를 확고한 결과로 확장하고 있다. The most interesting aspect of The Brothers Grimm was Marianelli's ability to write music phenomenally active and intelligently layered without allowing it to become a chaotic mess. Without missing a beat V for Vendetta extends the orchestral and choral mastery heard in The Brothers Grimm with solid results.'는 칭송을 보낸다.

데비 와이즈만 Debbie Wiseman 작곡의 〈아르센 루팡 Arsène Lupin〉 배경 음악과 마찬가지로 마리아넬리는 수십 년 동안 반복되고 종종 질적 수준이 저하된 미국 액션 음악과는 차별적으로 듣기에 상쾌한 조밀하고 선율적인 구조를 들려주고 있다. 흡사 교향곡을 듣는 듯한 흥미로움을 선사하고 있는 〈브이 포 벤데타〉 사운드트랙은 시종 묵직한 선율이 음악 애호가들에게 깊은 여운과 인상을 남겨주고 있다.

음악 전문가들은 '〈브이 포 벤데타〉에서 다소 아쉬운 점은 마리아넬리의 예리하고 낭만적 감성이다. 에베이 캐릭터-나탈리 포트만이 연기하고 있는 일반적인 희생자-에 대한 주제별 표현조차도 절제된 음색을 들려주어 비극적 상황을 다소 과소평가 하도록 했다.'는 것을 지적하고 있다.

그렇지만 트랙 중 'Valerie'에서는 감성적 분위기를 훨씬 전달해 주고 있는 솔로 피아노는 현악기와 합창단과 융합되어 마리아넬리가 시도하고 있는 부드러운 리듬 진행에 관심을 갖게 했다.'는 칭송을 보낸다.

서구 음악 비평가들은 이 트랙이 한스 짐머 작곡 〈배트맨 비긴스 Batman Begins〉와 스타일이 유사하다는 느낌을 주고 있다.'는 의견도 제시하고 있다.

정부와 반란군 사이의 전투에서 마리아넬리는 군국주의적 선율을 바탕에 깔고 있다. 〈그림 형제〉에서 시도됐던 특징인 타악기 요소를 오버 더빙 시켰다는 지적을 받았다.

여기에 브라스-또는 단순히 확장된 브라스 섹션 크기 또는 믹스-악기를 전면에 강조시켜 리드미컬한 사운드를 폭발시키는 효과를 거두고 있다. 사운드트랙 도입부에서는 스네어와 팀파니 립 snare and timpani rips을 배치하고 있다.

이런 설정은 영국의 영광스러운 과거 그림자를 엿보게 하고 있다.

즉, 소용돌이치는 듯 희미하고 영웅적 분위기의 장조 금관악기를 단조 베이스 연주로 설정시켜 역설적으로 선명한 음질을 들려주는 테크닉을 발휘하고 있는 것이다. 〈브이 포 벤데타〉에서 시도 된 합창 믹스는 적절한 크레센도의 성인 목소리를 제공해 청각을 자극시키고 있다.

폭발물에 대한 위험성과 숨가쁘게 펼쳐지는 액션에서는 미친 듯이 똑딱 거리면서 합성된 리듬과 '스파스 일렉트릭 기타 Sparse electric guitars'는 미래 분위기와 적절하게 조화를 이룬 배경음이 되고 있다. 트랙 중 'Lust at the Abbey' 시작 부분에 나오는 조용한 종교 성가가 청각을 자극시키고 있다.

롤링 스톤은 '마리아넬리 작품은 항상 어조가 당황스럽고 공포의 악보가 될 수 있는 가장자리에서 균형을 이루고 있다. 하지만 항상 그 극적인 뿌리를 유지하기 위해 실행에서 충분한 우아함을 유지하고 있다. Marianelli's work here is always disconcerting in tone, balancing on the edge of becoming a horror score though always maintaining enough elegance in execution to retain its dramatic roots.'는 음악적 특성을 제시해 주고 있다.

마지막 선곡은 놀라운 클라이맥스를 제공하고 있다. 차이코프스키 작곡의

'1812 Overture'은 마리아넬리가 추가시킨 '불꽃놀이 사운드 the sounds of fireworks'와 멋진 조화를 이루면서 유럽의 승리를 상징해 주고 있다.

이런 시도는 '고전 시대 또는 부드러운 현대 공연과 마찬가지로 마리아넬리 작곡 음악에 대한 확고한 장악력을 깨뜨리고 있다.'는 풀이를 듣는다.

빌보드는 '〈브이 포 벤데타〉는 기억력으로 당신을 놀라게 할 수는 없다. 하지만 마리아넬리의 지속적으로 지능적인 아이디어는 당신을 즐겁게 할 것이다. It may not stun you with its memorability but V for Vendetta will entertain you with Marianelli's continuously intelligent'는 리뷰를 게재한다.

<블렉퍼스트 클럽 The Breakfast Club> (1985), 그룹 심플 마인드의 'Don't You (Forget about Me)'와 왕 청 음악 주목 받아

일리노이 주 셔머에 위치한 셔머 고등학교.

클레어 스탠디시, 앤드류 클라크, 존 벤더, 브라이언 존스 및 엘리슨 레이놀즈는 학교 같은 반에 있는 것 외에 거의 공통점이 없다.
단지 학교에서 클레어와 앤드류를 제외하고는.

〈블렉퍼스트 클럽〉. ⓒ Universal Pictures

Beyond being in the same class at Shermer High School in Shermer, Illinois, Claire Standish, Andrew Clark, John Bender, Brian Johnson and Allison Reynolds have little in common and with the exception of Claire and Andrew do not associate with each other in school.

가장 간단하고 그들만의 용어로 클레어는 공주, 앤드류는 운동선수, 존은 범죄자, 브라이언은 두뇌, 엘리슨은 머리가 약간 이상한 사람 등이다.

In the simplest and in their own terms, Claire is a princess, Andrew an athlete, John a criminal, Brian a brain, and Allison a basket case.

그러나 그들의 또 다른 공통점은 1984년 3월 24일 토요일.

복도 건너편에 있는 그의 사무실에서 버논의 지시에 따라 학교 도서관에 함께 9시간 동안 구금되었다는 것이다.

But one other thing they do have in common is a nine hour detention in the school library together on Saturday, March 24, 1984 under the direction of Mr. Vernon supervising from his office across the hall.

각 자 그 시간 동안 자신이 누구라고 생각하는지에 대해 최소 1,000 단어 에세이를 작성할 것을 지시 받는다.

Each is required to write a minimum one thousand word essay during that time about who they think they are.

9시간이 시작될 때, 그들이 실제로 그 에세이를 쓸 계획이라면 각자는 아마도 세상이 그들에 대해 보는 것과 그들 자신을 믿도록 세뇌된 것에 가까운 것을 쓸 것이다.

At the beginning of those nine hours, each, if they were indeed planning on writing that essay would probably write something close to what the world sees of them and what they have been brainwashed into believing of themselves.

그러나 9시간 동안의 모험을 바탕으로 그들은 그들 자신과 다른 4명에 대해 다른 의견을 갖게 된다.

But based on their adventures during that nine hours, they may come to a different opinion of themselves and the other four.

- 할리우드 리포터 Hollywood Reporter

미국 고등학생들의 일화를 소재로 한 존 휴즈 감독의 〈블렉퍼스트 클럽〉. 청춘 연기자들이 대거 출연해 1980년대 '블랫 팩 Brat Pack' 붐을 주도하게 된다.

1980년대 고등학생들의 일화를 다룬 대표적 청춘 영화답게 사운드트랙도 젊은이들의 호응을 얻을 수 있는 풍성한 노래들로 구성되어 있다.

영화는 비평가들의 극찬을 받아낸다.

토요일 기숙학교에서 외출을 금지 당한다.

짧은 시간이지만 이질적인 성향의 학생들이 주변 동료들과 진솔한 대화를 통해 서로를 알아가는 과정을 묘사해주고 있다.

〈블렉퍼스트 클럽〉. ⓒ Universal Pictures

개봉 당시 할리우드 리포터는 '블렉퍼스트 클럽은 이전에 시도되지 않은 방식을 통해 고등학교 경험을 포착하고 있다.

1980년대 문화에 완전히 맞춰진 느낌을 받았다.

브랫 팩의 경력을 시작하는 것 외에도 하이틴 영화를 영원히 바꿔 놓았다. The Breakfast Club captured the high school experience in a way that had never been attempted before and it felt completely tuned into the culture of the 1980s. Besides launching the careers of The Brat Pack. it also changed teen movies forever.'는 호의적 리뷰를 보도한다.

100 만 달러 Budget $ 1,000,000라는 소액의 제작비를 투입했지만 전 세계 흥행 가에서 5,100만 달러 Gross worldwide $ 51,525,171라는 알찬 수익 결과를 얻어낸다. 몰리 링월드 Molly Ringwald와 에밀리오 에스테베즈 Emilio Estevez 등이 스타덤에 오른다.

휴즈 감독의 1980년대 최고 걸작 영화로 등극된다. 뛰어난 시나리오, 공감을 받아낸 현실적 일화, 뛰어난 연기 그리고 시의적절 하게 선곡된 양질의 사운드 트랙 덕분에 지금도 청춘 코미디극의 전형적 작품으로 인정받고 있다.

사운드트랙 앨범은 대부분 그룹 심플 마인드 Simple Minds의 히트 싱글 'Don't You (Forget about Me)'를 전면에 배치하고 있다. 배경 음악과 왕 청 Wang Chung 등과 같은 아티스트의 팝송이 강력하게 효과를 발휘하고 있다.

18-1. <블렉퍼스트 클럽> 사운드트랙 해설

1. Don't You (Forget about Me) performed by Simple Minds

1977년 글래스고우에서 출범한 스코틀랜트 록 밴드 심플 마인드 Simple Minds. 'Don't You (Forget about Me)'는 <블렉퍼스트 클럽> 덕분에 빅 히트곡 대열에 진입하게 된다.

서사적 뉴 웨이브 곡 The epic new wave tune으로 인정받은 'Don't You (Forget about Me)'는 오프닝 크레디트를 장식하고 있다.

노래가 흘러나오는 동안 화면에서는 학생들이 느끼는 성인 인식 the adult perception에 대한 독백이 이어지고 있다.

클레어(몰리 링월드)는 존 벤더(저드 넬슨)에게 자신이 착용했던 귀걸이를 준다.

엘리슨(엘리 쉬디)은 앤드류(에밀리오 에스테베즈)에게 키스한다.

모든 등장인물들이 각자의 길을 간다.

존이 허공으로 주먹을 날릴 때 화면은 정지-freeze-frame-된다.

이러한 화면으로 꾸며지는 엔딩 크레디트. 영화가 마무리 되는 시점에서 'Don't You (Forget about Me)'가 다시 흘러나오고 있다.

2. The Reggae performed by Keith Forsey

드럼 및 퍼커션 연주에서 재능을 발휘하고 있는 영국 출신 팝 뮤지션 및 레코드 프로듀서 키스 포세이 Keith Forsey.

포세이의 음악적 감각이 담겨져 있는 연주 곡 'The Reggae'는 영화 전반에 걸쳐 여러 번 흘러나오고 있다. 본질적으로 극에서 펼쳐지는 스토리의 긴장감을 유지시켜 주는 고리 역할을 해내고 있다.

리차드 버논(폴 그리어슨)은 분수대에서 물을 마시고 있다. 이러는 동안 존 벤더(저드 넬슨)는 고장 난 도서관 문을 고치기 위해 나사를 제거하고 있다.

이러한 장면에서 'The Reggae'가 처음 들려오고 있다.

버논과 벤더는 사소한 말다툼을 하다가 '빌어먹을! 뒈져라! 이 바보야! eat my shorts'라는 막말을 할 정도로 서로에게 감정이 상하게 된다. 버논과 벤더의 갈등 장면에서도 'The Reggae'가 배경 음악으로 들려오고 있다.

존 벤더가 빗자루 함 the broom closet에서 탈출한다.

이어 천장을 기어 다니며 자신에게 농담을 한다.

이러한 장면에서 'The Reggae'가 두 번째로 들려오고 있다.

3. Waiting performed by Elizabeth Daily

영화에서 사용되고 있는 대부분 음악은 노골적으로 자신의 음악 성향을 드러내고 있다.

반면 'Waiting'이라는 노래는 '디에제틱 사운드 diegetic sound'를 사용하여 자신의 존재감을 미력하게 드러내면서 장면에 스며드는 테크닉을 시도하고 있다. 'Waiting'은 엘리자베스 데일리 Elizabeth Daily가 이번 영화를 위해 특별하게 공을 들여 작곡했다는 곡.

학교의 모든 빌딩 관리인 칼(존 카펠로스)이 도서관으로 들어와 브라이언(안소니 마이클 홀)에게 인사를 건넨다. 이러한 장면에서 칼이 착용하고 있는 헤드폰을 통해 'Waiting'이 희미하게 들려오고 있다.

칼은 존 벤더에게 사회에서 관리인 janitors 역할에 대해 일장연설을 늘어놓는다. 이러한 장면에서 'Waiting'이 미력하게 계속 들려오고 있다.

4. Didn't I Tell You performed by Joyce Kennedy

칼은 존 벤더(저드 넬슨)이 10대라는 어린 나이에도 불구하고 도서관 관리인 janitor이라는 것에 대해 불만을 드러낸다.

그리고 존에게 다소 무례하게 행동한다.

이러한 때에 칼의 헤드폰에서는 엘리자베스 데일리(Elizabeth Daily)가 연주해 주고 있는 'Waiting'에 이어 조이스 케네디 Joyce Kennedy 'Didn't I Tell You'가 연속적으로 이어서 들려오고 있다.

5. Fire in the Twilight performed by Wang Chung

일단의 학생들이 리차드 버논(폴 그리어슨)의 감시의 눈길을 피해 그에게 들키지 않으려고 복도를 뛰어간다.

영화에서 가장 기억에 남는 장면 중 하나로 언급되고 있다. 이러한 장면에서 왕 청이 공연해 주고 있는 'Fire in the Twilight'이 들려오고 있다.

왕 청 작곡의 곡은 사운드트랙에서 가장 인기를 많이 얻은 트랙이 되고 있다.

학생들이 막 다른 골목에 도달 할 때까지 왕 청의 곡은 계속 흘러나오고 있다.

이때 존 벤더는 동료 학생들이 도망갈 수 있도록 리차드 버논의 시선을 분산시키기 위해 애쓴다.

6. Dream Montage performed by Gary Chang

존 벤더가 대마초를 은밀하게 숨겨둔 장소.

이곳으로 호기심 가득한 10대 청춘 남녀들이 모여 든다.

이들이 환각제를 흡입하는 장면에서 끈적끈적한 분위기의 블루스 연주 곡

'Dream Montage'가 흘러나오고 있다.

브라이언(안소니 마이클 홀)이 거짓말을 늘어놓는다. 클레어는 주변 사람들이 비웃는 와중에도 자신이 상당히 인기가 있다고 주장한다. 이러한 장면이 보여 지는 동안에도 'Dream Montage'가 계속 흘러나오고 있다.

7. I'm The Dude performed by Keith Forsey

앤드류가 대마초를 피운다. 이후 환각에 빠진 그는 주변 사람들에게 보란 듯이 도서관 주변에서 격렬하게 춤을 춘다.

허공에 주먹을 휘두르고 주변에 있는 가구를 뛰어 넘는다. 이러한 돌발 행동에서 하드 록 리듬이 강하게 담겨져 있는 'I'm The Dude'가 들려오고 있다.

앤드류가 벽장으로 돌아와 유리문이 부서질 정도로 큰 소리로 비명을 지른다. 이러한 행동이 지속될 때 'I'm The Dude'는 계속해서 연주되고 있다.

8. We are Not Alone performed by Karla DeVito

서구 음악 비평가들은 '블렉퍼스트 클럽과 같은 소재를 다룬 영화에서는 화면에서 전개되는 스토리를 강조하기 위해 종종 다양한 음악적 스타일을 추구하고 있다. Movies like The Breakfast Club often rely on a wide variety of musical stylings to accentuate the story on screen.'는 의견을 제시하고 있다.

칼라 드비토 Karla DeVito가 불러 주는 'We are Not Alone'. 노래는 극중 10대 들이 마침내 서로 추구하던 공동체를 찾았다는 생각을 공유하는 '피날레 장면의 찬가 the anthem for the finale of the film'로 쓰이고 있다.

브라이언은 이 노래를 도서관 스피커를 통해 주변 사람들이 모두 듣도록 틀어 놓는다. 이에 공감을 하는 모든 10대들은 함께 모여 음악에 맞추어 기억에 남을 댄스 장면을 연출해주고 있다.

9. Love Theme performed by Keith Forsey

다른 곡에 비해 'Love Theme'는 다소 과소평가 된 삽입곡이라는 동정을 받았다. 클레어가 엘리슨의 얼굴 치장을 도와준다.

이때 앤드류는 엘리슨의 화장을 하지 않은 생 얼을 목격하고 다소 충격을 받는다.

이 같은 장면에서 'Love Theme'이 들려오고 있다.

클레어는 빗자루를 보관한 창고 the broom closet에 숨어 있던 벤더를 찾아와 아까 메이크업 트릭에 대해 진정으로 어떻게 생각하는지 묻는다.

그리고 두 사람은 키스를 교환한다.

이때 'Love Theme'이 재차 흘러나오고 있다.

10. Heart Too Hot to Hold performed by Jesse Johnson & Stephanie Spruill

록 듀엣 제시 존슨 Jesse Johnson과 스테파니 스프루일 Stephanie Spruill 은 심플 마인드의 노래가 끝난 뒤 이어지는 'Heart Too Hot to Hold'를 들려주고 있다.

영화가 깔끔하게 마무리 됐다는 것을 알려 주듯이 엔딩 크레디트를 잔잔한 선율로 채워주고 있다. 앨범으로 발매된 사운드트랙은 영화에서 들려오는 대부분의 노래를 수록하고 있다.

일부 연주 곡 instrumentals은 음반에 게재됐지만 몇몇 곡은 누락된다.

사운드트랙은 1985년 'The Breakfast Club(Original Motion Picture Soundtrack)'으로 발매 된다.

서두에 언급했듯이 심플 마인드가 불러준 'Don't You (Forget about Me)'는 빌보드 싱글 차트 1위를 차지하는 성과를 거둔다.

<사랑도 리콜이 되나요? High Fidelity> (2000), 벨벳 언더그라운드 + 스티비 원더 등 다양한 음악 성찬(盛饌)

전직 클럽 DJ였던 30대 로 롭 고든. 시카고에서 그다지 수익성이 좋지 않은 중고 레코드 가게를 운영하고 있다. 배리와 딕을 정식으로 고용하지 않았다.

하지만 음반 가게에서 떠나지 않고 있는 그들과 관계를 유지하게 된다.

〈사랑도 리콜이 되나요?〉. © Touchstone Pictures

Thirty-something Rob Gordon a former club DJ owns a notso lucrative used record store in Chicago. He not so much employs Barry and Dick but rather keeps them around as they showed up at the store one day and never left.

3명 모두 음악광이지만 각자 취향은 다르다.

롭은 탑 5곡 목록을 수집하는 경향이 있다. 최신 목록을 선정했다는 것은 그가 추천했던 이전 상위 5곡과의 이별을 뜻한다는 것이다.

아울러 그는 여자 친구이자 변호사 로라와 최근 결별하게 된다.

All three are vinyl and music snobs, but in different ways. Rob has a penchant for compiling top-five lists. Selecting the latest list means a farewell to the previous top five songs he recommended. In addition, he recently broke up with his girlfriend and lawyer Laura.

롭은 로라가 자신의 후반 인생 단계에서 마지막 사람이 될 것이라고 믿었다.
Rob believed that Laura would be the last person in his later life.

한편 롭이 배리와 딕과의 관계를 유지하는 것에 대해 로라는 평소 탐탁치 않게
생각해 왔다. 로라가 이러한 생각을 갖게 된 것에 대해 몇 가지 사건이 발생한
것에 대해 롭도 인정하고 있다.
Meanwhile, Laura has always been unhappy with Rob's relationship
with Barry and Dick. Rob also admits that several incidents occurred
to Laura to have this idea.

롭은 12살 중학교 때까지 거슬러 올라가는 다섯 가지 관계를 검토할 필요가
있다고 느끼고 있다.
Rob feels a need not only to review the five relationships which go
back as far as middle school when he was 12.

롭은 그동안 경우에 따라서 자기 주변의 여성들이 왜 그를 떠났는지 생각하게
된다. 그리고 목록의 4번째인 찰리 니콜슨의 말을 인용하자면 자신이 왜 그렇게
되었는지에 대해 '모든 것이 의미 하는 바'에 대해 이해하려고 노력하고 있다.
In the meantime, on occasion, Rob wonders why the women around
him left him. And to quote Charlie Nicholson, number 4 on the list, he's
trying to understand 'what it all means' to why he is the way he is.

롭은 또한 로라가 자신과 함께 있을 때 존경하지 않는 남자 이안 레이몬드와
3각 관계를 맺고 있었다는 의미를 이해하려고 한다.
Rob also tries to understand the implications of Laura having a love
triangle with Ian Raymond, a man she did not admire when she was
with him.

스티븐 프리어스 감독의 〈사랑도 리콜이 되나요? High Fidelity〉 스토리에서는 음악이 필수적인 역할을 하고 있다. 당연히 사운드트랙은 거의 모든 장르의 기억에 남을 만한 곡으로 가득 차 있다. 세월이 흘러도 음악 애호가들에게 필수 고전 클래식처럼 대접 받고 있는 이유가 되고 있다.

〈사랑도 리콜이 되나요?〉. © Touchstone Pictures

영화는 새로운 이별을 적극적으로 겪으면서 가장 고통스러운 이별을 이야기하는 롭(존 쿠삭)이라는 레코드 가게 주인의 사연을 중심으로 펼쳐지고 있다.

작가 닉 혼비의 동명 소설을 정확하게 각색했다는 호평을 받았다.

음악사용도 책에서 전달해준 느낌을 충실히 재현했다.

3,000만 달러 제작비 Budget $ 30,000,000를 투입해 전 세계 흥행 가에서 누적 4,700 만 달러 Gross worldwide $ 47,126,295를 거두어들인다.

개봉된 지 20여년이 지났지만 명성은 지금도 유지되고 있다. 다방면의 취미 eclectic tastes를 갖고 있는 롭의 취향을 반영하듯 사운드트랙은 소울, R & B, 랩, 잘 알려지지 않은 인디 록 등 다양한 장르 음악을 들려주고 있다.

〈사랑도 리콜이 되나요?〉는 이처럼 다층적 음악 구성을 접할 수 있는 것이 매력점이 되고 있다. 앨범 'Music from the Motion Picture'에는 극중 사용됐던 57곡 중 15곡만을 수록하고 있다.

일부 노래는 주인공 롭의 감정을 표현하기 위해 선곡됐다고.

다른 노래들은 영화의 힙한 분위기 hip ambiance를 확산시켜 주기 위해 장면에 어울리는 배경 음악이 들려오고 있다.

음악 비평가들은 '1990년대 후반과 2000년대 초반은 사운드트랙의 전성기

였다. 〈사랑도 리콜이 되나요?〉는 그 이상이었다 The late-1990s and early 2000s were the heydays for soundtracks and High Fidelity was a cut above'는 의견을 내놓고 있다.

19-1. 〈사랑도 리콜이 되나요?〉 사운드트랙 해설

1. You're Gonna Miss Me performed by The 13th Floor Elevators

'You're Gonna Miss Me'는 사운드트랙을 장식하는 첫 번째이다.
롭과 로라(이벤 야일레)가 헤어지는 오프닝 장면에서 들려오고 있다.
롭은 헤드폰으로 노래를 듣고 있다.
음악에 맞추어 헤어진 아픔을 드러내려는 듯 소리를 지르고 있다.

2. Everybody's Gonna Be Happy performed by The Kinks

〈사랑도 리콜이 되나요?〉에는 한 때 팝 차트를 장식했던 추억의 팝 선율이 다수 들려오고 있다.
롭은 배리(잭 블랙)가 밴드에서 연주하겠다는 생각을 포기하도록 설득하고 있다. 이런 장면의 배경 곡으로 그룹 킨크스 The Kinks의 히트 곡 'Every-body's Gonna Be Happy'가 흘러나오고 있다.

3. I'm Wrong About Everything performed by John Wesley Harding

롭이 찰리와 '어떻게 동떨어지게 way out of his league'됐는지 설명하고 있다. 이어 롭은 로라와 전화 통화를 하고 있다.

두 장면이 연속적으로 보여지면서 존 웨슬리 하딩 John Wesley Harding의 매력적인 포크 송 'I'm Wrong About Everything'이 흘러나오고 있다.

4. Oh! Sweet Nuthin performed by The Velvet Underground

롭이 폭우가 쏟아 지는데 집으로 뛰어 가고 있다.

롭이 아파트에 도착했을 때 로라가 전화를 걸어온다. 통화를 하고 끊는다.

이러한 장면이 보여지는 동안 록 밴드 벨벳 언더그라운드 The Velvet Underground의 다소 과소평가되고 있는 'Oh! Sweet Nuthin'이 흘러나오고 있다.

벨벳 언더그라운드가 발표했던 수많은 노래들은 다양한 드라마 배경 음악으로 활용되면서 이들의 음악 기량이 꾸준히 평가 받는 혜택을 얻고 있다.

5. Always See Your Face performed by Love

쉴 새 없이 흘러나오고 있는 〈사랑도 리콜이 되나요?〉 사운드트랙은 그 자체로 음반 캐릭터로 인정받는다. 롭의 음반 매장에서 차분하게 들려오는 노래가 'Always See Your Face'이다.

이러한 장면에서 한 고객이 롭에게 '소울 음악을 찾을 수 있는 코너'에 대해 묻는다. 롭이 누군가의 전화를 받는다.

리즈가 도착한 뒤 롭에게 여러 가지 문제로 그에게 질책을 가한다.

이러는 장면에서 계속해서 'Always See Your Face'가 들려오고 있다.

6. Most of The Time performed by Bob Dylan

정신을 잃었던 로라 아버지가 깨어난다. 병실을 떠나 롭이 처량하게 빗속을 걷는다.

롭이 자신이 병실을 찾았다는 것이 발각되지 않게 인적이 드문 울타리를 넘는다.

포크 록 거장 밥 딜런(Bob Dylan)의 'Most Of The Time'는 이러한 장면과 함께 들려오고 있다.

그의 음악은 영화에서 가장 감동적인 순간을 오래도록 기억하게 만

〈사랑도 리콜이 되나요?〉. ⓒ Touchstone Pictures

들어주고 있다는 칭송을 받는다.

7. Fallen For You performed by Shiela Nicholls

가치관과 여러 갈등으로 인해 한동안 헤어졌던 롭과 로라.

두 사람은 바에서 재회하게 된다.

감동적인 장면을 잊혀지지 않게 하는 노래가 흘러나오고 있다.

제목도 장면에 어울리는 '그대에게 푹 빠졌다.'는 'Fallen For You'.

노래가 흐르는 동안 롭은 로라가 자신과 헤어지고 사귀었다는 이안(팀 로빈스)과의 관계에 대해 사적인 질문을 던지고 있다.

8. Dry The Rain performed by The Beta Band

롭이 개인적으로 선호하는 뮤지션이라고 언급하는 음악인이 베타 밴드.

이들 밴드의 Dry The Rain'을 롭이 노래해 주고 있다.

매장을 찾은 고객과 롭이 음악적 즐거움에 잠시 빠져 든다.

하지만 이러한 운치 있는 분위기는 10대 좀도둑들이 매장에서 음반을 훔쳐 달아나는 행동을 하면서 중단되고 만다.

9. Shipbuilding performed by Elvis Costello & The Attractions

롭, 마리(리사 보넷), 딕(토드 로이소), 배리 등이 보기 드물게 술집에서 집결하게 된다. 거나한 취기가 도는 가운데 각자는 자신들의 과거 로맨스 추억담을 회상해 주고 있다.

이러한 낭만적인 장면의 배경 노래로 'Shipbuilding'이 선곡되고 있다.

10. Cold Blooded Old Times performed by Smog

잭 블랙이 역대 출연작 중 가장 기억에 남는 좋은 영화로 자천하고 있는 것이 〈사랑도 리콜이 되나요?〉로 알려져 있다. 위기에 빠졌던 배리가 블랙의 도움을 받는 장면의 배경 노래로 'Cold Blooded Old Times'가 사용되고 있다.

롭이 자신이 가장 좋아하는 노래 리스트를 언급하고 있다.

이어 배리는 신경을 곤두서게 만든 진상 고객에게 레코드 판매를 거부한다.

이러한 장면이 보여지면서 'Cold Blooded Old Times'가 계속 흘러나오고 있다.

11. Let's Get It On performed by Marvin Gaye

배리가 밴드와 함께 공연하면서 음악 재능을 과시한다. 그가 불러 주고 있는 노래가 마빈 게이의 명곡 'Let's Get It On'이다.

12. Lo Boob Oscillator performed by Stereolab

캐롤라인(나타샤 그레그손 와그너)은 롭에게 무슨 노래를 틀고 있느냐고 묻는다. 이에 롭은 노래를 불러주고 있는 밴드 이름을 확인한다. 이러한 장면에서 레코드 가게 안으로 흘러나오는 노래가 'Lo Boob Oscillator'이다.

13. Inside Game performed by Royal Trux

〈사랑도 리콜이 되나요?〉. ⓒ Touchstone Pictures

롭은 음악 진행자를 구한다는 전단지를 보게 된다. 이에 다시 의욕을 갖고 음악 DJ를 하기로 결정한다.

이러한 장면에서 무명에 가까운 인디 록 밴드 로얄 트럭스가 들려주고 있는 'Inside Game'이 흘러나오고 있다.

14. Who Loves The Sun performed by The Velvet Underground

롭이 예전에 사귀었던 여자 친구 앨리슨의 전화번호를 찾기 위해 오래된 서류 상자를 뒤지고 있다. 무심하게 지난 온 세월을 떠올려 주는 장면에서 향수심을 불러일으키는 노래 'Who Loves The Sun'이 사용되고 있다.

영화에서 유일하게 벨벳 언더그라운드 The Velvet Underground의 노래가 2번째로 흘러나오는 순간이다.

15. I Believe (When I Fall in Love It Will Be Forever) performed by Stevie Wonder

롭이 로라에게 선물하기 위해 완벽한 음악 믹스테이프를 만들기 시작한다.

음악을 통해 더욱 돈독한 관계를 맺게 되는 커플의 낙관적 미래를 위해 선곡된 노래는 리듬 앤 블루스 명곡으로 칭송 받고 있는 'I Believe (When I Fall in Love It Will Be Forever)'이다.

노래가 흘러나오는 동안 영화의 엔딩 크레디트가 올라오기 시작한다.

20 〈샬럿 왕비: 브리저튼 외전 Queen Charlotte: A Bridgerton Story〉(2023), 18세기 역사극에서 들려오는 현대 비욘세 커버 음악

영국 조지 3세 왕(George III of the United Kingdom (1738-1820), 통치 기간 1760 -1820)과 약혼한 젊은 샬럿.

결혼식 날 런던에 도착하고 군주의 교활한 어머니의 감시를 받게 된다.

Betrothed against her will to King George III of the

〈샬럿 왕비: 브리저튼 외전〉. © Netflix

United Kingdom(1738-1820), young Charlotte arrives in London on her wedding day and faces scrutiny from the monarch's cunning mother.

- 넷플릭스 Netflix

〈샬럿 왕비: 브리저튼 외전 Queen Charlotte〉 사운드트랙. 현대 음악 가운데 히트 차트를 장식했던 유명 노래에 대한 커버를 사용해서 이목을 끌었던 〈브리저튼 Bridgerton〉 시리즈의 음악 선곡 경향을 이어 나가고 있다.

〈샬럿 왕비: 브리저튼 외전 Queen Charlotte〉에는 18세기 중반을 시대 배경으로 한 역사 사극에서 2000년대 현대 팝 음악을 접할 수 있다는 점이 이목을 끌어냈다.

넷플릭스 Netflix의 야심찬 역사 로맨스 〈브리저튼 Bridgerton〉 시리즈는 앞서 언급했듯이 현대 노래의 클래식 커버로 가득 찬 사운드 트랙으로 이미 유명세를 얻은 바 있다.

스핀 오프를 표방한 〈샬럿 왕비: 브리저튼 외전 Queen Charlotte〉 사운드 트랙은 당연하지만 그 전통을 이어가고 있다.

〈샬럿 왕비: 브리저튼 외전 Queen Charlotte〉은 브리저튼 Bridgerton 일부 에피소드의 속편을 표방하고 제작됐다.

국왕 조지 3 George III의 결혼 초기를 다루고 있다. 이어서 샬럿 왕비: 브리저튼 외전 Queen Charlotte의 기원 이야기를 들려주고 있다. 여느 시대극과 마찬가지로 음악은 톤과 분위기를 설정하는 데 큰 역할을 해내고 있다.

샬럿 왕비: 브리저튼 외전이 브리저튼의 친숙한 리젠시 시대 이전에 활동했던 인물이기 때문에 클래식한 음악의 비중이 높다는 지적을 받았다.

'브리저튼 Bridgerton' 프랜차이즈가 널리 알려진 현대 팝 노래를 커버로 활용해서 화려한 역사 드라마 이벤트를 펼쳐준 것으로 주목을 받았다.

이것은 형식적인 틀에 얽매이지 않겠다는 제작진의 파격적인 의도를 보여준 것이라는 풀이를 받는다.

샬럿 왕비: 브리저튼 외전 Queen Charlotte 캐릭터 분위기를 포착해 주는 데 이러한 음악 운용이 적절한 역할을 했다는 평을 듣는다.

비욘세 Beyoncé에서 달리 파튼 Dolly Parton과 같은 사랑받는 아티스트 노래들로 구성 된 〈샬럿 왕비: 브리저튼 외전 Queen Charlotte〉 사운드트랙은 샬럿 왕비: 브리저튼 외전 Queen Charlotte과 국왕 조지 3세 King George III의 러브 스토리 깊이를 완벽하게 묘사해 주는데 일조하고 있다.

다음은 에피소드 시리즈 별 사운드트랙 해설이다.

20-1. <샬럿 왕비: 브리저튼 외전 Queen Charlotte> 에피소드 1 'Queen to Be'

비욘세 Beyoncé의 'Halo'-카렙 찬 Caleb Chan과 브라이언 찬 Brian Chan 커버.

비욘세 Beyoncé가 2008년 히트 차트에 등극시킨 노래가 'Halo'.

이 클래식 곡은 <샬럿 왕비: 브리저튼 외전 Queen Charlotte> 첫 번째 에피소드 마지막 부분에서 들을 수 있다.

'Halo'는 타이틀 캐릭터가 보인 이후 들려오기 시작해서 조지 3세 국왕이 결혼식 후 손님에게 작별을 고하는 장면까지 들려온다.

카렙 찬과 브라이언 찬의 'Halo' 커버는 조지 왕과 샬럿 여왕이 자신도 모르게 버킹엄 하우스로 떠나는 동안 계속 흘러나오고 있다.

20-2. <샬럿 왕비: 브리저튼 외전 Queen Charlotte> 에피소드 3 'Even Days'

알리시아 키스 Alicia Keys의 'If I Ain't Got You'-비타민 현악 4 중주단 Vitamin String Quartet 커버.

샬럿 왕비: 브리저튼 외전과 조지 국왕은 댄버리 부부 Lord and Lady Danbury 무도회장에서 춤을 추고 있다.

흥겨운 궁정 무도회 장면을 더욱 운치 있게 만들어 주고 있는 곡이 비타민 현악 사중주단이 연주해 주고 있는 'If I Ain't Got You'.

알리시아 키스 Alicia Keys 원곡을 클래식 분위기로 편곡 커버한 곡은 오리지널과는 차별적인 분위기를 선사해 주고 있다.

혼혈인 샬럿 여왕.

백인 조지 왕과 함께 춤을 추는 것은 상류 사회의 다른 구성원들도 격의 없이 댄스 플로어에 참여할 수 있는 자극을 제공한다.

이런 분위기는 귀족 계층 브리저튼 Bridgerton 세계의 갈등을 치유하고 통합 의식을 부추겨 주

〈샬럿 왕비: 브리저튼 외전〉. ⓒ Netflix

는데 일조하게 된다.

20-3. 〈샬럿 왕비: 브리저튼 외전 Queen Charlotte〉 에피소드 4 'Holding The King'

비욘세 Beyoncé의 'Deja Vu'-마이크 프로우다라키스 Mike Froudarakis +알렉산더 리밍 프로우다키스 Alexander Leeming Froudakis 커버

샬럿 여왕과 조지 왕의 결혼식 장면.

황실에서 펼쳐지는 호화로운 예식 장면에서 'Deja Vu' 들려오고 있다.

결혼 이후 이제 조지 왕의 관점에서 사건을 하나 보여준다.

그것은 왕이 이제 아내가 된 여왕으로부터 자신의 고질병을 감추려 하고 있다는 태도를 드러내는 것이다. 겉으로는 굉장히 행복해 보이지만 내면에서는 왠지 모를 긴장 된 상태인 국왕의 심리 상태.

이런 장면에서 마이크 프로우다라키스와 알렉산더 리밍 프로우다키스가 매우 고전적인 분위기로 커버 한 'Deja Vu'가 들려오고 있다.

20-4. <샬럿 왕비: 브리저튼 외전 Queen Charlotte> 에피소드 6 'Crown Jewels'

SZA의 'Nobody Gets Me'-카렙 찬 Caleb Chan+브라이언 찬 Brian Chan 커버.

〈샬럿 왕비: 브리저튼 외전〉 사운드트랙에 선곡 된 가장 최근 유행가는 그룹 SZA의 'Nobody Gets Me'이다.

이 노래는 조지 왕과 샬럿 왕비가 첫 아들 조지 왕자의 탄생을 기념하는 무도회를 진행할때 흘러나오고 있다. 카렙 찬(Caleb Chan)과 브라이언 찬(Brian Chan)이 SZA 원곡을 커버해 주고 있다.

커버 곡은 샬럿 왕비: 브리저튼 외전과 조지 국왕의 무도회 첫 댄스 장면의 배경 곡을 장식해 주고 있다.

샬럿 여왕이 무도회에 들어가기 전에 조지 왕의 신경을 진정시켜야 한다는 점을 고려할 때 노래 선곡 배치가 매우 적절했다는 풀이를 받았다.

20-5. 달리 파튼 Dolly Parton의 'I Will Always Love You'-

비타민 현악 4 중주단 Vitamin String Quartet 커버.

〈샬럿 왕비: 브리저튼 외전〉 엔딩에서 선곡 된 현대적인 노래는 달리 파튼의 유명세를 더해 준 노래 'I Will Always Love You'이다.

휘트니 휴스턴이 커버해서 다시한번 팝계에서 주목을 받아냈던 발라드는 이번에는 비타민 현악 4중주 Vitamin String Quartet가 고전적 분위기로 커버해주고 있다.

이 선율이 들려올 때 브림스리와 레이놀즈는 다른 사람의 시야에서 벗어나 무도회장 측면에서 함께 춤을 추고 있다.

<슈렉 The Shrek>(2001), 다나 글로버 'It Is You (I Have Loved)' + 밴드 스매시 마우스 'All Star' 등이 주목 받아

<슈렉 The Shrek>. © Dreamworks

슈렉이라는 이름의 녹색 괴물.

자신의 늪이 교활한 파쿼드 Farquaad 귀족에 의해 온갖 종류의 동화 속 생물로 '늪에 잠긴' 것을 발견하게 된다.

슈렉은 그의 늪을 돌려받기를 원한다. 파쿼드를 설득하기 위해 매우 시끄러운 당나귀를 동행해서 출발한다.

When a green ogre named Shrek discovers his swamp has been swamped with all sorts of fairytale creatures by the scheming Lord Farquaad. Shrek sets out with a very loud donkey by his side to persuade Farquaad to give Shrek his swamp back.

대신에 거래가 이루어지게 된다. 국왕이 되고자 하는 파쿼드.

불을 뿜는 용이 지키는 탑에서 진정한 사랑을 기다리고 있는 피오나 공주를 구출하기 위해 슈렉을 파견시킨다.

Instead, a deal is made. Farquaad who wants to become the King sends Shrek to rescue Princess Fiona who is awaiting her true love in a tower guarded by a fire-breathing dragon.

하지만 그들이 피오나와 함께 돌아오면서 못생긴 오우거 슈렉이 사랑스러운 공주와 사랑에 빠지기 시작 한다. 뿐만 아니라 피오나가 엄청난 비밀을 숨기고 있다는 것이 명백해지기 시작한다.

But once they head back with Fiona. it starts to become apparent that not only does Shrek an ugly ogre begin to fall in love with the lovely princess but Fiona is also hiding a huge secret.

– 할리우드 리포터 Hollywood Reporter

〈슈렉 Shrek〉은 2001년 공개 된 이후 폭발적 호응을 얻어낸다.

6,000 만 달러 제작비 Budget $ 60,000,000를 투입해 전 세계 극장가에서 누적 4억 8천 8백만 달러 Gross worldwide $ 488,441,368라는 엄청난 수익을 얻어낸다. 여세를 몰아 프랜차이즈가 시작되면서 사랑받는 애니메이션 클래식일 뿐만 아니라 기억에 남을 곡으로 가득 찬 놀라운 사운드트랙을 담아내 장수 인기를 누리고 있다.

2002년 아카데미 어워드에서 각색 Best Writing, Screenplay Based on Material Previously Produced or Published 후보, 장편 애니메이션 Best Animated Feature을 수상한다.

비평가들은 '영화는 동화를 교묘하게 재해석하고 분명히 밀레니엄 세대의 비틀기를 선사했다. film cleverly re-imagined fairy tales and gave them a distinctly millennial twist'는 찬사를 보낸다.

할리우드 리포터는 '현대 대중문화 요소와 고전적인 환타지 이야기를 혼합하고 있다. 슈렉은 시대를 초월한 느낌을 주는 동시에 자신의 시대에 확고하게 뿌리를 내리고 있다. Blending elements of modern popular culture with classic fantasy stories. Shrek has a timeless feel while also being firmly rooted in its own era.'는 리뷰를 보도한다.

한 시대를 장식했던 흘러 간 팝 음악부터 모던 록 히트 곡까지 엄선된 곡 덕분에 사운드트랙은 흥행 성공의 견인차 역할을 해낸다.

〈슈렉〉은 개봉 당시의 시대 산물일지 모른다.

하지만 사운드트랙은 수 십 년이 지난 후에도 여전히 인기를 얻어내고 있는 목록이 되고 있다.

음반 시장으로 'Shrek: Music from the Original Motion Picture'로 출반된 첫 번째 사운드트랙 앨범에는 영화의 거의 모든 히트곡이 포함되어 있다.

여기에 영화를 위해 특별히 창작 된 배경 음악 중 청각을 자극 시켰던 곡도 포함되어 있다.

2003년까지 미국음반협회 RIAA는 이 앨범에 대해 200만 장 인증을 해주었다.

그래미 '편집 부문 the Best Compilation Grammy' 후보에 지명 받는다.

아쉬운 것은 일부 곡의 경우 원곡자와의 저작권 합의가 이루어지지 않아 다른 아티스트의 커버 버전이 수록됐다는 점이다.

이런 점이 옥의 티가 됐음에도 불구하고 〈슈렉〉 음악은 영화와 불가분의 관계를 맺게 된다. 특정 노래는 슈렉 캐릭터를 떠올려 주는 상징적 노래가 되는 부가 이득을 얻게 된다.

21-1. 〈슈렉 the Shrek〉 사운드트랙 해설

1. All Star performed by Smash Mouth

슈렉 사운드트랙은 모두의 주목을 끌어내며 with a bang 시작한다.

스매시 마우스 Smash Mouth-1994년 캘리포니아 산 호세 San Jose, California를 활동 근거지로 출범한 미국 얼터너티브 및 스카 펑크 록 밴드-의 'All Star'가 오프닝을 화려하게 장식해 주고 있다.

서막 장면에서 동화 속사람을 잡아먹는 거인으로 알려진 오우거 ogre 슈렉이 콧소리를 흥얼거리면서 아침 목욕을 하고 있다.

기타와 드럼을 강조시킨 강력한 노래.

슈렉이 거주하는 별장에 그가 발생시키는 소음 때문에 화가 난

〈슈렉 The Shrek〉. © Dreamworks

마을 사람들이 항의 방문을 하면서 리듬이 중단된다.

2. Bad Reputation performed by Joan Jett and the Blackhearts

두룩 Duloc에서 슈렉 Shrek과 당나귀 Donkey가 임시 레슬링 장소에서 기사(騎士) 무리 a host of his knights와 싸우기 위해 팀을 구성하고 있다.

탐욕스럽고 심술 궂은 파쿼드 귀족 Lord Farquaad을 처음 만나는 장면에서 귀청을 자극시키는 강력한 록 'Bad Reputation'이 흘러나오고 있다.

화면에서는 조안 제트 Joan Jett 버전이 사용되고 있다.

하지만 저작권 문제로 인해 사운드트랙 앨범에서는 록 밴드 하프콕드 Halfcocked-1997년 매사추세츠 주 보스톤에서 출범한 하드 및 펑크 록 밴드-버전이 수록되고 있다.

3. I'm On My Way performed by The Proclaimers

슈렉과 당나귀는 피오나를 찾아 대륙을 가로질러 머나 먼 여행을 떠난다.

낯선 여정 속에서 여러 사건을 겪게 된다.

이들이 여행 하면서 벌어지는 사건을 몽타주로 보여준다.

이런 장면에서 신경을 곤두세우게 하지만 한편에서는 매우 흥겨운 리듬을 담고 있는 얼터너티브 및 포크 듀오 프로클레이머-1983년 스코틀랜드 출신 쌍둥이 형제 크레이그와 찰리 레이드 Craig and Charlie Reid가 결성한 록 듀오 rock duo-가 불러주고 있는 'I'm On My Way'가 흘러나오고 있다.

노래는 공주가 갇혀 있는 오래 된 고성(古城) 외곽에 도착할 때 까지 계속해서 들려오고 있다.

4. My Beloved Monster performed by Eels

슈렉, 당나귀, 피오나.

이들이 의기투합 되어서 대륙을 가로질러 여행하고 있다.

어울리지 않지만 뭔가 흥미로운 일이 펼쳐질 것임을 예고시켜 주고 있다.

이런 장면에 어울리는 듯한 'My Beloved Monster'가 흘러나오고 있다.

밴드 '일 Eels'은 1991년 싱어 송 라이터 겸 여러 악기 연주에 능숙한 마크 올리버 에버렛 Mark Oliver Everett(무대 애칭 E)이 LA를 활동 근거지로 결성한 9인조 록 밴드이다.

슈렉과 피오나는 여행 도중 방해꾼 개구리와 뱀을 퇴치시킨다.

이어 서로를 위해 열기구 풍선 balloons을 만들어준다.

이러한 등장인물들의 행적이 보여 지면서 배경 노래로 'My Beloved Monster'가 계속해서 들려오고 있다.

5. You Belong to Me performed by Jason Wade

시리즈로 공개 된 〈슈렉〉은 힘겨운 모험과 이를 극복해 나가는 과정이 공식적인 전개 규칙처럼 반복되고 있다.

이런 과정을 흥미롭게 만들어 주고 있는 훌륭한 음악도 동일하게 병행되고 있다.

많은 수록 곡 중 'You Belong to Me'는 애초 전혀 어울릴 것 같지 많지만 시간이 흐르면서 서로 천생연분임을 깨달아 가는 슈렉과 피오나 관계를 응원해 주고 있는 최적의 배경 노래가 되고 있다.

제이슨 웨이드 Jason Wade-본명 제이슨 마이클 웨이드 Jason Michael Wade, 1980년 7월 5일 생-는 얼터너티브 록 밴드 라이프하우스 alternative rock band Lifehouse 리드 보컬 겸 기타리스트로 음악 재능을 발휘하고 있는 주인공이다.

'나일강을 따라 피라미드를 보세요. See the pyramids along the Nile'라는 가사로 시작되는 'You Belong to Me'.

팝 싱어 조 스태포드 Jo Stafford가 1952년 4월 21일 발매해 빌보드 및 영국 팝 차트 1위에 동시에 오르면서 대중적인 팝 발라드 popular music ballad로 널리 알려진 노래이다.

1962년 6월 5인조 두 왑 그룹 더 듀프리스 the Duprees가 재차 발표해 빌보드 핫 100 7위까지 진입시킨다.

1992년 밥 딜런이 어코스틱 버전으로 편곡시켜 앨범 'Good as I Been to You'에 수록한다. 밥 딜런 버전은 올리버 스톤 감독의 〈내추럴 본 킬러 Natural Born Killers〉(1994)에 삽입돼 팝 팬들의 주목을 끌어낸다.

제이슨 웨이드 버전은 〈슈렉〉에 선곡된 많은 트랙 중에서 가장 많은 환대를 끌어낸 노래로 알려진다.

슈렉과 피오나가 듀록 Duloc에 다시 도착하기 직전.

두 사람은 낭만적인 저녁 식사를 하게 된다.

슈렉은 자신의 늪에서 호기스럽게 그녀에게 언제든지 자신을 찾아와 달라고 요청한다.

이러한 장면에서 'You Belong to Me'는 계속해서 들려오고 있다.

6. Hallelujah performed by John Cale

〈슈렉 The Shrek〉. ⓒ Dreamworks

슈렉과 피오나는 헤어진 뒤 서로를 향한 그리움이 증폭되는 것을 느끼게 된다.

점차 서로에게 매력을 듬뿍 느끼게 되는 상황이 전개되고 있는 것이다.

이러한 때에 종교적 분위기가 가득 담겨져 있는 'Hallelujah'가 흘러나오고 있다. 피오나가 웨딩드레스를 맞추어 입는다.

이어 슈렉은 그의 거처인 늪으로 돌아간다. 이러한 장면에서는 저작권 문제로 인해 루퍼스 웨인라이트 버전의 'Hallelujah'가 들려오고 있다.

'Hallelujah'는 캐나다 출신 싱어 송 라이터 레오나드 코헨 Leonard Cohen이 앨범 'Various Positions'(1984)에 수록한 뒤 널리 환대를 받았던 노래이다.

이 곡은 1991년 존 카일 John Cale이 편곡시켜 다시 한 번 팝 팬들의 주목을 받아낸다.

코헨 버전은 2004년 팝 전문지 '롤링 스톤' 선정 '위대한 노래 500 The 500 Greatest Songs of All Time' 259위로 추천 받는다.

7. True Love's First Kiss performed by Harry Gregson-Williams & John Powell

피오나와 슈렉이 처음으로 키스를 나눈다. 이들의 사랑의 깊이는 점 차 증폭된다. 피오나의 여성스런 모습도 더해지고 있다. 이러한 장면에서 〈슈렉〉 사운드트랙에서 매우 특별한 선곡이 들여온다. 즉, 매우 드물게 오케스트라 버전의 연주 음악이 들려오고 있는 것이다.

이때 배경 음악은 영화 음악 전문 작곡가 해리 그레그손-윌리암스 Harry Gregson-Williams+존 파웰 John Powell이 콤비로 창작한 'True Love's First Kiss'가 흘러나오고 있는 것이다.

8. I'm a Believer performed by Smash Mouth

그룹 스매시 마우스 Smash Mouth는 〈슈렉 Shrek〉을 통해 자신들의 최고의 노래 2곡을 헌정하게 된다. 이들 밴드의 노래 중 두 번째는 'I'm a Believer' 'I'm a Believer'는 닐 다이아몬드 Neil Diamond가 노랫말을 만든 곡.

1966년 11월 12일 4인조 팝 그룹 몽키스 the Monkees가 앨범 'More of the Monkees'를 통해 발표한다.

리드 싱어 미키 돌렌즈 Micky Dolenz의 청아한 보컬 창법이 두드러진 이 노래는 1966년 12월 31일 빌보드 핫 100 1위에 등극한 뒤 무려 7주 동안 1위를 차지한다. 뜨거운 호응 덕분에 1966-1967 시즌 가장 많이 팔려 나간 밀리언셀러 노래로 기록되고 있다.

〈슈렉〉에서는 리드 보컬 스티브 하웰 Steve Harwell, 드럼 케빈 콜맨 Kevin Coleman, 기타 그레그 캠프 Greg Camp, 베이스 폴 드 리슬 Paul De Lisle 등이 라인업을 구성하고 있는 록 밴드 스매시 마우스 버전으로 수록되어 있다.

감성적인 오리지널 곡과는 차별적인 거친 음성과 연주를 내세워 열정이 넘치는 파워 록 리듬을 들려주고 있다. 마침내 늪 swamp 주변에서 결혼식이 진행된다.

슈렉과 피오나는 키스를 교환하면서 영원한 사랑을 맹세한다.

경쾌한 곡이 연주된다.

결혼식 파티가 진행되는 동안 당나귀와 드래곤이 흥겨운 몸짓을 하고 있다.

스매시 마우스의 업비트 곡조 The upbeat tune가 특징인 'I'm a Believer'가 흥겨운 결혼 축하 곡으로 계속 흘러나오고 있다.

9. I'm a Believer (Reprise) performed by Eddie Murphy

〈슈렉 The Shrek〉. © Dreamworks

혼례를 마친 슈렉과 피오나가 함께 신혼여행을 위해 떠난다.

홀로 남겨 진 당나귀가 앞서 들려 왔던 'I'm a Believer'를 다시 불러주고 있다. 목소리 주인공은 흑인 코믹 배우 에디 머피다.

영화에 등장했던 여러 캐릭터가 모두 등장해서 슈렉과 피오나의 결혼을 축하한다.

이어서 극이 종료됐음을 알리는 'The End' 타이틀 카드를 보여 진다. 엔딩 크레디트와 함께 'I'm a Believer (Reprise)'가 계속 이어서 흘러나오고 있다.

10. Stay Home performed by Self

클로징 장면 분위기를 고조시켰던 경쾌한 리듬의 'I'm a Believer (Reprise)'에 이어지는 곡은 다소 침울한 곡조 somewhat downbeat의 'Stay Home'이 엔딩 크레디트 첫 번째 노래로 선곡되고 있다.

11. Best Years of Our Lives (Micks Mix) performed by Baha Men

1977년 바하마 군도 뉴 프로비이던스 New Providence, the Bahamas에서 출범한 레게 퓨전, 힙 합, 댄스 팝을 표방한 밴드가 바하 맨 Baha Men.

데뷔 앨범 'Junkanoo' 수록곡 'Who Let the Dogs Out'이 그래미 어워드를 수상하면서 주목을 받아낸 바 있다.

후속 히트 곡을 탄생시키지 못해 '원-히트-원더 밴드 The one-hit-wonder band'로 지목 받는다. 이들 밴드의 흥겨운 레게 스타일의 곡 'Best Years of Our Lives (Micks Mix)'가 〈슈렉〉 엔딩 크레디트 2번째 노래로 선곡되고 있다.

12. Like Wow! performed by Leslie Carter

레슬리 카터 Leslie Carter(본명 레슬리 바바라 카터 Leslie Barbara Carter, 1986년 6월 6일-2012년 1월 31일, 향년 26세)는 1999년 드림웍스 레코드 DreamWorks Records와 전속 계약을 맺는다.

2001년 4월 10일 데뷔 앨범 'Like Wow!'의 동명 타이틀 노래가 빌보드 핫 100 99위로 주목을 받아낸 팝 유망주. 팝 록을 지향했던 밴드 아더 하프 The Other Half 멤버로도 활약했지만 약물 과용으로 요절하고 만다.

'Like Wow!'는 하이틴 가수 브리트니 스피어스 Brittney Spears 창법에서 영감을 받아 창작된 노래로 알려져 있다.

이 노래는 〈슈렉〉 엔딩 크레디트 3번째 곡으로 선곡되고 있다.

13. It Is You (I Have Loved) performed by Dana Glover

〈슈렉〉 엔딩 크레디트 4번째 노래가 'It Is You (I Have Loved)'.

영화를 위해 특별히 작곡 되었다고 한다. 노래를 불러준 다나 글로버 Dana Glover(1974년 10월 14일 생)는 싱어 송 라이터로 주목을 받고 있는 팝 가수.

아담 생크맨 감독, 제니퍼 로페즈, 매튜 맥커너히 주연의 로맨틱 코미디 〈웨딩 플래너 The Wedding Planner〉(2001) 삽입 곡 'Plan On Forever'를 데뷔 곡으로 발표해 주목을 받아낸다. 싱글 'It Is You (I Have Loved)'는 〈슈렉〉을 위해 특별히 취입한 노래로 알려져 있다. 2002년 10월 15일 드림웍스 레코드 를 통해 데뷔 앨범 'Testimony'를 발매한다.

이 앨범에서 싱글 'Thinking Over'가 빌보드 어덜트 컨템포러리 차트 17위, 'Rain'이 어덜트 팝 40 차트 30위를 차지하는 주목을 받아낸다.

2004년 'Thinking Over'는 게리 마샬 감독의 〈레이징 헬렌 Raising Helen〉 삽입곡으로 선정 된다.

싱글 'The Way (Radio Song)'는 2002년 산드라 블록, 휴 그랜트 로맨틱 코미디 〈투 윅스 노티스 Two Weeks Notice〉, 싱글 'Maybe'는 2004년 피어스 브로스난, 줄리안 무어 주연의 로맨틱 코미디 〈사랑에 빠지는 아주 특별한 법칙 Laws of Attraction〉 사운드트랙에 선택돼 영화 음악 팬들에게 존재감을 알리게 된다.

〈슈렉〉 수록 곡 'It Is You (I Have Loved)'는 한번 들으면 단번에 빠져 들게 되는 다나 글로버의 창법이 유감없이 스며있는 노래로 주목을 받아 낸다.

앨범 'Shrek: Music from the Original Motion Picture'는 2001년 사운드트랙으로 발매된 첫 번째 공식 앨범이다.

영화 배경 연주 음악으로 사용된 곡을 편집한 앨범 'Shrek: Original Motion Picture Score'가 연이어 발매된다.

<슈퍼 마리오 브라더스 Super Mario Bros. Movie>(2023) 삽입곡 'Peaches' 온라인 데뷔

〈슈퍼 마리오 브라더스〉. ⓒ Universal Pictures, Nintendo

재능꾼 잭 블랙이 2023년 4월 프로 가수로도 손색이 없는 재능을 발휘하고 있다. 널리 알려져 있는 〈슈퍼 마리오 브라더스〉는 4월 26일 장편 코미디 액션 애니메이션으로 극장가를 다시 노크했다.

극중 바우서 목소리 연기를 맡고 있는 잭 블랙이 삽입 곡 'Peaches'를 온라인 음원 시장으로 공개한 직후 뜨거운 호응을 얻고 있다는 핫뉴스를 제공하고 있다.

1993년 6월 록키 모튼+아나벨 얀켈 공동 감독이 첫 선을 보였던 〈슈퍼 마리오 Super Mario Bros〉는 밥 호스킨스, 존 레귀자모, 데니스 호퍼, 사만다 마티스 등 개성파 연기진들이 대거 합류해 액션 어드벤쳐 환타지 코미디로 흥행몰이에 성공했던 작품.

머나 먼 옛날 거대한 유성이 지구에 충돌한다. 이때 분리된 지역은 3차원 세계에 존재하면서 디노하탄이라는 지명을 갖게 된다. 이 지역에는 생존을 위협하는 곰팡이가 번식하면서 서서히 천연 자원이 고갈된다.

이에 디노하탄을 통치하고 있는 폭군 쿠파 대왕은 대체 지역을 찾는 와중에 지구를 점령할 계획을 꾸민다. 지구 침공을 위해 강력한 에너지를 함유하고 있는 운석 펜던트의 행방을 추격한다. 펜던트의 반쪽은 쿠퍼가 나머지 반쪽은 인간 세계로 달아난 바우저 왕의 딸이 소지하고 있는 상황.

한편, 브룩클린 거리에 버려진 공룡 알에서 태어난 데이지는 공룡 연구 학자로 성장한다. 그녀가 바로 바우저 왕의 딸 데이지 공주.

쿠퍼 부하 이기와 스파이크는 그녀를 납치한다.

마리오 형제는 디노하탄을 발견하고 데이지를 구하기 위해 쿠파 대왕에게 정면 대결을 선언하게 된다는 것이 기둥 줄거리.

아론 호바스+마이클 제레닉 공동 감독이 크리스 프랫, 안야 테일러 조이, 잭 블랙, 세스 로건 등을 목소리 대역을 맡겨 공개한 2023년 애니메이션 버전이 〈슈퍼 마리오 브라더스 Super Mario Bros. Movie〉.

신작 주인공 마리오와 루이지는 뉴욕에서 배관공 형제로 일하고 있는 상황.

배수관 고장으로 수몰 위기에 처한 대도시를 구출 작전에 나선다.

이들 형제는 의혹에 쌓여 있는 초록색 파이프 안으로 잠입한다.

파이프를 통해 새로운 세상으로 이동하게 된 형제.

형 마리오는 피치가 통치하는 버섯왕국에 도착한다.

하지만 동생 루이지는 악당 쿠파가 권력을 행사하고 있는 다크랜드로 가게 된다. 마리오는 동생을 구하기 위해 피치와 키노피오를 합류시켜 쿠파에게 도전장을 내밀게 된다.

2023 버전 〈슈퍼 마리오 브라더스 The Super Mario Bros. Movie〉 팬들은 영화 개봉에 앞서 극중 바우어(잭 블랙)가 불러 주는 발라드 노래 'Peaches'에

대해 뜨거운 환대를 보낸다.

잭 블랙은 쿠파 군대를 이끌면서 마리오 형제와 대적하게 되는 천적의 목소리를 맡고 있다. 일본 닌텐도가 개발한 유명한 게임 프랜차이즈 〈슈퍼 마리오〉는 신작에서는 개성파 연기진들이 목소리 더빙

〈슈퍼 마리오 브라더스〉. ⓒ Universal Pictures, Nintendo

을 맡으면서 화면 뒤편에서 양보 없는 인기 경쟁을 펼쳐 주고 있다.

뮤직 비디오는 악당 바우저가 밝은 조명 아래에서 혼자 앉아 피아노를 연주하면서 피치 공주에 대한 감정을 노래한다.

이어 그는 불타는 성 깊숙한 곳으로 뛰어 들어간다. 뮤직 비디오 클립은 〈슈퍼 마리오 브라더스〉 주요 장면을 삽입시키면서 버섯 왕국을 가로지르는 바우저의 행동, 피치 공주와의 만남 등이 순차적으로 펼쳐지고 있다.

영화 공개 직후 팬들은 '잭 블랙이 맡고 있는 바우저는 슈퍼 마리오 브라더스 영화의 최고 스타이다.'는 칭송이 쏟아졌다.

제작진들은 잭 블랙이 바우저 더빙 배우로 참여한 것은 〈슈퍼 마리오 브라더스〉의 흥행 포인트를 높여줄 요소로 일치감치 예견했다.

이런 프로젝트는 마침내 성공하게 된다.

애니메이션의 경우 전담 성우가 아닌 유명 배우를 더빙자로 초빙하는 것이 관객들의 티켓 구매를 자극 시킬 수 있는 요소로 즐겨 선택되고 있는 방식이다.

바우저가 착용하고 등장한 화려한 의상은 잭 블랙에 대한 스타성을 높여 주는 데 일조하게 된다는 지적도 받았다.

바우저는 영화에서 매우 핵심적인 캐릭터 중 한 명이다.

그는 여러 장치와 생물체를 동원해서 피치 공주를 포획하려고 애쓰고 있다.

그런데 발라드 노래 'Peaches' 뮤직 비디오 영상에서 전달해주고 있듯이 바우저는 은근히 피치 공주에 대한 짝사랑의 감정을 고조시켜 나가고 있다.

이런 과정을 지켜보고 있는 마리오는 은근히 바우저에 대한 라이벌 의식이 작동하게 된다.

관객들에게는 흥미로운 볼거리를 추가시켜 주는 상황이 되고 있다.

'Peaches'는 다양하게 선곡된 〈슈퍼 마리오 브라더스〉 사운드트랙 중 가장 발 빠르게 인기 열기를 주도하는 효자가 된다.

노래는 소셜 미디어 게시물에서 재사용되면서 흡사 바이러스처럼 신속하게 전파되어 나가고 있다.

22-1. Tracks listings

1. Battle Without Honor or Humanity performed by Tomoyasu Hotei
2. Mario Brothers Rap performed by Ali Dee
3. No Sleep Till Brooklyn performed by Beastie Boys
4. L'Amour Est Un Oiseau Rebelle (Habanera) from Carmen, WD 31 performed by Anita Rachvelishvili with Giacomo Sagripanti and Orchestra Sinfonica Nazionale della Rai
5. All I Do is Win performed by T-Pain, Ludacris, Snoop Dogg and Rick Ross
6. Holding Out for a Hero performed by Bonnie Tyler
7. Look at Me Now performed by Chris Brown, Busta Rhymes and Lil Wayne
8. Attack! Fury Bowser from Super Mario 3D World + Bowser's Fury (2021)
9. Blind performed by Korn
10. Take on Me performed by a-ha
11. Buffed Up performed by Comethazine

12. Peaches performed by Jack Black
13. Rollin (Urban Assault Vehicle) performed by DMX, Limp Bizkit, Method Man and Redman
14. Thunderstruck performed by AC/DC
15. N.Y State of Mind performed by Nas
16. DK Rap from Donkey Kong 64 (1999) Written by Grant Kirkhope and George Andreas
17. Mr. Blue Sky performed by Electric Light Orchestra
18. Diet performed by Denzel Curry
19. Drop performed by The Pharcyde
20. Flex Like Ouu performed by Lil Pump
21. From the Garden performed by Isaiah Rashad and Lil Uzi Vert
22. Gas Mask performed by 919jam
23. Got It on Me performed by Pop Smoke
24. Hot Dog performed by Limp Bizkit
25. m.A.A.d city performed by Kendrick Lamar and MC Eiht
26. Miss The Rage performed by Trippie Redd and Playboi Carti
27. Puffin on Zootiez performed by Future
28. Ruff Ryders Anthem performed by DMX
29. Shake That (Remix) performed by Bobby Creekwater, Eminem, Nate Dogg and Obie Trice
30. Game Over performed by Falling in Reverse
31. Dynamic Duo 2 performed by Kasher Quon and Teejayx6
32. Yonkers performed by Tyler the Creator
33. Wedding March Written by Felix Mendelssohn

<스타 이즈 본 A Star is Born>(2018)
베스트 주제가 10

〈스타 이즈 본〉. ⓒ Warner Bros

노련한 음악가 잭슨 메인(브래들리 쿠퍼).

고군분투하는 아티스트 엘리(가가)를 발견하고 사랑에 빠진다.

그녀는 잭이 그녀를 부추겨 스포트라이트를 받을 때까지 가수로서 성공하겠다는 꿈을 거의 포기한 상태였다. 엘리가 프로 가수로서의 경력이 서서히 진행되면서 잭의 내면에 도사리고 있는 악마적인 모습이 드러나게 된다.

결국 두 사람의 관계는 서서히 무너지게 된다.

Seasoned musician Jackson Maine (Bradley Cooper).

He finds Ellie (Gaga) a struggling artist and falls in love. She had almost given up on her dream of succeeding as a singer until Jack pushed her into the spotlight. As Ellie's career as a professional singer slowly progresses, Jack's inner demonic side is revealed.

In the end, the relationship between the two gradually deteriorates.
- 워너 브라더스 Warner Bros

레이디 가가의 가창력과 연기력이 돋보였던 〈스타 이즈 본 A Star Is Born〉. 극적 스토리의 감동을 부추겨 주었던 최고의 노래들이 너무나 많다는 것이 흠(?)이다. 영화 공개 이후 음악 비평가들은 '수 많은 삽입 곡 중 최고 중의 최고를 선별하는 것은 쉽지 않은 선택이었다.'는 행복한 고민을 털어 놓기도 했다.

〈스타 이즈 본 A Star is Born〉은 사랑에 빠지지 않을 수 없는 감동적인 스토리를 담아 무려 4번째 리바이벌 됐다.

브래들리 쿠퍼는 1937년 첫 선을 보인 영화 원작을 새롭게 각색하기 위해 감독, 주연, 각본을 도맡는 열정을 발휘한다. 개봉 이후 비평가들의 찬사가 쏟아졌다.

아카데미 어워드에서 작품, 여우 주연, 남우 주연 등 8개 부문 후보로도 지명 받는다. 영화에서 관객들에게 감성적 공감을 높여 준 핵심은 바로 음악이다.

이를 입증 하듯 아카데미 주제가 상을 수여 받는다. 잭슨 메인(브래들리 쿠퍼)과 엘리 메인(레이디 가가)은 둘 다 그들의 노래를 통해 진실을 말하고 있다.

〈스타 이즈 본〉에는 포장을 풀어 보니 멋진 가사가 너무 많다는 찬사를 받았다.

앞서 언급했듯이 영화 전체에 훌륭한 음악이 너무 많다.

이런 이유 때문에 〈스타 이즈 본〉에서 모든 노래를 대상으로 최고 중의 최고를 뽑는 것은 쉬운 일이 아니다.

하지만 〈스타 이즈 본〉에서 가장 강력한 노래는 뚜렷한 인상을 남기며 영화 팬들은 최고의 잭슨 메인의 노래 가사 뿐만 아니라 최고의 레이디 가가의 잊을 수 없는 전달의 감정적 영향을 잊기 어렵다는 칭송을 보냈다.

히로인 엘리 메인이 불러준 노래는 개봉이 끝난 뒤에도 음악 팬들의 청각을 자극시켰다.

22-1. 할리우드 팝 전문지 추천 베스트 사운드트랙 10

10. Is That Alright?

〈스타 이즈 본〉. ⓒ Warner Bros

엘리의 자작곡 중 한 곡이 바로 'Is That Alright?'이다.

가사 구절마다 잭슨에 대한 엘리의 사랑의 감정이 듬뿍 담겨져 있다.

엘리의 직설적 사랑을 선언한 노래라고 해도 과언이 아니다.

가사 하나하나에 진심을 담아 가사 자체의 감성을 더해주는 신예 가수의 감정이 듬뿍 담겨져 있다.

이에 질세라 잭슨이 엘리에 대한 사랑의 보답을 묘사하는 노래도 적지 않다.

어쨌든 그녀의 관점에서 쓰여 진 러브 송은 관객들에게도 그들의 관계가 왜 그렇게 특별한지 다시 한 번 일깨워 주는 역할을 해냈다.

9. Alibi

잭슨은 자신의 콘서트에 엘리를 정식 초대한다. 이에 엘리는 덜컥 겁이 난다. 초대에 응하지 않으면 후회할 것 같아 공연장을 찾는다. 무대에서는 〈스타 이

즈 본〉에서 가장 짜릿한 노래 중
한 곡을 열창하는 잭슨의 모습을
발견하게 된다.

음악 비평가들은 'Alibi'는 음
악적 기본기가 있는 이들이 부를
수 있는 정통 록 음악이라도 정의
해 주고 있다.

〈스타 이즈 본〉. ⓒ Warner Bros

라이브 공연을 능숙하게 진행하고 있는 잭슨의 모습을 지켜보는 엘리는 가슴
이 벅차오르고 있다. 멋진 가사에 어울리는 노래를 불러 주는 잭슨.

그에게 서서히 빠져 들게 된다.

8. Diggin My Grave

잭슨과 엘리는 화음을 맞추어 듀
오로도 성공 가도를 달리게 된다.

'Diggin My Grave'는 두 사람
이 콤비를 이뤄 관객들에게 불러
주었던 첫 번째 노래이다.

〈스타 이즈 본〉. ⓒ Warner Bros

노래는 훌륭하게 들릴 뿐만 아니라 영화의 끝을 예고하는 많은 사연을 담고
있다. 노래는 죽음과 가수가 사라지면 매장해야 할 남겨진 사랑하는 사람들에
대한 내용을 다루고 있다. 영화의 끝에서 잭슨의 죽음 이후 결국 검은 옷을 입고
어떤 의미에서 '노래 제목처럼' 그의 무덤을 파는 것은 엘리가 된다.

7. Too Far Gone

쿠퍼가 배역을 맡은 잭슨 메인이 부드러운 음색으로 불러주고 있는 노래가

〈스타 이즈 본〉. © Warner Bros

'Too Far Gone'이다.

영화 내내 잭슨이 겪게 되는 끊임없는 내부 갈등과 투쟁을 아름다운 은유로 표현해 주고 있다.

알코올 중독자 아버지 밑에서 제대로 된 사랑과 관심을 받지 못했던 잭슨.

성장해서는 부모의 사랑을 받지 못한 아픔을 술로 위로하다 급기야 잭슨도 아버지처럼 평생을 술과 함께 보내게 된다. 'Too Far Gone'을 통해 잭슨은 본질적으로 자신의 실패에 대해 울부짖고 있는 것이다.

동시에 그는 엘리와의 관계가 어떻게 그를 구했는지 부연 설명을 해주고 있다.

6. Music to My Eyes

〈스타 이즈 본〉. © Warner Bros

'Music to My Eyes'는 엘리와 잭슨 메인이 화음을 맞추고 있다.

서로에 대한 감정을 고조시켜 나가게 되는 러브 발라드다.

아름다운 멜로디는 두 음악가의 가장 강한 모습과 그들의 목소리가 얼마나 잘 어울리는지 보여주는 노래가 되고 있다. 노래의 가장 좋은 부분은 처음에 잭슨과 엘리가 어떻게 만남을 갖게 됐는지를 보여준다는 것이다.

'나는 그대 음악과 사랑에 빠졌어요, 자기야! 그대는 내 눈에 음악이에요 I'm in love with your music, baby! You're music to my eyes'.

잭슨이 처음에 엘리를 주목하게 만든 것은 그녀의 아름다운 목소리와 작곡에 대한 남다른 재능을 갖고 있다는 것을 발견했기 때문이다. 두 사람이 급격하게 가까워지게 되는 결정적 계기는 함께 음악 작업을 하게 됐다는 점이다.

5. Maybe It's Time

영화 초반.

잭슨이 동성애자 클럽에 빠지게 된다.

하지만 엘리를 만나면서 그녀가 뛰어난 재능의 소유자라는 것을 확인하게 된다.

잭은 그녀가 오기를 기다리기

〈스타 이즈 본〉. ⓒ Warner Bros

로 한다. 기다리는 동안 동성애자 여왕 Drag Queen이 유명한 컨트리 스타 잭슨에게 노래를 불러줄 것을 요청한다.

이에 잭슨은 'Maybe It's Time'을 열창해준다. 잭슨 메인은 겉모습이 상당히 거칠고 투박하다. 하지만 노래를 열창할 때는 손상된 영혼 안에 감추어져 있는 수많은 열정을 확인하게 된다. 팬들이 열광적 호응을 보내는 것은 당연하다.

4. Look What I Found

엘리는 마침내 레코드 레이블과 계약을 맺은 뒤 첫 번째 노래로 'Look What I Found'를 녹음한다.

이 노래를 통해 엘리는 신인 아티스트의 작곡 재능을 유감없이 과시해 준다.

〈스타 이즈 본〉. ⓒ Warner Bros

엘리는 주류 음악 중에도 덜 창의적인 음악이 많다는 것을 상기시켜 주는 동시에 자신의 음악적 감각이 얼마나 뛰어난 것인지 펼쳐주게 된다.

노래가 발표된 뒤 곧바로 뜨거운 반응이 쏟아진다. 엘리의 발군의 음악적 감각이 냉정한 시장에서 호응을 얻어갈 수 있다는 것을 입증시킨다.

3. Always Remember Us This Way

〈스타 이즈 본〉. ⓒ Warner Bros

엘리가 작곡한 2번째 노래가 'Always Remember Us This Way'이다. 잭슨과의 관계를 은유적인 가사로 담아내고 있다.

엘리와 잭슨의 관계가 최절정에 이르렀을때 만들어졌다.

이런 점 때문에 노래는 시종일관 그들이 함께 했던 순간순간을 기념하고 있는 소감을 담고 있다.

하지만 엘리는 처음에는 무대에서 이 노래를 부르는 것을 두려워했다.

잭슨은 처음으로 '사랑해 I love you'라는 말을 건네면서 그녀에게 용기를 북돋워 준다.

2. Shallow

엘리가 작곡한 첫 번째 노래로 설정된 곡이 'Shallow'. 영화의 핵심 주제가 역할을 해내면서 레이디 가가에게 아카데미 주제가 상을 수여하게 된다.

잭이 처음으로 엘리를 자신의 콘서트에 초대한다.

엘리가 무대에서 노래를 부른 뒤 잭은 '너무나 감동적 경험 mind-blowing experience'이라고 칭송을 보낸다.

가수로서 성공하겠다는 야심을 갖고 있었던 엘리는 이 노래를 잭과 듀엣으로 불러준다.

엘리가 작곡한 'Shallow'는 이들 듀오의 대표곡이 된다.

그들이 함께 공연할 때마다 콘서트 청중들은 그들이 서로에게 얼마나 완벽한지 엿볼 수 있게 된다.

〈스타 이즈 본〉. ⓒ Warner Bros

1. I'll Never Love Again

'Shallow'는 〈스타 이즈 본 A Star Is Born〉이 탄생시킨 최대 히트곡이다.

반면 'I'll Never Love Again'은 영화의 감정적 절정이자 음악

〈스타 이즈 본〉. ⓒ Warner Bros

팬들에게 눈물을 흘리도록 만든 노래이다.

잭이 죽기 전에 마지막으로 작곡한 노래이다. 엘리와의 관계에서 여러 갈등이 있었지만 잭은 엘리에게 품었던 모든 사랑을 담아내 노래를 구성해 나간다.

잭은 바비(샘 엘리오트)에게 자신이 우상화 한 사람은 아버지가 아니라 자신임을 인정하게 된다.

엘리는 레즈(라피 가브론)에게 유럽 투어에 잭을 데려가 달라고 요청한다.

하지만 레즈는 이를 단번에 거절한다. 그리고 병세가 위중한 잭을 돌볼 수 있도록 엘리가 나머지 공연 투어를 취소하도록 한다.

나중에 집에서 엘리를 기다리는 동안 레즈는 잭과 대면하여 엘리 경력을 거의 망칠 뻔했다고 비난한다.

그날 저녁 엘리는 잭에게 거짓말을 하고 자신의 음반사가 두 번째 앨범에 집중할 수 있도록 투어를 취소했다고 말한다. 잭은 그날 밤 그녀 콘서트에 오겠다고 약속했지만 엘리가 떠난 후 차고에서 목을 매 자살한다.

잭의 자살 이후 비탄에 잠기고 위로가 되지 않는 엘리를 찾아온 바비.

자살이 잭의 잘못이지 그녀의 잘못이 아니라고 말한다.

마지막 장면. 잭이 엘리에 대한 사랑에 대한 노래 'I'll Never Love Again'을 작업하는 플래시백이 보여 진다. 엘리는 잭에 찬사로 이 노래를 부른다.

그리고 처음으로 자신을 엘리 메인이라고 소개한다.

23

<아메리칸 사이코 American Psycho>
(2000), 뉴욕시 은행원이지만
변태적 살인마로 돌변하는
괴한의 괴팍스런 음악 취향

<아메리칸 싸이코> 주인공 패트릭 베이트만은 걸어 다니는 위험 신호일 수도 있다. 하지만 그는 음악에 대한 상당히 다양한 취향과 절묘한 레코드 컬렉션을 갖고 있다.

American Psycho's Patrick Bateman might be a walking red flag but he has quite a diverse taste in music and an exquisite record collection.

<아메리칸 사이코>. © Am Psycho Productions, Lions Gate Films, Muse Productions

- 빌보드 Billboard Magazine

<아메리칸 사이코 American Psycho> 사운드트랙은 1980년대 클래식 록 및 팝 히트 곡을 들려주고 있다.

록 밴드 뉴 오더 New Order와 제네시스 Genesis 노래는 그들이 연주하는 중요한 장면을 고려할 때 영화와 동의어가 될 정도로 맞아 떨어지고 있다.

브렛 이스턴 엘리스 Bret Easton Ellis의 동명 소설을 메리 하론 Mary Harron이 각색해서 감독을 맡았다. 낮에는 번듯한 뉴욕시 은행원이지만 밤에는 연쇄 살인범으로 돌변하는 이상 행각자의 만행이 다루어지고 있다.

친숙한 심리 스릴러 방식을 취하고 있다. 동시에 <아메리칸 사이코>는 자신의 성취 욕구와 출세를 위해 불물을 가리지 않고 있는 뒤틀린 남성 행각을 펼쳐주고 있다. 패트릭 베이트만은 외모 치장을 위해 돈을 아끼지 않는 소비주의 취향과 독선적인 남성 모습을 어둡고 코믹한 접근 방식으로 펼쳐주고 있다.

패트릭은 독특한 음악 취향을 갖고 있는 인물이다.

이런 설정 때문에 〈아메리칸 사이코〉에서 음악은 중요한 역할을 하고 있다.

패트릭의 마음속에는 어두운 살인 사건이 일어나고 있다. 그렇지만 그는 사무실로 걸어가는 동안에는 명랑한 노래를 듣는 반어적 행동을 보여주고 있다.

집에 방문객이 있을 때 패트릭은 자신의 음반 컬렉션을 과시하고 다양한 음악 그룹과 멤버들의 솔로 경력에 대한 독백을 할 만큼 음악적인 조예도 깊다.

1980년대를 배경으로 한 대부분 영화와 마찬가지로 〈아메리칸 사이코〉도 그 시대 음악을 주로 선곡하는 특징을 보여주고 있다.

특히 이 영화의 사운드트랙은 거의 전적으로 주인공의 음악적 취향을 드러내주고 있다는 것도 이목을 끈 요소가 된다.

23-1. 〈아메리칸 사이코 American Psycho〉 사운드트랙 해설

1. True Faith by New Order

1987년 발매된 'True Faith'는 신세사이저 팝이라는 용어를 만들어 내면서 큰 호응을 얻었던 노래.

〈아메리칸 사이코〉 사운드트랙의 서막을 열고 있는 노래로 선곡되고 있다.

패트릭과 친구들이 술을 마시고 춤추는 나이트클럽. 바텐더에게 욕설을 퍼붓는 패트릭의 여성 혐오적 태도도 드러내는 장면의 배경 노래로 활용되고 있다.

2. Suicide by John Cale

미국 록 밴드 벨벳 언더그라운드 The Velvet Underground.

아트 록, 아방 가르드, 실험적 록 음악을 시도해 열성 팬을 확보하고 있다.

멤버 중 작곡, 레코드 프러듀서로 역량을 발휘하고 있는 음악인이 존 카일 John Cale. 그가 음악적 기량을 발휘해 작곡한 곡이 'Suicide'이다.

이 솔로 트랙은 패트릭이 관객들에게 자신의 일상적인 운동과 규칙적인 피부 관리에 대한 의견을 나레이션으로 들려 주는 장면의 배경 곡으로 쓰이고 있다.

카일은 〈아메리칸 사이코〉의 전체 배경 음악도 작곡하는 능력을 발휘하고 있다.

3. Walking on Sunshine by Katrina and the Waves

〈아메리칸 사이코〉 사운드트랙이 전체적으로 다소 침울하고 음산한 분위기를 띄고 있다.

이러한 것과 아주 대조되는 밝은 노래가 'Walking on Sunshine'이다.

패트릭이 소니 워크맨을 통해 이 노래를 기분 좋게 들으면서 사무실

〈아메리칸 사이코〉. ⓒ Am Psycho Productions, Lions Gate Films, Muse Productions

로 출근하고 있다. 이 장면은 영화에서 가장 주목을 받아낸다.

패트릭 베이트만은 'Patrick Bateman Walk to Music'이라는 인스타그램 계정을 개설한다. 자신의 음악적 취향을 온라인을 통해 널리 전파시키는 발빠른 움직임을 보이고 있는 것이다.

4. Simply Irresistible by Robert Palmer

패트릭은 약혼녀 에블린(리즈 위더스푼)과 택시를 타고 이동하고 있다.

이러한 와중에도 그는 헤드폰을 통해 음악을 듣고 있다.

택시 안에서 그가 관심을 갖고 듣고 있는 노래는 영국 록 가수 로버트 팔머 (Robert Palmer)의 그래미상 후보 싱글 'Simply Irresistible'이다.

5. Paid In Full by Eric B. & Rakim

힙 합 듀오 에릭 B 앤 라킴 Eric B. & Rakim. 1987년 7월 7일 발표한 데뷔 앨범 'Paid in Full'의 타이틀곡이자 리드 싱글이 'Paid in Full'이다.

패트릭과 에블린이 식당에 들어갈 때 들려오는 노래로 설정되고 있다.

6. Music for 18 Synths by Sheldon Steiger

'Music for 18 Synths'는 음악계에서 '고전적인 미니멀리스트 작업 classic minimalist work'으로 인정받고 있는 노래이다.

이 곡은 베이트만이 평등권, 페미니즘 및 소비주의에 대한 자신의 의견을 열변을 토하면서 털어 놓을 때 배경 음악으로 들려오고 있다.

7. Secreil Nicht by Mediaeval Baebes

1996년 영국. 도로시 카터 Dorothy Carter+캐서린 블레이크 Katharine Blake가 주축이 되어 결성된 아카펠라, 클래식 및 전통 traditional 음악을 구사하는 6인조 앙상블이 미디발 배브스.

팀 명칭에서 짐작할 수 있듯이 '중세 시대에서 영감을 받은 클래식 발라드를 구사해 인기 영역을 구축해 나가고 있는 팀이다.

이들의 음악적 특징을 노출시켜 주고 있는 트랙이 'Secreil Nicht'.

이 곡은 저녁 식사 직후 패트릭이 ATM에서 현금을 인출하고 친구 약혼녀 코트니(사만사 마티스)와 함께 인도를 함께 걷는 장면에서 사용되고 있다.

8. I Touch Roses by Book of Love

신세사이저를 전면에 내세운 발라드 곡이 'I Touch Roses'. 코트니와 패트릭이 택시에 타면서 그들의 불륜을 드러낼 때 배경 음악으로 흘러나오고 있다.

9. Everlasting Love by Crispin Merrell

패트릭과 코트니가 레스토랑에서 저녁 식사를 하고 있다.

달콤한 분위기를 부추겨 주는 곡이 1967년 소울 팝 러브 송으로 각광 받았던 'Everlasting Love'. 〈아메리칸 사이코〉 사운드트랙에서 선곡 된 로맨스 곡 중 가장 많은 관심을 끈 노래이다.

10. Deck the Halls by O G M Orchestra

'Deck the Hall'은 서구인들이 크리스마스 캐롤로 즐겨 부르고 있는 곡.

1862년 전 후 스코틀랜드 출신 작곡가 토마스 오피판트 Thomas Oliphant 가 영어 버전을 널리 전파시킨 것으로 기록되고 있다.

음악 학자들은 16세기 웨일스 지역에서 겨울 캐롤로 불러 주었던 'Nos Galan'을 기원으로 보고 있다. 유서 깊은 곡은 에블린이 주도하는 크리스마스 파티 장에서 OGM 오케스트라 버전으로 흘러나오고 있다.

11. Joy to the World by O G M Orchestra

에블린의 크리스마스 파티 장면이 계속되면서 캐롤 명곡 'Joy to the World' 가 연주되고 있다.

12. Ya Llegaron A La Luna by Santiago Jimenez, Jr

패트릭이 직장 동료 폴 알렌(자레드 레토)과 케이준 스타일 레스토랑 Cajun-style restaurant에서 저녁 식사를 하고 있다.

이런 장면에서 감성적인 텍스-멕스 노래 Tex-Mex songs-테하노 Tejano 음악이라고도 불리고 있다. 중앙 및 남부 텍사스에 주로 거주하고 있는 멕시코 이민자들이 자신들의 전통 음악에 대중적 요소를 가미시킨 전파시킨 음악 장르이다-'Ya Llegaron A La Luna'가 들려오고 있다.

13. Cuatro Milpas by Francisco Gonzalez

1973년 동부 캘리포니아에서 출범한 5인조 록 밴드가 '로스 로보스 Los Lobos'. 록 큰 롤 rock and roll, 텍스-멕스 Tex-Mex, 컨트리 country, 자이데코 zydeco, 포크 folk, 리듬 앤 블루스 R & B blues, 백인 소울 음악 brown-eyed soul 및 쿰비아 umbia, 볼레로 boleros, 노르테노스 norteños 등 여러 전통 음악 traditional music을 구사해 장수 활동을 지속해 오고 있는 팀.

창립 멤버 중 한 명이 프란시스코 곤잘레스 Francisco Gonzalez.

그의 보컬이 담겨져 있는 'Cuatro Milpas'는 패트릭과 폴이 저녁 식사를 하는 장면에서 연속적으로 흘러나오는 노래이다.

14. Hip to Be Square by Huey Lewis & The News

패트릭은 1980년대 팝 록 밴드의 열렬한 추종자이다.

그가 폴 앞에서 과시하는 레코드 컬렉션 중 한 곡이 'Hip to Be Square'이다.

패트릭이 주변 친구들을 위해 들려주는 첫 번째 노래는 휴이 루이스 앤 더 뉴스 Huey Lewis & The News 그룹의 두 번째 앨범 'Fore'에 수록 된 경쾌한 싱글 'Hip to Be Square'이다.

휴이 루이스의 음악적 이력에 대해 패트릭의 설명이 이어지고 있다.

노래 중간에 패트릭은 비옷을 입고 도끼를 들어 폴을 살해하는 엽기적 행동을 보여주고 있다.

15. The Lady in Red by Chris De Burgh

패트릭이 여유롭게 사무실에 앉아 듣고 있는 노래가 영화 〈우먼 인 레드〉 사랑의 테마로 선곡돼 히트 차트에 등극 됐던 'The Lady in Red'이다. 〈아메리칸 사이코〉에서 접할 수 있는 1980년대 풍성한 러브 발라드 곡 중 하나이다.

16. If You Don't Know Me By Now' by Simply Red

패트릭은 크리스티와 사브리나라는 두 명의 매춘녀들을 아파트로 불러들인다.

이러한 장면에서 록 밴드 심플리 레드 Simply Red의 리듬 앤 블루스 히트곡 'If You Don't Know Me By Now'를 틀어 주면서 부드러운 분위기를 조성해 주고 있다.

〈아메리칸 사이코〉. ⓒ Am Psycho Productions, Lions Gate Films, Muse Productions

17. In Too Deep by Genesis

패트릭이 폴에게 한 것과 마찬가지로 패트릭은 필 콜린스 Phil Collins의 음악 경력에 대해 크리스티와 사브리나에게 설명해 주고 있다.

이러한 장면에서 필 콜린스가 참여했던 밴드 제네시스 Genesis의 히트곡 'In Too Deep'이 흘러나오고 있다.

18. Sussudio by Phil Collins

그룹 제네시스에서 드러머 겸 싱어 송 라이터로 활약했던 필 콜린스는 마침내 솔로로 독립한다.

1985년 2월 18일 3집 솔로 앨범으로 발매한 것이 'No Jacket Required'.

트랙 중 'Sussudio' 'One More Night' 'Don't Lose My Number' 'Take Me Home' 등이 연속 히트 되는 뜨거운 호응을 얻어낸다.

'Sussudio'는 패트릭이 크리스티와 사브리나와 성 행위를 하는 장면의 배경 곡으로 사용되고 있다.

19. Pump Up the Volume by M/A/A/R/S

1987년 영국 런던에서 출범한 댄스, 힙 하우스 hip house 밴드가 'MARRS'.

알렉 아우리 Alex Ayuli, 데이비드 도렐 David Dorrell, C. J 맥킨토시 C.J. Mackintosh 등이 주축이 되어 활동한다.

이들 밴드의 유일한 히트곡이 'Pump Up the Volume'.

패트릭이 나이트클럽 화장실에서 코카인을 흡입 하는 장면에서 힙 합/ 하우스 버전으로 편곡 된 'Pump Up the Volume'이 흘러나오고 있다.

20. What's On Your Mind? (Pure Energy) by Information Society

〈아메리칸 사이코〉 사운드트랙 후반부에는 다수의 일렉트로닉 스타일의 곡이 배치되고 있다. 패트릭이 백색 마약을 코로 흡입한다.

클럽 안에서는 'What's On Your Mind? (Pure Energy)'가 흘러나오고 있다.

무거운 비트의 곡은 패트릭이 마약에 취해 행복감을 느끼고 있는 장면과 어울리고 있다.

21. Red Lights by Curiosity Killed The Cat

'Red Lights'는 펑크에서 영향을 받은 팝 트랙으로 알려져 있는 노래.
패트릭이 폴 알렌 아파트에서 크리스티와 엘리자베스와 유흥을 즐길 때 배경
노래로 흘러나오고 있다.

22. The Greatest Love of All by The London Philharmonic Orchestra

패트릭이 크리스티와 엘리자베스에게 휘트니 휴스턴, 특히 그녀의 대표적 히
트곡 'The Greatest Love of All'에 대한 찬사를 늘어놓는다.
이러한 장면에서 오케스트라 커버 버전이 흘러나오고 있다.

23. Try to Dismember by MJ Mynarski

영화 음악 작곡가로 존재감을 드러내고 있는 MJ 미나르스키 MJ Mynarski.
패트릭이 에블린과 헤어지는 장면의 배경 곡으로 'Try to Dismember'가 선
곡되고 있다.

24. Something in the Air (American Psycho Remix) by David Bowie

히스테리 상태에 빠져 있는 베이트만.
잔에게 전화를 걸고 동료들과 점심을 먹으러 간다.
한편 잔은 베이트만 사무실 일지에서 살인과 절단에 대한 상세하고 생생한
그림을 찾게 된다. 베이트만은 카네스를 보자 전화 메시지를 언급한다.
카네스는 베이트만을 다른 남자로 착각하고 고백을 농담으로 비웃는다.
베이트만은 자신이 누구인지 밝히고 다시 살인을 자백한다.

그러나 카네스는 최근 런던에서 알렌과 저녁 식사를 했기 때문에 그의 주장이 불가능하다고 대꾸한다. 이에 베이트만은 친구들에게 돌아간다.

그들은 저녁 식사 예약에 대해 이야기를 나눈다.

이때 대통령 로날드 레이건 Ronald Reagan이 무해한 노인인지 숨겨진 정신 병자인지에 대해 의견을 나눈다.

자신이 자행한 살인 범죄가 실제인지 상상인지 확신이 서지 않는 베이트만.

자신이 원하는 처벌을 결코 받지 못할 것임을 깨닫는다.

베이트만은 스스로 끊임없이 고통 받고 있다고 말한다. 자신의 고통이 다른 사람들에게 가해지기를 바란다는 저주의 푸념을 늘어놓는다.

이어 살인 등 자신의 그동안의 만행이 아무 의미가 없다고 선언한다.

다소 냉소적인 결말을 보여주면서 데이비드 보위 David Bowie가 1999년 발표했던 싱글 'Something In The Air'에 대한 리믹스 버전이 엔딩 크레디트를 장식하고 있다.

25. Who Feelin It (Philip's Psycho Mix) by Tom Tom Club

엔딩 크레디트 2번째 노래는 탐 탐 클럽 Tom Tom Club의 'Who Feelin It' 리믹스 버전이다.

탐 탐 클럽은 1981년 뉴 웨이브 밴드 new wave band를 표방하고 출범한다.

부부 음악인 크리스 프란츠 Chris Frantz+티나 웨이마우스 Tina Weymouth를 주축으로 5인조로 편성됐다.

그룹 토킹 헤즈 Talking Heads 콘서트 찬조 밴드로 존재감을 드러낸다.

'Wordy Rappinghood' 'Genius of Love', 드리프터스 The Drifters의 명곡 'Under the Boardwalk' 등을 히트 차트에 진입시킨다.

'Who Feelin It'은 2000년 9월 12일 밴드의 5집 앨범 'The Good, The Bad and the Funky'에 수록됐던 노래.

〈아메리칸 사이코〉 사운드 트랙에 선곡되면서 'Philip's Psycho Mix'로 편곡된다.

〈아메리칸 사이코〉. © Am Psycho Productions, Lions Gate Films, Muse Productions

26. Watching Me Fall (Underdog Remix) by The Cure

1978년 영국 서부 석세스 크로우리 Crawley, West Sussex에서 결성 된 6인조 록 밴드가 더 큐어 The Cure. 고딕 록 Gothic rock, 포스트-펑크 post-punk, 얼터너티브 록 alternative rock, 뉴 웨이브 new wave 등 다양한 장르 노래를 발표해 장수 인기를 누리고 있다. 이들 밴드의 'Watching Me Fall' 리믹스 버전 'Underdog Remix'이 엔딩 크레디트 2번째 곡으로 흘러나오고 있다.

27. Trouble by Daniel Ash

클로징 크레디트 마지막으로 선곡된 노래는 영국 얼터너티브 록커 다니엘 애쉬 Daniel Ash가 열창해 주고 있는 'Trouble'.

세태 풍자 코미디로 인정받은 〈아메리칸 사이코 American Psycho〉에는 이처럼 정통 록에서부터 대중적인 팝, 흥겨운 댄스 곡 등 다채로운 사운드트랙을 들려주고 있다.

24

<아메리칸 허슬 American Hustle>, 듀크 엘링턴에서부터 비지스 까지 다양한 음악 선곡

〈아메리칸 허슬〉. ⓒ Columbia Pictures

　미국을 뒤흔든 가장 충격적인 스캔들 중 하나의 매혹적인 세계를 배경으로 한 가상 영화가 <아메리칸 허슬 American Hustle>.

　뛰어난 사기꾼 어빙 로젠펠드(크리스찬 베일) 이야기를 들려주고 있다.

　똑같이 교활하고 매혹적인 영국인 파트너 시드니 프로서(에이미 아담스)와 함께 거친 FBI 요원 리치 디마소(브래들리 쿠퍼)를 위해 일해야 하는 상황에 놓인다. 디마소는 매혹적인 만큼 위험한 뉴 저지 주지사와 마피아 세계로 그들을 밀어 넣는다.

　A fictional film set in the alluring world of one of the most stunning scandals to rock our nation, American Hustle tells the story of brilliant con man Irving Rosenfeld (Christian Bale), who along with his equally cunning and seductive British partner Sydney Prosser (Amy Adams) is forced to work for a wild FBI agent Richie DiMaso (Bradley Cooper). DiMaso pushes them into a world of Jersey powerbrokers and mafia that's as dangerous as it is enchanting.

제레미 러너는 사기꾼과 연방 수사국 사이에 갇힌 열정적이고 변덕스러운 뉴저지 정치 운영자 카민 폴리토 역할을 맡고 있다. 어빙의 예측할 수 없는 아내 로살린(제니퍼 로렌스)은 전 세계를 무너뜨리는 실을 뽑을 수 있게 된다.
- 버라이어티, 소니 픽쳐스 엔터테인먼트

Jeremy Renner is Carmine Polito, the passionate, volatile, New Jersey political operator caught between the con-artists and Feds.

Irving's unpredictable wife Rosalyn (Jennifer Lawrence) could be the one to pull the thread that brings the entire world crashing down.
- Variety, Sony Pictures Entertainment

영화 재능 꾼 데이비드 O. 러셀 David O. Russell 감독의 범죄 극 〈아메리칸 허슬 American Hustle〉(2013).

사운드트랙에는 듀크 엘링턴 Duke Ellington에서부터 비지스 Bee Gees 까지. 다양한 장르의 음악이 쉼 없이 흘러나오고 있다.

〈아메리칸 허슬 American Hustle〉 사운드트랙에는 탐 존스 Tom Jones, 비 지스 Bee Gees, 듀크 엘링턴 Duke Ellington에 이르기까지 다양한 전설적인 음악가의 노래가 포함되어 있다.

영화는 1970년대 후반과 1980년대 초반 아브스캠 Abscam 작전에 대한 가상의 이야기를 들려주고 있다.

브래들리 쿠퍼는 비뚤어진 정치인을 잡기 위한 작전을 위해 에이미 아담스와 크리스찬 베일이 연기한 한 쌍의 사기꾼을 모집하는 FBI 요원으로 출연하고 있다.

〈아메리칸 허슬〉은 일부 비평가들의 혹평이 제기 됐지만 흥행적으로는 성공한다. 아카데미 어워드에서는 작품, 감독, 각본, 4개 연기 부문 등 무려 10개 부문의 후보에 지명 받는다.

아쉽게도 단 1개 부문도 수상하지 못하는 불운을 당한다. 남성 전문지 '에스콰이어 Esquire'와 진행된 인터뷰를 통해 러셀 감독은 〈아메리칸 허슬〉에 대해 음악에 의해 주도되는 추진력 있는 종류의 영화라고 설명해주고 있다.

감독의 이런 자신감 넘치는 의견을 입증하듯 사운드트랙은 영화에 느낌을 주는 데 핵심적 역할을 하고 있다.

러셀 감독은 〈아메리칸 허슬〉에서 마틴 스콜세즈 감독처럼 어둡고 코미디적인 요소를 가미시킨 영화 배경 곡으로 빠르고 경쾌한 노래들을 다수 배치하고 있다. 러셀 감독은 '재즈, 팝, 포크, 록큰롤 명곡들을 적절하게 교집합시켜 〈아메리칸 허슬〉이 펼쳐 주고 있는 생생한 톤과 1970년대 시대 배경을 이해할 수 있도록 해주고 있다.

24-1. 〈아메리칸 허슬〉 사운드트랙 해설

1. Jeep's Blues performed by Duke Ellington

〈아메리칸 허슬〉 사운드 트랙에서 재생되는 첫 번째 노래이다.
어빙이 수영장 파티 장면에서 시드니를 위해 들려주고 있다.

2. A Horse with No Name performed by America

어빙이 영화 시작 부분에서 옷을 입고 머리를 스타일링 하는 장면의 배경 곡으로 들을 수 있다.

3. Dirty Work performed by Steely Dan

사기꾼들이 뉴 저지 주 캠덴 시장과의 회의를 위해 호텔로 걸어 들어가는 장면의 배경 곡으로 흘러나오고 있다.

4. Does Anybody Really Know What Time It Is? performed by Chicago

〈아메리칸 허슬〉. ⓒ Columbia Pictures

어빙이 시드니를 만나는 수영장 파티 장면에서 연주되고 있다.

5. Blue Moon performed by Oscar Peterson

시드니는 어빙이 새롭게 펼치는 드라이클리닝 사업장을 찾는다.
이곳에서 막 클리닝이 되어서 나온 옷을 입어 본다.
이러한 장면에서 흘러나오는 노래이다.

6. I've Got Your Number performed by Jack Jones

어빙은 시드니에게 자신이 품고 있는 그녀에 대한 영원한 사랑의 감정을 드러낸다. 〈아메리칸 허슬〉에서 가장 낭만적인 장면에서 흘러나오는 노래이다.

7. The Coffee Song (They've Got an Awful Lot of Coffee in Brazil) performed by Frank Sinatra & Axel Stordahl

리치(브래들리 쿠퍼)가 캠덴 시장 카민 폴리토를 소개하는 장면의 배경 곡으로 사용되고 있다.

8. Straight, No Chaser performed by Gerry Mulligan

브렌다(콜린 캠프)는 리치와 시드니에게 자신이 키우고 있는 고양이에 대한 칭송을 늘어놓는다.
이러한 고양이 예찬 장면의 배경 곡으로 게리 멀리간의 노래가 선곡되고 있다.

9. Stream of Stars performed by Jeff Lynne

리치는 화장실에서 식사를 하고 있다.
이때 그의 어머니는 아들을 향해 소리를 지르고 있다. 모자(母子) 간에 놓여 있는 갈등 관계를 묘사하는 장면의 배경 곡으로 활용되고 있다.

10. It's De-Lovely performed by Ella Fitzgerald

어빙과 로잘린이 폴리토 시장과 그의 아내와 저녁 식사를 하고 있다. 이러한 만찬 장면의 배경 노래로 엘라 피츠제랄드의 재즈 명곡이 선곡되고 있다.

11. I Saw the Light performed by Todd Rundgren

어빙과 시드니가 거리에서 진지하게 이야기 나누고 있다.
이러한 장면의 배경 곡으로 토드 런드그렌의 노래가 활용되고 있다.

12. I Feel Love performed by Donna Summer

1970-1980년대 디스코 여왕으로 팝계를 석권했던 도나 썸머.
대표적 히트 노래는 어빙과 시드니가 디스코 장을 찾아 흥겹게 춤을 추는 장면의 배경 곡으로 들려오고 있다.

13. Don't Leave Me This Way performed by Harold Melvin & The Blue Notes feat. Teddy Pendergrass

시드니는 디스코 장 화장실에게 리치에게 '더 이상 가짜 증명서'를 요구하지 않는다. 이러한 장면에서 들려오고 있다.

14. Delilah performed by Tom Jones & Les Reed

어빙과 폴리토 시장은 레스토랑에서 일단의 손님들과 어울러 이 노래를 합창해 주고 있다.

15. Goodbye Yellow Brick Road performed by Elton John

엘튼 존의 보컬이 감칠맛을 더해주고 있는 대표적 히트 곡.

이 노래는 폴리토 시장이 아랍 사업가로 위장한 FBI 수사관 파코 에르난데스/쉐이크 압둘라(마이클 페냐)에게 소개 되는 장면의 배경 노래로 재생되고 있다.

16. Papa Was a Rollin Stone performed by The Temptations

폴리토 시장은 친분을 맺고 있는 이들을 모두 오션 바로 초대한다.

정치인의 호기를 보이고 있는 장면.

카지노에서는 남성 흑인 중창단이 들려주는 'Papa Was a Rollin Stone' - 싱글 6분 54초, 앨범 믹스 버전 12분 4초-이 흥겹게 흘러나오고 있다.

17. Evil Ways performed by Santana

로살린이 갱스터들과 이야기를 나눌 때 배경 노래로 흘러나오고 있다.

18. White Rabbit performed by Mayssa Karaa

로버트 드 니로 Robert De Niro는 거물 마피아이자 전직 킬러 출신 빅터 텔레지오 역할로 카메오 출연하고 있다. 그가 등장하는 장면의 배경 노래로 쓰이고 있다. 이어 시드니가 갱스터들로 부터 로잘린을 끌어내는 동안 이 노래는 계속해서 흘러나오고 있다.

19. How Can You Mend a Broken Heart performed by the Bee Gees

로잘린이 화장실에서 시드니에게 키스를 한다. 이어 주민들에게 높은 평판을 받고 있는 뉴저지 주 캠덴 시장 카마인 폴리토(제레미 레너)가 열변을 토하는 연설 장면이 보여 진다.

이 두 장면에서 배경 곡으로 비 지스 형제 그룹의 감성적인 노래가 흘러나오고 있다.

〈아메리칸 허슬〉. ⓒ Columbia Pictures

20. To the Station performed by Evan Lurie

어빙의 아내 로잘린은 천성적으로 끼가 다분하다.
그녀는 새롭게 갱스터 남자 친구를 사귀고 있다.
그가 로잘린에게 점심을 대접하기 위해 데려가는 장면에서 흘러나오고 있다.

21. Live and Let Die performed by Wings

로잘린이 집안 청소를 하면서 리듬에 맞추어 흥겹게 따라 부르고 있다.

007 8부 〈죽느냐 사느냐 Live and Let Die〉(1973) 동명 주제가는 2013년 공개된 범죄 코믹 드라마를 통해 재차 신세대 음악 팬들을 사로잡는다.

22. Long Black Road performed by the Electric Light Orchestra

빅터 텔레지오(로버트 드 니로)가 변호사와 만나는 장면의 배경 노래로 들려온다.

23. The Jean Genie performed by David Bowie

경찰이 변호사의 자백을 녹음한 것에 대해 축하를 받는다.
이어 리치가 직속 상사를 코믹하게 사칭하는 장면에서 데이비드 보위의 명곡이 재생되고 있다.

24. 10538 Overture performed by the Electric Light Orchestra

〈아메리칸 허슬〉 라스트 장면.
리치(브래들리 쿠퍼)의 육성 나레이션과 함께 노래가 흘러나오고 있다.

<에어 Air> 사운드트랙 가이드, 벤 에플렉의 음악적 감각 담겨 있어

신발 영업 사원 소니 바카로의 역사와 농구 역사상 가장 위대한 선수 마이클 조던을 추구하기 위해 나이키를 어떻게 이끌었는지 따라가고 있다.

- 버라이어티

Follows the history of shoe salesman Sonny Vaccaro, and how he led Nike in its pursuit of the greatest athlete in the history of basketball, Michael Jordan.

- Variety

<에어>. ⓒ Amazon Studios, Artists Equity, Mandalay Pictures

벤 에플렉 Ben Affleck이 감독한 <에어 Air>.

패션 운동화의 대명사 나이키와 농구 천재 마이클 조던의 거래 비하인드 스토리를 펼쳐주고 있다.

배경 음악은 영화 배경이 되고 있는 1980년대 중심의 대중음악이 선곡되고 있다.

앞서 언급했듯이 1980년대를 배경으로 한 <에어 Air>.

그 시대의 크고 기억에 남는 히트곡으로 가득 찬 훌륭한 사운드트랙을 전면에 배치해 음악 애호가들의 갈채를 받아낸다.

맷 데이먼, 크리스 터커, 제이슨 베이트만, 크리스 메시나, 비올라 데이비스 등이 벤 애플렉의 연출력과 조화를 이루어 내고 있다.

〈에어〉는 나이키가 1984년 마이클 조던과 체결한 중요하고 역사적인 거래에 대한 숨겨져 있는 이야기를 소재로 하고 있어 관객들의 호기심을 자극시키는데 성공한다.

놀랍게도 〈에어 Air〉에는 1980년대 노래가 상당히 많이 선곡되어 있다.

사운드트랙은 영화 분위기를 효과적으로 설정시켜 주는 효과를 거두고 있다는 찬사를 받아낸다.

나이키 Nike 임원 소니 바카로 Sonny Vaccaro가 당시 신인 농구 선수 마이클 조던 Michael Jordan과 수백만 달러의 계약을 맺으려고 시도하고 있다.

이러한 행적을 보여주는 동안 〈에어 Air〉 배경 음악은 관객들에게 조던과 그가 합류하고 있는 농구 팀과 함께 동행하는 듯한 분위기를 조성해 주고 있다.

음악 선곡 라인-업을 진두지휘한 주역은 안드레아 폰 포에스터 Andrea von Foerster.

그는 록 밴드 REO Speedwagon, 한때 마돈나와 치열한 인기 경쟁을 벌였던 신디 로퍼 Cyndi Lauper 및 브루스 스프링스틴 Bruce Springsteen 등을 포함한 유명 솔로 아티스트 및 밴드 노래를 풍성하게 들려주고 있다.

25-1. 〈에어〉 사운드트랙 해설

1. Money for Nothing performed by Dire Straits

마크 노플러를 전면에 내세운 그룹 다이어 스트레이트.

이들의 대표적 히트곡이 'Money for Nothing'.

이 노래는 1980년대 대표적 히트 영화 〈고스트버스터즈〉와 다이애나 왕세자

비, 찰스 왕세자가 어린 아들과 함께 카메라 앞에 서서 가장 기억에 남는 순간을 보여주는 〈에어〉 오프닝 몽타주 장면에서 흘러나오고 있다.

〈에어〉. © Amazon Studios, Artists Equity, Mandalay Pictures

2. Atomic Dog performed by George Clinton

펑크 뮤지션 조지 클린턴(George Clinton).

그가 불러주고 있는 노래는 나이키 공동 창립자이자 CEO 필 나이트(Phil Knight)가 사무실에 도착하는 장면에서 흘러나오고 있다.

3. My Adidas performed by Run DMC

'My Adidas'는 아디다스 임원들이 마이클 조단과 그의 부모를 만날 준비를 할 때 배경 음악으로 선곡되고 있다.

1980년대 발표된 이 노래는 나이키 임원들이 당시 브랜드가 얼마나 인기가 있었는지에 대해 언급하는 장면에서도 배경 음악으로 활용되고 있다.

4. Legs performed by ZZ Top

'Legs'는 소니 바카로(맷 데이먼)가 마이클 조단이 참가했던 1984년 하계 올림픽 팀 어시스턴트 코치 조지 라벨링(마론 웨이안스)를 만나러 가는 장면에서 들려오고 있다.

5. Sister Christian performed by Night Ranger

록 밴드 나이트 레인저 Night Ranger가 불러 주고 있는 'Sister Christian'.

소니가 하워드 화이트(크리스 터커)에게 마이클 조단 가족에게 아디다스 모델로 내세울 프로젝트를 추진 중이라는 핵심적인 내용을 이야기하는 장면에서 흘러나오고 있다.

6. In a Big Country performed by Big Country

스코틀랜드 록 밴드 빅 컨트리 Big Country. 소니는 델로리스 조단(비올라 데이비스)을 직접 만나기 위해 노스 캐롤라이나 자택을 찾아간다. 자동차를 몰고 달리는 소니의 모습을 보여 줄 때 'In a Big Country'가 흘러나오고 있다.

7. Ain't Nobody performed by Chaka Khan

롭 스트라서(제이슨 베이트맨)은 마이클 조단과 진행할 계약 건에 대해 필과 매우 긴장된 회의를 진행한다.

이후 롭은 회의 결과에 대해 최종 논의를 위해 소니를 찾아가는 장면에서 차카 칸 그룹의 매우 기억에 남는 노래 'Ain't Nobody'가 흘러나오고 있다.

8. Let It Whip performed by Dazz Band

대즈 밴드 Dazz Band는 리듬 앤 블루스/ 펑크 그룹으로 독자적 영역을 개척해 나가고 있는 팀이다.

소니는 마침내 계획했던 야심찬 프로젝트 '에어 조단 Air Jordan' 제품 디자인을 진행시키기 위해 피터 무어(매튜 마허)를 방문한다.

이러한 장면에서 'Let It Whip'이 들려오고 있다.

9. All I Need is a Miracle performed by Mike + The Mechanics

마이클 조단과 그의 가족들이 계약을 위해 사우스 캐롤라이나 주 컨버스

Converse, South Carolina 지역을 찾아가는 장면에서 'All I Need is a Miracle'이 흘러나오고 있다.

10. Can't Fight This Feeling performed by REO Speedwagon

록 밴드 REO Speedwagon의 가장 유명한 히트 곡 중 한 곡이 'Can't Fight This Feeling' 이 노래는 필(벤 에플렉)이 조깅하는 장면에서 배경 곡으로 쓰이고 있다.

필은 아침 운동을 하는 와중에 마이클 조단과 계약을 최종 진행할 것인지 거부할 것인지를 최종적으로 고민하고 있다.

11. Computer Love performed by Zapp

펑크 밴드 잽 Zapp의 존재감을 널리 알려 준 히트곡이 'Computer Love'. 이 노래는 소니(맷 데이먼)이 마침내 완성된 에어 조단 운동화 디자인을 살펴보는 장면의 배경으로 쓰이고 있다.

12. Sirius performed by The Alan Parsons Project

영국 프로그레시브 록 밴드의 간판 주자가 알란 파슨스 프로젝트 The Alan Parsons Project. 최종회의 전날 밤. 필은 나이키 Nike 본사 앞에 차를 세우고 소니에게 마이클 조다 거래에 대해 최종 결정을 내렸다고 보고한다.

이러한 장면에서 명곡 'Sirius'가 흘러나오고 있다.

13. Good Feeling performed by Violent Femmes

포크 펑크 밴드로 영역을 개척해 나가고 있는 바이오런트 펨스 Violent Femmes. 소니가 가족과 면담을 하기에 앞서 조단의 활동상과 이력에 대한 자료를 읽어

보는 장면에서 'Good Feeling'이 흘러나오고 있다.

14. Tempted performed by Squeeze

영국 출신 록 밴드 스퀴즈 Squeeze. 이들 밴드의 대표적 히트곡이 'Tempted'. 이 노래는 마침내 나이키 임원진과 마이클 조단이 아침에 만남을 갖는 의미 있는 장면의 배경 곡으로 선곡되고 있다.

15. Time After Time performed by Cyndi Lauper

신디 로퍼 Cyndi Lauper는 1980년대 당시 한때 마돈나와 인기 경쟁을 벌였던 히로인. 소니는 농구 선수와 나이키의 전속 계약을 진행할지 최종 통보를 해 줄 조단 에이전트 전화를 기다리고 있다.

이어서 조단의 활약상이 몽타쥬 화면으로 보여 진다.

이러한 장면에서 신디 로퍼의 시대를 초월해 환대를 받고 있는 명곡 'Time After Time'이 흘러나오고 있다.

16. Born in the U.S.A performed by Bruce Springsteen

롭 스트라저(제이슨 베이트만)의 애창곡. 아울러 'Born in the U.S.A'는 〈에어 Air〉의 크레디트가 보여지는 장면과 배우들이 맡은 실제 인물들의 행적을 화면을 통해 보여주는 장면에서 배경 곡으로 쓰이고 있다.

17. Be Like Mike (1 Wanna) performed by Teknoe

출연진과 배역을 보여주는 크레디트 장면에서 흘러나오는 여러 곡 중의 한 곡이 'Be Like Mike'이다. 이 노래가 흘러나오는 동안 마이클 조단은 자료 영상을 통해 모친 델로리스에 대해 이야기 하는 장면이 보여 지고 있다.

26   <올모스트 페이모스 Almost Famous>
(2000), 널리 알려진 클래식과
과소평가된 록큰롤 퍼레이드

<올모스트 페이모스>. ⓒ Dreamworks Pictures

1970년대 초.

윌리암 밀러는 15세이지만 야심찬 록 저널리스트다.

팝 전문지 롤링 스톤에 글을 쓰게 된다.

그의 첫 번째 임무는 밴드 스틸워터와 함께 투어를 하고 그 경험에 대해 글을 쓰는 것이다.

The early 1970s. William Miller is 15-years old and an aspiring rock journalist.

He gets a job writing for Rolling Stone magazine. His first assignment, tour with the band Stillwater and write about the experience.

밀러는 유명 밴드의 무대 뒤에서 벌어지는 일들, 망가지는 순간들을 보게 될 것이다. 그에게는 새로운 경험과 자기 발견의 시간이 될 것이다.

- 할리우드 리포터

Miller will get to see what goes on behind the scenes in a famous band including the moments when things fall apart and for him.

it will be a period of new experiences and finding himself.

- Hollywood Reporter

카메론 크로우 감독이 선보인 뮤지컬 드라마 〈올모스트 페이모스〉.

사운드트랙은 널리 알려진 클래식과 과소평가 됐지만 매우 훌륭한 록큰롤이 풍성한 화면을 구성해주고 있다.

〈올모스트 페이모스〉는 1970년대 활동했다는 가상의 록 밴드 스틸워터 Stillwater와 함께 길을 떠나는 젊은 음악 작가 윌리암 밀러가 겪는 일화를 펼쳐주고 있다. 팝 전문지 '롤링 스톤 Rolling Stone'에서 10대 음악 저널리스트로 활약했던 감독이 실제 경험했던 에피소드가 담겨졌다는 이유로 많은 관심을 촉발시킨 작품이다.

빌보드 또한 '전체 내러티브가 음악을 중심으로 진행되기 때문에 〈올모스트 페이모스〉 사운드트랙은 일반 영화보다 더 중요하다. 그것은 고전적인 록큰롤 재생 목록처럼 연주되고 있다. 〈올모스트 페이모스〉에는 스틸워터가 작곡한 몇 곡의 오리지널 곡이 있다. 하지만 대부분 사운드트랙은 허가 받은 히트 곡으로 구성되어 있다. Since the entire narrative revolves around music, the Almost Famous soundtrack is more important than that of the average movie. It plays like a classic rock and roll playlist. Almost Famous has a few original songs attributed to Stillwater but the majority of its soundtrack comprises licensed hits.'는 리뷰를 게재한다.

〈올모스트 페이모스〉는 비평가들로부터 2000년 최고 영화 중 한 편으로 널리 찬사를 받았다.

개봉이 끝난 시점에서도 사랑받는 컬트 클래식으로 대접 받고 있다.

크로우는 이 영화 대본으로 아카데미 각본상을 수여 받는다. 그가 선택한 음악은 그래미 비주얼 미디어를 위한 컴필레이션 사운드트랙 부문상을 수상한다.

〈올모스트 페이모스〉 사운드트랙에는 엘튼 존 Elton John, 레드 제플린 Led Zeppelin, 사이먼과 가펑클 Simon & Garfunkel 등과 같은 전설적인 아티스트들이 발표했던 불후의 히트곡이 다수 포함되어 있다.

여기에 록 밴드 더 후 The Who와 비치 보이스 The Beach Boys의 스튜디오 음원과 데이비드 보위 David Bowie와 올맨 브라더스 밴드 The Allman Brothers Band의 라이브 싱글이 수록되어 있다.

26-1. <올모스트 페이모스> 사운드트랙 해설

1. America performed by Simon & Garfunkel

윌리암 밀러(패트릭 푸지트)여동생 아니타(주이 데스채널).
그녀는 비행기 승무원이 되기 위해 집을 떠나는 이유를 어머니에게 설명한다.
이러한 장면에서 그녀가 어머니에게 들려주는 노래가 'America'이다.

2. Sparks performed by The Who

<올모스트 페이모스>. ⓒ Dreamworks Pictures

어린 윌리암은 교실에 앉아 있는 나이든 윌리암으로 화면이 변화된다. 이때 록 밴드 더 후 The Who의 앨범 'Tommy' 수록 곡 'Sparks'가 들려오고 있다.

빌보드는 '<올모스트 페이모스>에서 그룹 더 후의 'Sparks'를 사용한 것은 아니타의 비밀 앨범 보관함을 찾은 후 윌리암이 록 음악에 점점 더 집착하고 있음을 보여 주는 것 The use of The Who's Sparks in Almost Famous demonstrates William's growing obsession with rock music after finding Anita's secret stash of albums.'이라고 설명해 주고 있다.

3. It Wouldn't Have Made Any Difference performed by Todd Rundgren

레스터 뱅스(필립 세이무어 호프만)는 식당에서 윌리암에게 음악 저널리스트가 되기 위해 필요한 것이 무엇인지 알려주고 있다. 이때 식당에서 들려오는 노래가 'It Wouldn't Have Made Any Difference'이다.

4. I've Seen All Good People: Your Move performed by Yes

록 밴드 스틸워터의 야외 공연 장비 책임자들이 그룹의 공연이 끝나자 연주 장비를 분해해서 정리하고 있다. 이런 작업 장면에서 그룹 예스의 'I've Seen All Good People: Your Move'가 들려오고 있다.

5. Feel Flows performed by The Beach Boys

윌리암은 페니(케이트 허드슨)와 록 밴드 스틸워터와 첫 대면을 하게 된다.
이때 무대 뒤편에서 흘러나오고 있는 노래가 비치 보이스 그룹의 흥겨운 리듬의 'Feel Flows'이다.
이 노래는 영화 라스트에서 폴라로이드 카메라로 촬영한 것을 몽타쥬로 보여주는 장면에서 다시 흘러나오고 있다.

6. Fever Dog performed by Stillwater

〈올모스트 페이모스〉에 출연하고 있는 가상 록 밴드 스틸워터.
스틸워터 밴드가 무대에 처음 올라와 공연을 시작하려고 한다.
윌리암과 페니는 사이드라인에 서있다.
이러한 장면에서 'Fever Dog'이 흘러나오고 있다.

7. Every Picture Tells a Story performed by Rod Stewart

LA에 위치한 한 호텔에서 스틸워터 밴드 멤버들이 거나한 파티를 진행한다. 흥겨운 유흥 장면에서 허스키 보컬이 매력인 로드 스튜어트의 'Every Picture Tells a Story'가 울려 퍼지고 있다.

8. Mr. Farmer performed by The Seeds

레스터는 팝 전문지 롤링 스톤에 기고하는 음악 평에 대해 월리암과 이야기를 나누고 있다.

이러는 와중에 레스터가 직접 연주해 주고 있는 곡이 'Mr. Farmer'이다.

9. One Way Out performed by The Allman Brothers Band

'올모스트 페이모스' 투어가 시작되면서 'One Way Out' 라이브 버전이 들려오고 있다. 감독 크로우는 이 곡이 매우 훌륭한 노래라고 역설한다.

이러한 특징 외에도 영화의 중요한 시점에서 올맨 브라더스 밴드 노래가 향수를 불러일으킬 수 있는 요소를 갖고 있다는 이유로 선곡했다는 후일담을 밝힌다.

그렉 올맨이 발간한 회고록 'My Cross to Bear'. 이 책자에 따르면 크로우는 올맨 브라더스 밴드와 함께 한 콘서트 여정에서 겪는 경험담을 영화의 특별 이벤트로 단골로 활용했다는 증언을 밝혀 독자들의 흥미를 끌어낸다.

10. Simple Man performed by Lynyrd Skynyrd

스틸워터 멤버들은 수영장에서 어울리고 있다. 러셀은 월리암에게 팝 전문지 롤링 스톤 표지에 게재할 수 있는 것과 수록하지 못할 것에 대해 이야기 해준다.

이때 레너드 스키너드 밴드의 매우 사려 깊은 노래라고 평가 받은 'Simple Man'이 배경 노래로 깔리고 있다.

노래가 계속 들려오는 와중에 러셀은 윌리암에게 스틸워터 밴드를 더욱 멋지게 보이도록 이미지 메이킹을 할 것을 조언해 주고 있다.

11. That's the Way performed by Led Zeppelin

록 밴드 레드 제플린의 'That's the Way' 이 노래는 올모스트 페이모스 콘서트 투어 버스가 게이트를 통과할 때 들려오고 있다.

버스 안에서 윌리암과 페니가 대화를 나누는 장면에서 계속 들려오고 있다.

록 밴드 레드 제플린은 영화감독이나 프로듀서들이 사운드트랙에 자신들의 노래를 사용하는 것에 대해 엄격한 잣대를 제시해 까다로운 밴드로 악명이 높다.

하지만 카메론 크로우에게만은 많은 특혜를 제시하고 있어 팝 뉴스를 제공했다.

1982년 무명 시절 크로우가 시나리오를 구성했던 에이미 핵커링 감독의 청춘 극 〈리치몬드 연애 소동 Fast Times at Ridgemont High〉에서는 사운드트랙에 'Kashmir'를 선곡하도록 허용한 적이 있다.

12. Tiny Dancer performed by Elton John

스틸워터 밴드는 조용히 투어 버스에 오른다.

버스가 움직이자 밴드는 익히 알려져 있는 록 히트 곡을 한 곡씩 부르기 시작한다.

'Tiny Dancer'는 모두 함께 합창 하는 곡으로 불리어지고 있다.

영화 및 음악 팬들은 이 영화에서 엘튼 존 노래를 사용한 것은 가장 상징적인 음악적 순간 중 하나를 선사했다는 찬사를 보낸다.

13. Lucky Trumble performed by Nancy Wilson

윌리암은 페니와 서로 째려보다 눈을 먼저 감는 사람이 패배하는 'a staring game'을 한다.

풋풋한 10대들의 유희 장면을 더욱 기억하도록 만들어 주는 배경 노래가
'Lucky Trumble'이다.

〈올모스트 페이모스〉. © Dreamworks Pictures

14. I'm Waiting for the Man performed by David Bowie

데이비드 보위 앨범 'Live Santa Monica 72'에 수록된 트랙이 'I'm Wait-
ing for the Man'이다.

음반 'Live Santa Monica 72'는 영국에서는 2008년 6월 30일, 미국에서는
2008년 7월 22일 각각 발매됐다.

데이비드 보위가 '지기 스타더스트 투어 the Ziggy Stardust Tour' 일환으
로 진행했던 '산타 모니카 시빅 오디토리엄 the Santa Monica Civic Audito-
rium' 공연 실황을 수록한 것이다.

극 중 스틸워터가 콘서트를 위해 클리블랜드에 도착한다.

러셀이 윌리암 모친과 전화 통화를 한다. 이런 장면에서 앨범 15번째 트랙인 라이브 버전의 'I'm Waiting for the Man'이 들려오고 있다.

작곡자는 루 리드 Lou Reed이다.

15. The Wind performed by Cat Stevens

페니는 클리블랜드 공연이 끝난 뒤 홀로 텅 빈 콘서트 장에 홀로 남게 된다. 이때 그녀는 혼자 만감이 교차된 표정으로 춤을 추고 있다.

그녀의 이런 독자적 행동을 부추겨 주는 노래가 'The Wind'이다.

16. Slip Away performed by Clarence Carter

스틸워터 밴드와 로드 매니저는 즉흥적으로 '포커 파티 poker party'를 진행한다. 즉석 이벤트 장면에서 'Slip Away'가 배경 노래로 선곡되고 있다.

17. Something in the Air performed by Thunderclap Newman

페니는 윌리암이 호텔에 있는 사람들과 만남을 가질 수 있도록 데려온다.

폴렉시아(안나 파퀸)는 윌리암에게 페니와 러셀(빌리 크러드업)이 데이트를 즐길 것이라고 귀띔해 준다.

이러한 장면에서 'Something in the Air'가 흘러나오고 있다.

26-2. <올모스트 페이모스> 3가지 사운드트랙 버전 The Three Versions of The Almost Famous Soundtrack

앞서 해설한 17곡으로 구성 된 <올모스트 페이모스> 공식 사운드트랙 앨범은 현재 스트리밍을 통해 언제든지 감상할 수 있다. 2021년 Universal Music은 2 장의 CD로 구성 된 사운드트랙20주년 특별 판을 출반한다.

첫 번째 디스크는 '일부 대체 및 확장 버전의 노래 some alternate and extended versions of songs'를 제외하고 원래 사운드 트랙 앨범과 거의 동일하다.

2번째 디스크에는 스틸워터 곡 3곡을 포함해서 공식 사운드트랙에 수록되지 못한 노래가 포함되어 있다. 동시에 5장의 CD와 7장의 LP로 구성된 거대한 102 트랙 Super Deluxe Edition 박스 세트도 출반된다.

이들 음반은 〈올모스트 페이모스 Almost Famous〉에서 언급된 모든 음악이 하나의 디럭스 세트로 출반된 기념비적인 앨범이다.

디럭스 앨범에서는 극중 장면에서 등장인물들이 강조했던 음악 외에도 백그라운드 및 TV 등 무대 장치에서 언급됐던 모든 노래들이 포함되고 있다.

더 많은 스틸워터 Stillwater 노래, 노래의 대체 버전, 데모 데이프, 낸시 윌슨 Nancy Wison이 연주한 오리지널 악보 트랙 및 영화에서 등장인물들이 주고 받은 감칠 맛 풍겨주는 대화 등이 포함되어 구매 열기를 자극 시켰다.

<월플라워 The Perks of Being A Wallflower>(2012), 데이비드 보위 1970년대 팝, 10대 청춘들의 희망 찾기 여정 격려

스테판 크보스키가 쓴 소설을 바탕으로 하고 있다.

사랑스럽고 순진한 아웃사이더인 15세 찰리(로간 러만)이 첫 사랑(엠마 왓슨), 가장 친한 친구의 자살 그리고 자신과 교감을 이룰 만한 사람들을 찾기 위해 고군분투하는 동안 자신의 정신 질환도 확장되고 있다.

〈월플라워〉. © Summit Entertainment, LLC

Based on the novel written by Stephen Chbosky, this is about 15-year-old Charlie (Logan Lerman) an endearing and naive outsider, coping with first love (Emma Watson), the suicide of his best friend and As he struggles to find people he can relate to his own mental illness is also expanding.

내성적인 신입생 찰리는 그를 현실 세계로 이끌어 내는 두 선배 샘과 패트릭의 보호를 받게 된다. - 버라이어티

The introvert freshman Charlie is taken under the wings of two seniors, Sam and Patrick, who welcome him to the real world. - Variety

스티븐 크보스키 감독, 로건 레먼, 엠마 왓슨, 에즈라 밀러 주연의 〈월플라워 The Perks of Being a Wallflower〉.

기분 좋은 사운드트랙과 불확실한 시대의 희망에 대한 이야기를 담아 내 공감을 얻어낸 작품이다.

〈월플라워〉 사운드트랙은 불확실하고 흥미진진하며 가슴 아픈 고등학교 시절 어린 주인공의 여정을 강조해 주는 역할을 해내고 있다. 영화는 개봉과 동시에 비평가와 관객들의 호응을 얻으면서 흥행에서도 성공한다.

다수의 곡이 선곡된 사운드트랙은 관객들에게 플레이리스트 가치가 있는 아티스트들의 음악적 가치를 음미해 볼 수 있도록 해주고 있다.

〈월플라워〉의 핵심적 장면의 상황을 데이비드 보위 David Bowie가 1970년 대 발표했던 팝이 적절한 해설 역할을 해내고 있다.

스테판 츠보스키 Stephen Chbosky의 1999년 동명 소설을 기반으로 한 〈월플라워 The Perks of Being a Wallflower〉는 임팩트 있는 사운드트랙으로 음악팬들을 고양 시켰다는 칭송을 들은 바 있다.

〈월플라워〉에서 로간 러만 Logan Lerman이 임상 우울증을 다루면서 새로운 친구를 사귀기 위해 고군분투하는 수줍은 9학년 학생 찰리 켈메크키스 역할로 출연하고 있다.

학교에서 샘-〈해리 포터〉로 스타덤에 올랐던 엠마 왓슨-과 패트릭-〈플래시 The Flash〉로 알려진 에즈라 밀러-이라는 두 명의 '월플라워'는 찰리와 친구가 되어 1년 내내 수많은 경험을 공유하는 존재로 등장하고 있다.

고무적인 파티 히트곡과 1980년대 분위기 있는 트랙으로 가득한 〈월플라워〉 사운드트랙은 극중 시간의 흐름을 거슬러 올라가고 있다.

즉, 영화 배경은 1992년이기 때문에 음악은 본질적으로 향수를 불러일으키고 복고적인 분위기를 선사하고 있는 것이다.

27-1. <윌플라워 The Perks of Being a Wallflower> 사운드트랙 해설

1. Could It Be Another Change performed by The Samples

'Could It Be Another Change'는 오프닝 크레디트를 장식해 주면서 청춘 드라마의 시작을 알리고 있다. 터널을 통과하는 자동차 시점 장면은 영화에서 가장 유명한 장면이자 가장 기억에 남는 음악적 순간을 선사하게 된다.

'Could It Be Another Change'라는 노래는 영화와 잘 어울리는 슬프지만 다소 희망적인 음색을 갖고 있다는 풀이를 받는다.

가사는 샘(엠마 왓슨)에 대한 찰리(로간 레먼)의 감정을 반영하고 있다.

2. Asleep performed by The Smiths

찰리 여동생 캔데이스(니나 도브레프).

남자 친구 데렉(니콜라스 브라운)으로부터 여러 곡이 녹음된 음악 테이프를 선물 받는다.

캔데이스는 그 음악 테이프를 찰리에게 준다. 다소 슬픈 곡조를 띄고 있는 'Asleep'. 이 노래를 듣고 있는 찰리.

〈윌플라워〉. ⓒ Summit Entertainment, LLC

그는 샘과 연결되는 데 이 음악이 도움이 될 것이라는 생각을 갖게 된다.

그리고 새로운 음악의 존재 가치를 느끼게 된다.

3. Teen Age Riot performed by Sonic Youth

샘과 패트릭이 찰리의 집을 방문해 처음으로 서로 어울린다.

찰리의 내성적인 성격에 비해 샘과 패트릭은 반항적이고 발랄한 에너지를 드러내 주고 있다.

이러한 장면에서 소닉 유스-1981년 뉴욕시에서 결성된 5인조 록 밴드. 노이즈 록 Noise rock, 얼터너티브 록 alternative rock, 실험적 록 experimental rock, 인디 록 indie rock, 포스트-펑크 post-punk 장르 음악을 구사하고 있다-의 'Teen Age Riot'가 들려오고 있다.

4. Love Him performed by Perfect

학교 댄스 수업 시간. 느리고 낭만적인 노래는 젊은 커플들이 함께 춤을 추는 분위기를 부추겨 주고 있다.

하지만 이런 분위기에 어울리지 못하는 찰리는 더욱 어색함을 느끼게 된다.
이런 장면에서 선곡된 노래가 'Love Him'이다.

5. Come On Eileen performed by Dexys Midnight Runners

샘과 패트릭. 강당 플로어 한가운데에서 진행되는 정교한 댄스 규칙을 수행하기 위해 전력을 쏟는다. 학교 댄스 수업에 적극 참여하는 이들의 모습과 함께 'Come On Eileen'이 들려오고 있다.

경쾌하고 흥겨운 이 노래는 찰리가 자신의 움츠러진 상황에서 탈피해서 댄스 교습에 적극 합류하도록 격려하는 곡조가 되고 있다.

6. What You've Got performed by Valentine's Revenge

밥(아담 헤겐버치)의 집에서 파티가 준비되고 있다.
이 모임에 참석하기 위해 찰리, 샘, 패트릭 등이 도착한다.
파티 장 주변 정경이 보여 지면서 'What You've Got'이 들려오고 있다.

7. Low performed by Cracker

찰리가 밥의 춤의 무리로 합류한다.

찰리는 새롭고 친근한 존재로 주변 고등학생 관객들에게 존재감을 드러낸다.

찰리는 메리 엘리자베스(매 휘트만)와 엘리스(어린 윌헬미)를 포함해서 친구 그룹을 이루고 있는 다른 구성원에게 소개된다. 찰리에 대한 주변 사람들의 관심이 증폭되는 순간에 'Low'가 배경 노래로 들려오고 있다.

한편 파티 장면에서는 MC 900과 지저스 Jesus가 피처링으로 참여한 'Falling Elevators'가 연주되고 있다.

8. Tugboat performed by Galaxy 500

찰리가 자신도 모르게 마리화나 브라우니를 먹고 약에 취한다.

샘에게 밀크쉐이크를 원한다고 말하자 그녀가 만들어 준다.

이러는 와중에 찰리는 무심코 자살한 가장 친한 친구에 대해 이야기를 한다.

이러한 장면에서 1987년 매사추세츠 주 캠브리지에서 결성 된 3인조 얼터너티브 록 밴드 갤락시 500 Galaxie 500이 불러주는 'Tugboat'가 들려오고 있다.

9. No New Tale to Tell performed by Love and Rockets

찰리가 파티 장을 돌아다니며 화장실을 찾는다. 이때 우연히 패트릭(에즈라 밀러)과 브래드(조니 시몬스)가 키스를 하는 장면을 목격하게 된다.

이때 'No New Tale to Tell'이 들려오고 있다. 노래를 불러 주고 있는 '러브 앤 로켓츠 Love and Rockets'는 1985년 영국 노담프톤 Northampton, England을 활동 근거지로 출범한 3인조 얼터너티브 록 및 포스트-펑크 그룹이다.

이들 밴드는 1989년 싱글 'So Alive'가 빌보드 핫 100 3위까지 진출하면서 음악성을 인정받는다.

그들의 은밀하고 복잡한 관계가 노래 가사에 고스란히 담겨 있다.
패트릭과 브래드가 나누고 있는 비밀스런 동성애적 관계.
은밀하고 복잡한 내용을 담고 있는 노래 'No New Tale to Tell'.
두 사람의 관계를 적절하게 표현해 주는 역할을 해내고 있다.

10. Here performed by Pavement

〈월플라워〉. © Summit Entertainment, LLC

찰리는 샘, 패트릭이 주도하고 있는 폐쇄적인 소위 '부적합한 장난감의 섬 island of misfit toys' 서클 모임에 회원으로 초대 받는다.

조출한 환영 모임이 진행될 때 'Here'가 흐르고 있다.

노래를 불러주고 있는 이들은 페이브먼트 Pavement.

1989년 캘리포니아 주 스톡톤 Stockton, California에서 출범한 5인조 인디 록 밴드 indie rock band이다.

1994년 싱글 'Cut Your Hair'를 히트시키면서 음악 역량을 인정받는다.

패트릭은 찰리와 편안히 앉아 주변 세계를 관찰하는 그의 능력에 찬사를 보낸다.

이어 그를 '월플라워'라고 지칭한다.

찰리의 존재감이 받아들여지는 전환점이 되는 순간이다.

11. Heroes performed by David Bowie

샘, 패트릭, 찰리가 동승해서 자동차로 이동하고 있다.

이때 라디오에서 데이비드 보위 노래가 들려오고 있다. 영화에서 가장 유명한 장면으로 손꼽히고 있다. 샘은 이 노래를 한 번도 들어본 적이 없다고 말한다.

패트릭은 조명이 켜진 터널을 운전하고 있다. 뒷좌석에 앉아 있던 샘(엠마 왓슨). 노래 분위기에 취해 기분이 한껏 고양(高揚)되고 있다.

그녀는 자동차 밖으로 팔을 뻗어 마치 창공을 날아갈 듯한 포즈를 취한다.

12. All Out of Love performed by Air Supply

찰리는 예전에 폰테일 데렉(니콜라스 브라운)으로부터 좋은 노래가 담겨져 있는 믹스 테이프를 받은 경험이 있다.

여기서 힌트를 얻은 찰리는 샘이 평소 좋아한다고 말했던 파워 발라드를 포함한 여러 노래들을 모은 믹스 음악 테이프를 만들기로 한다.

찰리는 새로운 친구 그룹과 그에게 영어를 지도해 줄 미스터 앤더슨(폴 러드)을 소개 받는다.

이러한 장면에서 열정적 창법이 돋보이는 특별한 발라드 노래 'All Out of Love'가 흘러나오고 있다.

13. Dear God performed by XTC

찰리는 그동안 알지 못했던 친구들의 일상의 고민과 삶의 행적들을 알게 된다. 패트릭과 브래드의 관계에 대해서도 파악하게 된다.

찰리는 내부 독백을 통해 자신이 느끼고 있는 소회(所懷)를 드러낸다. 'Dear God'은 찰리가 겪고 있는 이런 정황에 공감하고 있다는 선율처럼 들려오고 있다.

덧붙여 브래드 교육으로 인해 패트릭과 너무 가까워지는 것을 꺼리고 있다.

브래드 아버지 또는 다른 사람이 그들 부자(父子)에 대해 알아내는 것을 두려워하고 있다.

14. Don't Dream It performed by Tim Curry

학교에서 클래식 컬트 뮤지컬 공연이 진행된다. 이때 〈록키 호러 픽쳐 쇼 The Rocky Horror Picture Show〉에서 등장했던 여러 곡이 들려오고 있다.

뮤지컬에서 가장 상징적 캐릭터인 티미 커리 역할을 맡고 있는 패트릭이 립싱크로 'Don't Dream It'을 불러주고 있다.

15. Temptation performed by New Order and Seasick, Yet Still Docked performed by Morrissey

찰리는 샘을 위해 믹스테이프를 만들어 놓는다.

'Temptation'과 'Seasick, Yet Still Docked' 등 2곡은 교내에서 공연되고 있는 〈록키 호러 픽쳐 쇼〉 무대에서 들려오고 있다.

찰리는 샘이 나이든 복학생 그레그와 춤을 추고 있는 것을 지켜보고 있다.

이때 찰리가 느끼는 복잡한 심정은 슬픈 곡조의 'Temptation'과 'Seasick, Yet Still Docked' 등이 위로 곡 역할을 해내고 있다.

16. Bust a Move performed by Young MC

찰리는 연정을 품고 있었던 샘이 그레그에게 마음을 빼앗기고 있다는 것을 알고 그는 굴욕감을 느낀다. 자신이 들려줄 곡이 얼마나 슬픈지 설명한다.

그리고 즐거운 파티 분위기를 위해 낙관적이고 대중적인 음악을 선곡한다.

찰리의 이러한 의도를 드러내 주고 있는 노래로 선곡된 것이 'Bust a Move'이다.

17. Christmas (Baperformed by Please Come Home) performed by Joey Ramone

찰리가 대학 수능 시험(Scholastic Aptitude Test)을 준비하고 있는 샘에게 여러 학습 요령을 알려준다. 찰리는 새로 알게 된 친구들과 함께 크리스마스 휴가 시즌을 축하하고 비밀 산타 선물 교환 이벤트를 준비한다.

이러한 찰리의 행적을 보여 줄때 펑키 리듬으로 편곡된 'Christmas (Baperformed by Please Come Home)'가 흘러나오고 있다.

조이 라모네 Joey Ramone(1951년 5월 19일-2001년 4월 15일, 향년 50세)는 펑크 록 밴드 라모네스 Ramones 창립 멤버이자 리드 보컬이다.

그가 불러주고 있는 'Christmas (Baperformed by Please Come Home)'는 다린 러브(Darlene Love)가 발표해 크리스마스 시즌에 단골로 애창되는 노래 중 한 곡이다.

18. Ye Olde Backlack performed by Bongwater

찰리는 마약 실험을 계속하고 있다.

이런 와중에 LSD 정제 LSD tablet를 복용하고 있다. 환각 상태에 빠진 찰리. 죽은 헬렌 숙모(멜라니 린스키)가 플래시백으로 나타난다.

찰리는 그만 눈 더미 위에서 잠시 기절을 하게 된다.

이런 상황이 펼쳐지면서 들려 오는 노래가 'Ye Olde Backlack'이다.

노래를 불러주고 있는 밴드는 봉워터 Bongwater. 1987-1992년 활동했던 미국 사이키델릭 록 밴드 psychedelic rock band이다.

결성을 주도한 앤 매그너슨 Ann Magnuson과 마크 크레이머 Mark Kramer는 음반사 심미 디스크 the Shimmy Disc record 대표이자 록 밴드 풀살라마 Pulsallama에서 음악적 교감을 나눈 사이다.

봉워터 밴드는 프랭크 시나트라를 냉소적 가사로 헌정한 'Frank'와 록 밴드 레드 제플린 Led Zeppelin의 명곡 'Dazed and Confused'를 중국 광둥어 Cantonese로 불러준 'Dazed and Chinese'를 발표해 이목을 끌어 낸다.

19. Toucha Toucha Touch Me performed by Susan Sarandon

〈월플라워〉. © Summit Entertainment, LLC

그렉이 록키 역으로 캐스팅 됐지만 찰리에게 그 배역을 맡아 달라고 요청한다.

샘이 무대에 합류하면서 'Toucha Toucha Touch Me'를 불러준다. 이 노래는 록 뮤지컬 〈록키 호러 픽쳐 쇼 The Rocky Horror Picture Show〉에 삽입됐던 곡.

여배우 수잔 서랜든 Susan Sarandon의 숨겨진 가창력이 유감없이 발휘된 노래로 기록되고 있다.

20. Don't Dream It's Over performed by Crowded House

메리 엘리자베스(매 휘트맨)가 찰리를 댄스파티에 초대한다.

하지만 찰리는 댄스 파티장에서 메리 대신 샘과 대화를 시도한다.

이러한 정황이 전개될 때 메리가 일방적인 짝사랑을 보이고 있다는 것을 풍자하듯 'Don't Dream It's Over'가 들려오고 있다.

노래를 불러 주고 있는 밴드는 클라우디드 하우스 Crowded House.

1985년 호주 멜버른을 근거지로 출범한 5인조 록 밴드이다.

쟁글 팝 jangle pop, 인디 록 indie rock, 얼터너티브 록 alternative rock, 뉴 웨이브 new wave 장르 음악을 들려주고 있다.

1986년 8월 출반된 데뷔 앨범 'Crowded House'에서 싱글 'Don't Dream It's Over' 'Something So Strong' 등이 빌보드 핫 100 탑 10에 진입하면서 존재감을 인정받는다.

21. Eternity with You performed by Robert and Johnny

춤이 끝난 뒤. 메리 엘리자베스는 찰리를 자신의 집으로 초대한다.

그리고 'Eternity with You'를 들려 준 뒤 자신이 옛날 음악에 대해 가르쳐 주고 싶다는 생각을 말한다. 이어 메리는 찰리를 남자 친구라고 부른다.

찰리는 메리의 직설적 행동에 대해 충격과 공포감을 느끼게 된다.

22. Pretend We're Dead performed by L7

찰리가 친구에게 보낸 또 다른 편지에서 그는 자신이 메리 엘리자베스를 좋아하지 않으며 이 관계에 갇힌 자신을 발견한다고 설명하고 있다.

'Pretend We're Dead'는 메리 엘리자베스가 찰리에게 전화를 걸자 그는 전화기를 내려놓고 떠난다. 두 사람 사이에 놓여 있는 비타협적인 상황을 묘사해 주는 노래로 들려오고 있다.

'Pretend We're Dead'를 열창해 주고 있는 L7은 1985년 LA에서 출범한 여성 록커들로 구성된 4인조 밴드. 'Pretend We're Dead'는 1992년 빌보드 모던 록 차트 10위에 진입했던 히트곡이다.

23. Counting Backwards performed by Throwing Muses

찰리와 메리 엘리자베스와의 갈등 관계는 파티 장에서 그녀 대신 샘에게 키스할 때 절정에 이른다. 충격을 받은 엘리자베스.

실연을 당한 것을 극복해 나가는 데는 어느 정도 시간이 걸리는 법.

엘리자베스는 마침내 찰리에 대한 일방적 짝사랑을 포기한다.

그리고 찰리에게 이제 자신은 피터(랜돈 피그)와 데이트하고 있다고 말한다.

찰리의 애정을 받지 못한 엘리자베스가 이런 현실을 극복해 나가는 과정에서 'Counting Backwards'가 들려오고 있다.

노래를 불러주고 있는 '쓰로잉 뮤즈 Throwing Muses'는 1981년 미국 로드
아일랜드 주 뉴포트 Newport, Rhode Island에서 출범한 얼터너티브 록 밴드
alternative rock band.

1986년 9월 데뷔 앨범 'Throwing Muses'을 발매한다. 2020년 9월 4일 10
집 앨범 'Sun Racket'을 출반하면서 장수 활동을 이어 나가고 있다.

24. Araby performed by The Reivers

패트릭은 학교에서 브래드 및 그의 친구들과 싸움에 휘말린다.

찰리는 패트릭을 보호하기 위해 다툼에 개입하게 된다. 이후 찰리와 패트릭은
'Araby'가 흘러나오는 동안 경계심을 풀고 주변을 산책한다.

25. Perly Dew Drops Drop performed by Cocteau Twins

'Perly Dew Drops Drop'은 고등학교를 졸업하고 인생의 다음 단계로 넘어
가는 찰리가 주변 모든 친구들에 대해 나레이션으로 설명하는 장면에서 흘러나
오고 있다.

찰리는 친구들의 앞날에 행복이 가득하기를 기원하는 동시에 함께 동행 하지
못하는 것에 대한 질투심을 함께 표현해 주고 있다.

〈월플라워〉에서 찰리가 트럭을 타고 터널을 지나가는 가장 상징적인 장면에
서 들려오는 노래는 어떤 곡인가?

〈월플라워 The Perks of Being a Wallflower〉에서는 다수의 사운드트랙
이 선곡되고 있다.

데이비드 보위의 'Heroes'는 영화에서 상징적인 터널 장면에서 들려오기 때
문에 가장 깊은 여운과 인상을 남기고 있는 노래로 기억되고 있다.

찰리, 샘, 패트릭.

이들이 파티를 마치고 집으로 차를 몰고 갈 때 자동차 라디오에서 'Heroes'가 들려오기 시작한다.

패트릭이 포트 피트 터널 the Fort Pitt tunnel을 통과할 때 트럭 침대에 누워 있던 샘이 일어난다.

샘을 지켜보던 찰리는 패트릭에게 자신이 '한계가 없는 무한의 감정을 느끼고 있다.'고 털어 놓는다.

〈월플라워〉. © Summit Entertainment, LLC

이 장면은 〈월플라워〉에서 가장 심오한 순간 중 하나로 기억되고 있다.

'Heroes' 가사는 〈월플라워〉 전개 과정을 설득력 있게 해주고 있다는 지적을 받았다.

'내가 왕이 된다면 그대는 여왕이 될 것 I, I will be king/ And you, you will be queen'이라는 문구는 찰리와 샘의 상황에 해당되는 것처럼 보인다는 풀이를 받았다.

흥미로운 점은 원작에서는 프리트우드 맥 Fleetwood Mac 그룹의 'Land-slide'가 언급되고 있다.

그렇지만 시나리오 작가 겸 감독 스테판 츠보스키 Stephen Chbosky는 'Landslide' 보다는 데이비드 보위 'Heroes'가 더 적합한 노래라고 생각됐다는 후문을 남긴다. 그룹 스미스 The Smiths의 'Asleep'은 〈록키 호러 픽쳐 쇼 The Rocky Horror Picture Show〉의 일부 삽입곡과 마찬가지로 원작 소설과 영화에서 선곡된 노래이다.

덱시 미드나잇 러너스 Dexys Midnight Runners가 불러 주고 있는 댄스곡이 'Come on Eileen'.

이 노래는 주인공들이 춤을 추는 장면의 배경 노래로 활용되고 있다.

감독 크보스키는 이 노래가 춤을 추는 장면을 부추겨 주기 위한 최적의 배경 노래라고 설명해 주고 있다.

〈월플라워〉 사운드트랙은 음악 애호가들이 믹스테이프로 제작해서 애청할 정도로 환대를 받았다. 이렇게 각광을 받은 것은 음악에 대한 조예가 깊은 감독 스테판 츠보스키의 혜안(慧眼) 덕분이라는 칭송을 받았다.

빌보드는 '사운드트랙 자체는 영화의 등장인물 및 그들의 경험과 밀접하게 연결되어 있어 완벽한 하이틴 대상 믹스테이프로 주목 받았다. 음악의 힘은 대부분 사람들의 10대 시절을 주도하므로 〈월플라워〉 사운드트랙은 특히 소스 자료에서 음악의 중요성을 고려하고 있다. The soundtrack itself is intimately tied to the film's characters and their experiences making it a perfect teenage mixtape.

The power of music drives most people's teenage years so the Perks of Being A Perks soundtrack specifically considers the importance of music in the source material.'는 리뷰를 게재했다.

다양한 서구 음악 비평가들은 사운드트랙으로 선택된 콜렉션이 영화에서 묘사된 10대들의 갈망, 불안, 기쁨 등과 완벽하게 어우러져 있다고 칭송을 보낸다.

이것은 결국 〈월플라워〉를 최고의 하이틴 영화 사운드트랙 중 하나로 만들었다고 덧붙인다.

노래는 관객들에게도 감정과 향수를 불러 일으켰다. 이런 감정은 대형 화면에서 보이는 캐릭터와 더 깊은 유대감을 형성하는데 도움이 됐다는 의견을 보낸다.

팝 전문지 롤링 스톤은 '관객과 영화 캐릭터를 연결하는 것은 영화의 흥행 성공에 매우 중요하다. 〈월플라워〉는 사운드트랙을 통해 그것을 해냈다. Connecting watchers with a film's characters is critical to a movie's success and The Perks of Being a Wallflower did it so through its soundtrack.'는 찬사를 보낸다.

<위키드: 파트 1 Wicked: Part One>(2024), 아리아나 그란데 Ariana Grande 오프닝 송 불러줘

고전 <오즈의 마법사>를 생생하게 재해석한 <위키드 Wicked>.

오즈의 가장 유명한 또는 악명 높은 캐릭터, 즉 서부의 사악한 마녀와 그녀의 예상 밖의 친구 착한 마녀 글린다의 알려지지 않은 이야기를 탐구해 주고 있다.

〈위키드: 파트 1〉. ⓒ Universal Pictures

이 쇼는 녹색 피부의 스타 엘파바를 태어날 때부터 대학에 이르기까지.

그리고 결국 그녀를 당신이 기억하는 것과는 달리 '사악한 사람'으로 낙인찍는 인생을 바꾸는 사건을 통해 버릇없는 부자 소녀 글린다, 지역 왕자이자 심장 뛰는 피예로 심지어 문제가 많은 오즈의 마법사 자신까지 소개하고 있다.

A vivid reimagining of the classic The Wizard of Oz, Wicked spotlights the untold stories of Oz's most famous or infamous characters, namely the Wicked Witch of the West and her unlikely friend, Glinda the Good Witch.

The show follows green-skinned star Elphaba from birth to college and through the life-changing events which eventually label her 'wicked' introducing spoiled rich girl Glinda, local prince and heartthrob Fiyero and even the Wizard of Oz himself, a troubled man very unlike the one you may remember

열정적인 정치 활동가 엘파바가 불의에 맞서 싸우고 있다. 과거 실수를 되돌리려 하는 동안 어두운 비밀과 개인적인 비극이 오즈의 역사를 형성하고 있다.

고전적인 오즈의 마법사 이야기에 경의를 표하는 동시에 팬들의 마음을 변화시킨다. 그것을 영원히 이해하시오.

사랑, 우정, 신뢰에 대한 조심스러운 이야기인 <위키드>는 모든 이야기에 실제로 양면이 있음을 쉽게 보여 주고 있다.

- 버라이어티, 브로드웨이 닷컴

As Elphaba, a passionate political activist if there ever was one, fights injustice and seeks to undo the mistakes of the past, dark secrets and personal tragedies shape the history of Oz paying homage to the classic Wizard of Oz story while simultaneously changing fans understanding of it forever. A cautionary tale about love, friendship and trust Wicked effortlessly reveals that there are indeed two sides to every story.

- Variety, Broadway.com

2024년 11월 27일 공개 된 <위키드: 파트 1 Wicked: Part One>은 일반 공개에 앞서 팝 센세이션 아리아나 그란데 Ariana Grande가 뮤지컬 오프닝 곡 'No One Mourns the Wicked'를 취입했다는 소식이 알려지면서 팝과 영화 팬들의 뜨거운 관심을 촉발시켰다.

신작 <위키드 Wicked>는 글린다 업랜드(아리아나 그란데)와 엘파바 서롭(신시아 에리보)이 치열한 연기 대결을 펼치고 있다.

앞서 언급했듯이 L. 프랭크 바움 L. Frank Baum의 고전 소설 <환상적 오즈의 마법사 The Wonderful Wizard of Oz>가 원전.

2003년 오리지널 브로드웨이 뮤지컬로 공연돼 베스트 뮤지컬을 포함해 토니상 10개 부문 후보에 올라 <겨울 왕국 Frozen> 스타 이디나 멘젤 Idina

Menzel이 엘파바 Elphaba 연기로 여우주연상을 수상하는 등 6개 트로피를 휩쓴 바 있다.

2023년 4월 연예 전문 프로그램 '엔터테인먼트 투나잇 Entertainment Tonight'은 그란데가 〈위키드 Wicked〉 오프닝 곡 'No One Mourns the Wicked'를 열창하는 장면을 특집 방영해 열띤 반응을 불러 일으키면서 영화 흥행에 청신호를 울려 주었다.

그란데는 글린다의 특징을 드러내는 우아한 분홍색 드레스를 착용하고 형형색색의 문치킨 Munchkin 마을 위 플랫폼에 서있다.

방영 당시 보컬이 그란데 것인지 아니면 오리지널 브로드웨이 Broadway 캐스트 녹음을 맡았던 크리스틴 체노웨스 Kristin Chenoweth의 음성인지에 대한 논쟁이 있었지만 그란데는 확실히 립싱크로 공연해 주고 있다는 지적을 받는다.

이에 대해 '대부분 영화 뮤지컬의 보컬은 라이브로 녹음하지 않기 때문에 이것은 예상할 수 있는 일이다.'는 동정론을 받는다.

할리우드 현지 음악 비평가들은 '대형 화면에 맞게 미디어를 조정하는 것은 엄청나게 어려운 작업이다.

종종 번역에서 원래 버전의 매력이 약간 손실되고 있다.

하지만 〈사운드 오브 뮤직〉 〈틱, 틱...붐!〉 그리고 두 버전 〈웨스트 사이드 스토리〉는 적절한 각색이 마법 같은 결과를 가져올 수 있음을 증명해 주었다.

그러나 제대로 관리하지 않으면 2005년 〈오페라의 유령〉과 〈캣츠〉를 포함해서 가장 잘 알려진 작품도 히트를 쳤어야 할 작품을 제공하지 못할 수 있다. Adapting any media for the big screen is an incredibly daunting task often resulting in a bit of the original version's charm getting lost in the translation. However, The Sound of Music, Tick, Tick...Boom! and both versions of West Side Story prove that a proper adaptation can result in something magical. Without proper care, though, even the most well-known productions including 2005's Phantom of the Opera and Cats can fail to deliver what should have been a hit'는 의견을 제시해 팬들의 공감을 얻어낸다.

〈위키드: 파트 1〉. ⓒ Universal Pictures

〈위키드〉가 인기 있는 무대 뮤지컬의 원래 비전에 충실하도록 보장하기 위해 원작 도서 및 음악 작가 위니 홀츠만 Winnie Holzman과 스테판 슈워츠 Stephen Schwartz가 각본을 쓰기 위해 초빙된다.

〈인 더 하이츠 In the Heights〉 감독 존 M. 추 Jon M. Chu와 함께 작업하면서 작가들은 〈위키드〉를 일반적 장편 영화 런닝 타임에 맞추기 위해 스토리 시퀀스를 자르고 노래를 제거하는데 어려움을 겪었다는 고충을 털어 놓았다.

가장 충실한 각색을 제공하기 위해 추 감독은 2022년에 〈위키드〉를 두 편의 영화로 분할 시킬 것이라고 밝힌 바 있다.

이런 이유 때문에 2024년 11월 27일 Part One이 먼저 공개된다.

Michelle Yeoh가 Madame Morrible로, Jeff Goldblum이 The Wizard of Oz로, Bowen Yang이 Pfannee로, Keala Settle이 Miss Coddle로, Jonathan Bailey가 Fiyero로, Marissa Bode가 네사로즈, 보크 역의 에단 슬레이터. 위키드: 파트 1은 2024년 11월 27일 개봉하고 위키드: 파트 2는 2025년 개봉합니다.

출연진 중 〈에브리씽 에브리웨어 올 앳 원스 Everything Everywhere All at Once〉(2022)로 2023년 4월 진행된 95회 아카데미 여우상을 수상한 양 자경 Michelle Yeoh이 마담 모리블 역, 제프 골드브럼 Jeff Goldblum이 오즈의 마법사 역, 보웬 양 Bowen Yang이 프파니 역,

키라 세틀 Keala Settle이 미스 코들 역,

조나단 베일리 Jonathan Bailey가 피예로 역,

마리사 보드 Marissa Bode가 네사로즈 역할로 각각 출연하고 있다.

〈위키드: 파트 1〉에 이어 〈위키드: 파트 2〉는 2025년 개봉할 예정으로 촬영 중에 있다.

28-1. 아리아나 그란데 Ariana Grande는 어떤 가수?

본명 아리아나 그란데-부테라 Ariana Grande-Butera.

1993년 6월 26일 플로리다 주 보카 라톤 Boca Raton, Florida, U.S 태생.

싱어 송 라이터, 영화배우.

4 옥타브를 넘나드는 풍성한 보컬 능력을 갖고 있다.

2008년 데뷔 이후 2023년 현재 시점까지 그래미 어워드 2회, 브릿 어워드 1회, 밤비 어워드 1회, 빌보드 뮤직 어워드 2회, 아메리칸 뮤직 어워드 3회, MTV 비디오 뮤직 어워드 9회 등 수 많은 음악상을 석권한다.

15세 때인 2008년 〈브로드웨이 뮤지컬 13 Broadway musical 13〉에서 샤롯트 역할을 통해 프로 가수 활동에 나선다.

TV 미니 시리즈 〈빅토리어스 Victorious〉(2010-2013)와 〈샘 앤 캣 Sam & Cat〉(2013-2014)에서 캣 발렌타인 역할로 연기자 병행 선언을 한다.

1950년대 유행했던 두 웁 doo-wop 스타일을 가미시킨 팝 및 R & B 데뷔

앨범 'Yours Truly'(2013)가 미국 빌보드 2001위를 차지하는 폭발적 성원을 받는다.

앨범 수록 곡 중 싱글 'The Way'는 빌보드 핫 100에서 10위권에 진입한다.

밀리언 셀러가 되면서 그녀의 가창력은 머라이어 캐리 Mariah Carey와 즉각적으로 비교되는 성원을 받는다.

2집 앨범 'My Everything'(2014)과 3집 'Dangerous Woman'(2016) 등을 통해 팝과 R & B를 결합시키는 음악 작업을 지속시킨다. 'My Everything'을 통해 싱글 'Problem' 'Break Free' 'Bang Bang'을 연속 히트시킨다.

〈위키드: 파트 1〉. © Universal Pictures

앨범 'Dangerous Woman'은 영국 앨범 차트 1위에 등극한다.

4집 앨범 'Sweetener'(2018)와 5집 'Thank U, Next'(2019)도 비평가 팝 팬 모두 갈채를 얻어낸다. 앨범 'Sweetener'로 그래미 팝 보컬 앨범 Best Pop Vocal Album으로 Grammy Award'을 수상한다.

5집 'Thank U, Next'는 팝 앨범 최대 스트리밍 주간 기록을 세우면서 그래미 올 해의 앨범 후보로 지명 받는다.

5집에서는 싱글 'Thank U, Next' '7 Rings' 'Break Up with Your Girlfriend, I'm Bored'를 연속 히트 차트에 진입시킨다.

2020년 저스틴 비버(Justin Bieber)와 듀엣 'Stuck with U', 레이디 가가(Lady Gaga)와 'Rain on Me'를 콜라보레이션 곡으로 발표해 팝 뉴스를 만들어 낸다.

레이디 가가와 듀엣 곡으로 그래미 베스트 팝 듀오/그룹 퍼포먼스 부문상을 수여 받는다.

6집 앨범 'Positions'(2020)은 미국, 영국 앨범 차트 동시에 1위를 차지한다.

트랙 중 싱글 'Save Your Tears'와 'Die For You' 등은 그룹 더 위큰드 The Weeknd와 리믹스 공동 작업으로 발표해 빌보드 연속 1위를 차지하는 기염을 토한다.

시사 주간지 '타임 Time'은 2016년, 2019년 '세계에서 가장 영향력 있는 100인 the 100 most influential people in the world'으로 지명한다.

팝 전문지 '롤링 스톤 Rolling Stone'은 '역사상 가장 위대한 가수 200인 200 Greatest Singers of All Time'(2023)에 포함시킨다.

음악 활동 외에 '동물 권리, 정신 건강, 성별, 인종 및 LGBT 평등'을 옹호하는 등 사회 활동도 적극적으로 나서고 있다.

아담 맥케이 감독의 〈돈 룩 업 Don't Look Up〉(2021)에 국제적 음악 스타 릴리 비나 역할로 출연했다.

28-2. Tracks listings

1. No One Mourns the Wicked performed by Ariana Grande

2. Dear Old Shiz performed by Ensemble
3. The Wizard and I performed by Cynthia Erivo and Michelle Yeoh
4. What is this Feeling? performed by Cynthia Erivo and Ariana Grande
5. Something Bad performed by Cynthia Erivo
6. Dancing Through Life performed by Jonathan Bailey, Ethan Slater, Marissa Bode, Cynthia Erivo and Ariana Grande
7. Popular performed by Ariana Grande
8. A Sentimental Man Written by Stephen Schwartz
9. Defying Gravity performed by Cynthia Erivo and Ariana Grande

<인어 공주 The Little Mermaid>
(1989, 2023) 리메이크
노래 가사 순화시켜

영화 음악 전문 작곡가 알란 멘켄 Alan Menken은 〈인어 공주 The Little Mermaid〉에서 널리 알려진 클래식 노래 가사를 2023년 5월 26일 개봉된 리메이크 버전에서는 덜 공격적으로 변경 되었다는 후일담을 공개했다.

〈인어 공주〉. ⓒ Walt Disney Pictures

론 클레멘츠+존 머스커 공동 연출로 공개 된 장편 애니메이션이 〈인어 공주 The Little Mermaid〉(1989).

트리톤의 통치를 받고 있는 바다 왕국.

트리톤 딸 아리엘은 아름다운 목소리로 귀여움을 독차지하고 있는 히로인이다. 그녀는 인간 세계로 진출할 관심을 늘 갖고 있다.

우연히 바다에 빠진 왕자를 구해준 아리엘.

아리엘은 육지로 되돌아 간 왕자를 만나고 싶어 한다.

마녀 우슬라는 그녀에게 걸을 수 있는 다리를 달려 주는 대신 그녀의 영혼을 달라는 거래를 하게 된다.

마침내 아리엘은 왕자를 만나러 가게 되지만 마녀의 지속적인 방해를 받게 된다. 더욱이 마녀는 아리엘로 변장해서 왕자를 혼란에 빠뜨린다.

아리엘은 마녀의 마수에서 벗어 나오기 위해 애쓰지만 그만 자신의 영혼이 마녀의 손아귀에 놓여 있는 처지였다.

여러 곡절을 겪은 뒤 아리엘과 에릭은 거대한 우술라가 그들을 분리하기 직전에 표면에서 재결합하게 된다. 그런 다음 그녀는 전체 바다를 완전히 제어하여 폭풍을 일으키고 침몰 한 배를 수면으로 가져온다.

우술라는 아리엘을 죽이려고 한다. 이러한 긴박한 때 에릭은 난파 된 배를 지휘하고 쪼개진 활 자루로 그녀의 복부를 찔러 우술라를 죽인다.

우술라가 죽음에 이르자 트라이톤 Triton과 우술라 Ursula의 정원에 있는 다른 폴립들이 원래 형태로 되돌아간다.

아리엘이 에릭을 진정으로 사랑한다는 것을 깨달은 트라이톤 Triton은 기꺼이 그녀를 인어에서 인간으로 영구적으로 바꾸고 에릭과의 결혼을 승인한다.

아리엘과 에릭은 배에서 결혼식을 치른다. 아리엘의 모든 친구와 가족들이 지켜보는 가운데 갓 결혼한 아리엘과 에릭은 선박을 타고 떠난다.

흥행 가에서 호응을 받았던 1989년 디즈니 애니메이션은 2023년 실사 영화로 리메이크 됐다. 인간의 다리와 교환하기 위해 바다 마녀와 계약을 맺는 인어 아리엘 역할로 할 베일리 Halle Bailey가 캐스팅 됐다.

이번 영화는 디즈니 애니메이션 히트작 〈라이온 킹〉 〈뮬란〉 〈피노키오〉 제작 추세를 잇는 실사 리메이크 버전이다. 원작과 리메이크는 관객들의 호응을 확산시키기 위해 일부 스토리와 상황을 변경시켰다.

영화 개봉을 앞두고 멘켄은 월간지 '배너티 패어 Vanity Fair'와 진행한 인터뷰를 통해 오리지널에서 가장 널리 알려진 'Kiss the Girl'과 'Poor Unfortunate Souls' 2곡에 대해 신세대 관객들이 불쾌감을 느끼지 않도록 가사를 업데이트 하였다.'고 밝힌다. 멘켄은 인터뷰를 통해 '에릭 왕자가 어떤 식으로든 아리엘에게 자신을 강요할 것이라는 생각에 대해 사람들이 매우 민감해졌다.

이런 이유 때문에 'Kiss the Girl' 일부 가사에 대한 변경 사항이 생겼다. 'Poor Unfortunate Souls'에서 우술라가 목소리를 포기하도록 분명히 아리엘을 조작하고 있음에도 불구하고 어린 소녀들이 어쩐지 순서를 어긋나게 말해서는 안 된다고 느끼게 만들 수 있는 대사와 관련하여 일부 수정 사항이 있었다.

There are some lyric changes in 'Kiss the Girl' because people have gotten very sensitive about the idea that Prince Eric would, in any way, force himself on Ariel.

We have some revisions in 'Poor Unfortunate Souls' regarding lines that might make young girls somehow feel that they shouldn't speak out of turn even though Ursula is clearly manipulating Ariel to give up her voice'고 개사 이유를 공개한다.

가사 내용이 일부 변경 된 것을 비롯해 〈인어 공주〉에는 시대 변화에 맞게 구식 고정 관념, 다양성 부족 또는 기타 잠재적으로 공격적인 요소가 되는 구절을 삭제했다고 한다. 시대 변화를 반영해서 더욱 현대적인 감성을 반영하는 배경 음악이 되도록 했다고 한다.

신작의 히로인 역할을 맡은 베일리는 버라이어티와 진행된 인터뷰를 통해 '자신은 이미 〈인어 공주 The Little Mermaid〉 리메이크에서 아리엘의 동기 측면에서 원본과 크게 다를 것이라는 점을 충분히 이해한다.'는 의견을 밝힌다.

애니메이션 영화에서 아리엘은 육지에 살고 있는 인간 에릭에 대한 사랑 때문에 목소리를 인간의 다리와 교환하기로 선택하게 된다.

베일리가 주역을 맡은 2023 버전 〈인어 공주〉 리메이크에서 아리엘은 소년에 대한 사랑에 의해 동기 부여되는 것이 아니라 자신의 개인적인 자유를 얻는데 더 중점을 두어 현대적인 페미니스트의 이념을 반영하고 있다는 점을 각인시켜주고 있다.

영화를 관람한 비평가들은 '〈인어 공주〉는 이야기에 절실히 필요한 다양성을 가져다 주고 있다. 애니메이션 영화에서는 대부분 인간과 인어 캐릭터가 백인이었다. 하지만 리메이크에서는 흑인 여성 베일리가 주연을 맡고 있다. 또한 어카피나 Awkwafina(스커틀 목소리), 사이먼 애쉴리 Simone Ashley(인디라 역), 로레나 안드레아 Lorena Andrea(펄라 역), 노마 두메지웨니 Noma

Dumezweni(셀리나 여왕 역) 등 개성파 연기진들이 출연하거나 음성 역할을 공연하고 있다.

〈인어 공주〉 리메이크가 극장에서 반응을 얻으면서 제작사 디즈니가 시도한 시대 변화가 관객들에게 호응을 얻어냈다는 청신호를 입증시켜 주게 된다.

〈인어 공주〉. ⓒ Walt Disney Pictures

29-1. 애니메이션 〈인어 공주〉 사운드트랙 해설

앨범 'The Little Mermaid: Original Walt Disney Records Soundtrack' 은 1989년 디즈니 애니메이션 장편 영화 〈인어 공주 The Little Mermaid〉의 사운드트랙이다. 알란 멘켄 Alan Menken 작곡, 하워드 애쉬만 Howard Ashman이 작사를 맡았다.

배경 음악은 토마스 파사티에리 Thomas Pasatieri가 편곡했다.

앨범은 멀티 플래티넘 판매를 달성했으며 그래미 아동을 위한 음반 Grammy Award for Best Recording for Children을 수상한다.

영화 혹은 텔레비전을 위해 작곡된 'Under the Sea'는 그래미 상과 아카데미 주제가 상을 수여 받는다.

29-2. 'Under the Sea'는 어떤 곡?

'Under the Sea'는 〈인어 공주 The Little Mermaid〉 사운드트랙 중 가장

많은 환대를 받은 노래이다.

알란 멘켄 작곡, 하워드 애쉬만이 작사했다.

트리니다드 토바고 Trinidad and Tobago에서 유래된 캐리비안의 칼립소 스타일 the calypso style of the Caribbean과 자마이카에서 기원이 된 레게 reggae which originated in Jamaica 영향을 받아 작곡된 노래로 알려졌다.

1964년 〈메리 포핀스 Mary Poppins〉 주제가 'Chim Chim Cher-ee' 이후 2번째로 제작사 월트 디즈니가 아카데미 주제가 상을 수상한 작품이 된다.

1991년 그래미 어워드 비주얼 미디어를 위한 주제가상 the Grammy Award for Best Song Written for Visual Media도 수여 받는다.

이 노래는 아리엘이 사랑에 빠진 에릭 왕자와 평생을 보내기 위해 인간이 되고자 하는 욕망을 억누르고 바다에 갇히게 해달라고 간청하는 게 세바스찬 the crab Sebastian의 간청을 담고 있다.

세바스찬은 인간 삶의 어려움에 대해 경고하는 동시에 걱정 없는 수중 생활의 잇점을 설명하고 있다.

노래가 끝나기 전에 아리엘이 떠나자 그의 탄원은 물거품이 되고 만다.

이 노래는 월트 디즈니의 모든 공원과 리조트, 디즈니 크루즈가 운항하는 곳에서 단골로 들려오고 있다.

2007년 브로드웨이 뮤지컬 버전에서 〈인어 공주〉가 공연될 당시 세바스찬을 연기한 테너 타이터스 버제스 Tituss Burgess가 열창해 주었다.

<젠틀맨 The Gentlemen>(2020), 올드 스쿨 음악 통해 범죄 스릴러 진수 전달

30

〈젠틀맨〉. ⓒ STX Films, Miramax

영상파 감독 가이 리치 Guy Ritchie의 〈젠틀맨 The Gentlemen〉.

주요 등장인물들이 집합적으로 등장한다는 특징에 맞게 올드 스쿨 음악 old school music이 사운드트랙에 포진하고 있다.

아폰소 쿠아론 감독의 〈그래비티 Gravity〉로 오스카 상을 수상한 작곡가이자 믹서인 크리스토퍼 벤스테드 Christopher Benstead는 분위기 있는 여러 트랙을 배치해 범죄 스릴러 묘미를 부추겨 주고 있다. 여기에 코미디와 드라마의 중요한 순간을 강조해 주기 위해 독립 장르 음악을 선택했다는 후일담을 밝혔다. 〈젠틀맨〉은 런던 지하 범죄 세계에 등장하는 앙상블 캐릭터의 행적을 따라가고 있다.

마리후아나 두목 미키 피어슨(매튜 맥커너히). 은퇴를 생각하고 있다. 그의 사업을 매튜 버거(제레미 스트롱)라는 지적 사업가에게 매각할 계획을 갖고 있다.

이런 와중에 떠오르는 갱스터 드라이 아이(헨리 골딩)가 움직이고 탐사 기자 플레처(휴 그랜트)는 사적 이득을 위해 이들의 움직임을 예의 주시하고 있다.

〈젠틀맨〉의 진행 과정에서 들려오는 음악은 익숙한 빌보드 히트작에 크게 의

존하지 않고 있다.

대신, 잘 배치된 트랙은 특정 분위기를 조성한 다음 벤스테드가 작곡한 배경 음악을 강조시켜 주는 테크닉을 사용하고 있다.

하지만 영화에서 여전히 약간의 록큰롤이 들려오고 있다.

의심할 여지없이 가이 리치 감

〈젠틀맨〉. ⓒ STX Films, Miramax

독에게 열광적 성원을 보내고 있는 영화 마니아들은 〈젠틀맨〉 사운드트랙에서 선택한 트랙을 자신들이 즐겨 듣는 재생 목록에 추가하는 것에 별다른 거부감을 드러내지 않았다.

〈젠틀맨〉은 미키가 'King of the Jungle' 독백을 전달할 때 'Cumberland Gap'을 들려주는 것으로 시작된다.

'Vitamin C'는 폴 토마스 앤더슨 Paul Thomas Anderson 감독의 〈인허런트 바이스 Inherent Vice〉와 페드로 알모도바르 Pedro Almodóvar 감독의 〈브로큰 임브레이스 Broken Embraces/ Los abrazos rotos〉에서 이미 선곡돼서 알려진 노래. 이 곡은 〈젠틀맨〉에서는 미키 아내 로살린드(도커리)를 소개하는 장면에서 흘러나오고 있다.

미키 은둔 장소인 지하 공간이 습격당했을 때 'Bush'가 흘러나오고 있다.

한편 아티스트 자신인 벅시 말론 Bugzy Malone은 유튜브 클립에서 어니 Ernie라는 배역으로 얼굴을 내밀고 있다. 레이몬드가 등장해서 추격당하는 장면에서는 'Shimmy Shimmy Ya'-원래 Ol Dirty Bastard가 녹음-가 들려오고 있다. 음악 소리와 함께 극적인 기관총 장면이 펼쳐지고 있다.

미키가 소유하고 있는 모든 것이 사라진 것 같은 라스트 장면에서는 'Free Me'가 캐릭터 마음을 사로잡고 있다.

〈젠틀맨〉은 스토리 전개에 어울리는 트랙 'That's Entertainment'로 사운드트랙이 마무리 된다.

30-1. 〈젠틀맨〉 넷플릭스 시리즈 각색 논의 중

〈젠틀맨 The Gentlemen〉에서 열광적 환대를 보냈던 팬들은 이제 넷플릭스 Netflix가 가이 리치 Guy Ritchie에게 〈젠틀맨 The Gentlemen〉 스토리와 세계관을 확장하는 TV 시리즈 제작을 의뢰했다는 뉴스에 기쁨을 표시하고 있다.

2023년 5월 기점으로 가이 리치가 직접 구성한 시리즈 대본이 완성 되었다는 소식. 넷플릭스는 〈젠틀맨〉의 속편 시리즈로 제작을 추진 중이라고 한다.

후속 작임에도 불구하고 영화 출연진이 그대로 캐스팅 될지는 아직 구체적으로 알려진 것이 없다.

일단 〈젠틀맨〉 속편 시리즈는 테오 제임스 Theo James를 미니 시리즈에 출연할 배우로 캐스팅 했다고 발표된다. 영화에서 본 것과 비슷한 대규모 앙상블로 출연진이 구성될 것이라는 소식이 전해지고 있다.

넷플릭스 제작 〈젠틀맨〉, 래퍼 버지 말론 Bugzy Malone 연기자로 데뷔 예정 〈젠틀맨〉 사운드트랙에서 음악을 들려 주었던 아티스트들이 이번에는 연기자로 변신할 것으로 보인다.

영국 출신 래퍼 버지 말론은 코치(콜린 파렐) 체육관의 파이터 중 한 명인 어니 역으로 연기 데뷔를 한다.

그는 영화 자체의 대사를 특징으로 하는 오리지널 트랙 'Boxes of Bush'로 〈젠틀맨 The Gentlemen〉 사운드트랙에 기여한 음악인이다.

버지 말론 Bugzy Malone은 가이 리치 Guy Ritchie의 2023년 영화 〈오퍼레이션 포춘 Operation Fortune〉에 출연하면서 긍정적인 협업을 이룬 바 있다.

그동안 가이 리치 영화에서는 다채로운 팝 아티스트들이 연기자로 감추어진 재능을 발휘한 전력을 갖고 있다.

대표적 사례는 다음과 같다.

- 스팅 Sting-<록, 스탁 앤 투 스모킹 배럴 Lock, Stock and Two Smoking Barrels>

- 골디 Goldie-<스내치 Snatch>

- 마돈나 Madonna-<스웹트 어웨이 Swept Away>

- 앙드레 3000 Andre 3000-<리볼버 Revolver>

- 루다크리스 Ludacris-<록큰롤라 RocknRolla>

- 포스트 말론 Post Malone-<분노의 사나이 Wrath of Man>

31 〈존 윅: 4 John Wick: Chapter 4〉, 리나 사웨야마의 'Eye for and Eye' 주목 받아

〈존 윅: 4〉. © Lionsgate, Summit Entertainment

〈매트릭스〉 시리즈 이후 키아누 리브스의 열성이 담긴 프랜차이즈가 〈존 윅〉.

공동 작곡자 타일러 베이츠(Tyler Bates)는 액션 프랜차이즈 4번째 작품을 위해 장대한 배경 음악을 창작해 냈다고 자신감을 보이고 있다.

영화 공개 직전 진행된 관련 전문지와의 인터뷰를 통해 '내 음악 경력에서 가장 장대한 배경 음악이다. It's the longest score that I've ever done in my career.'고 설명해 주었다.

작곡가 타일러 베이츠는 작곡 파트너 조엘 J 리차드 Joel J. Richard가 차드 스타헬스키 Chad Stahelski가 감독한 〈존 윅 4 John Wick: Chapter 4〉- 2023년 3월 24일 개봉-의 대본을 사전에 입수해 철저하게 분석한 뒤 상황에 맞는 배경 음악을 만들어 냈다는 후일담을 밝힌다.

베이츠는 '나는 개인적으로 무술가도 아니고 리차드와 함께 키아누 리브스가 출연하는 액션 프랜차이즈 4 편의 영화에 대한 배경 음악을 작곡한 쿵푸의 권위자도 아니다.

나는 항상 구글을 열어 두어야 했다. 나는 이전에 들어본 적이 없는 참조된

이 모든 다양한 무기를 계속 인터넷으로 검색해서 시각적으로 일어나는 일의 세부 사항에 대해 조금 더 이해할 수 있었다.

대본 뒤에 용어집이 있어야 할 것이다. 자세한 내용이 많이 포함되어 있기 때문이다. 차드 스타헬스키와 무술에 대한 감독의 열정과 헌신에서 비롯됐다고 할 수 있다. I, personally, am not a martial artist and I am not an authority on kung fu who with Richard has composed the scores for all four films in the Keanu Reeves-starring action franchise. I had to have Google open the whole time. I kept Googling all these different weapons that were referenced that I'd never heard of before just so I understood a little bit more about the specifics of what was happening visually. The script should probably have a glossary at the back of it because there's a lot of detail in it and that comes truly from Chad Stahelski and his passion and his commitment to martial arts'는 사운드트랙 창작 일화를 들려주었다.

〈존 윅 4〉 사운드트랙 앨범은 2023년 3월 24일 디지털로 공개 됐다.

'Big Wick Energy'라는 연주곡으로 트랙이 시작되고 있다.

'작곡 파트너 조엘이 오프닝을 구성했다.'고 베이츠는 밝히고 있다.

베이츠는 최근 들어 많은 사운드트랙을 담당했다.

〈300〉과 〈가디언즈 오브 갤럭시 Guardians of the Galaxy〉 등은 국내 음악 애호가들에게도 환대를 받은 바 있다.

베이츠는 '조엘은 형제와 같은 존재이다. 〈존 윅〉 배경 음악을 만들 때 우리는 음악에 대한 의견을 적극적으로 공유하고 대화에 영감을 주고 새로운 아이디어에 영감을 주는 존재가 됐다.'고 털어 놓았다.

사운드트랙 앨범에는 〈존 윅 4〉에서 아키라 역으로 출연하고 있는 리나 사웨야마 Rina Sawayama가 싱글 'Eye for and Eye'를 열창해 주고 있다. 트랙 중 'Nowhere to Run'을 불러주고 있는 팝 가수 롤라 콜레트 Lola Colette는

〈존 윅: 4〉. © Lionsgate, Summit Entertainment

작곡가 베이츠의 딸이다.

'Nowhere to Run'은 마사 앤 반델라스 Martha and Vandellas의 히트 곡.

〈존 윅 4〉를 위해 새롭게 편곡한 뒤 수록 시켰다는 일화가 전해지고 있다.

'I Would Die for You'를 불러주고 있는 밴드 인 디스 모멘트 In This Moment는 베이츠가 특별히 초빙해서 트랙을 취입하게 됐다고 한다.

'I would Die for You'는 인 디스 모멘트 밴드 멤버 마리아 브링크 Maria Brink와 크리스 하워스 Chris Howorth가 공동 작곡가로 참여하는 동시에 함께 프로듀싱한 곡이다.

베이츠는 '차드 감독이 어느 날 전화를 걸어와 인 디스 모멘트 밴드의 마리아 브링크라는 가수를 아세요? 진짜 멋진 밴드이고 나는 그들의 진정한 팬이다.'라고 밝혀서 이들 밴드의 존재를 알게 됐다고 한다.

2시간 49분 러닝 타임을 갖고 있는 〈존 윅 4〉 사운드트랙을 위해 베이츠와 리차드를 주축으로 해서 이안 맥쉐인 Ian McShane, 도니 옌 Donnie Yen, 빌 스카스가르드 Bill Skarsgård, 작고한 랜스 레딕 Lance Reddick 등 소장파 음악인들이 대거 참여하고 있다.

베이츠는 '영화 범위가 너무 광범위하게 확장되었다. 이런 이유 때문에 차드 감독은 배경 음악 범위를 확장하려는 욕구로 조엘과 나에게 대본을 보내면서 서문을 작성했다고 한다.

나는 우리가 2시간 30분짜리 스코어를 만들 것이라고는 전혀 상상하지 못했다. 내 경력에서 해 본 것 중 가장 긴 스코어이다. Chad prefaced sending the script to Joel and I with a desire to expand the scope of the score, because the scope of the film had increased so broadly. I wasn't totally imagining that we would create a two-and-a-half hour score! It's the longest score that I've ever done in my career.'라고 〈존 윅 4〉 사운드트랙 창작 후일담을 털어 놓았다.

베이츠는 '차드 감독의 작품에 작곡가로 참여했다는 것은 정말 영광이자 특권이다. 차드 감독에게 음악은 큰 의미가 있고 그는 진정한 록을 사랑하는 인물이다.

그는 또한 고전 영화 배경 음악과 클래식 영화를 사랑하고 있다.

그와 함께 이번 작업을 한 것에 대해 다시한번 감사하다는 생각이다. 감독은 내가 만들어 낸 박자에 맞추어 연출 행진을 해 주었다. 그런 점이 좋다. 차드는 파괴적인 영화감독이다. 이런 스타일의 감독 작품에 내가 작곡가로 올인 할 수 있어서 영광이다.'는 소감을 덧붙이고 있다.

〈존 윅 4-오리지널 모션 픽처 사운드트랙〉은 레이크쇼어 레코드를 통해 디지털로 공개됐다.

트랙 중 'I would Die For You'와 'Grave Accusation'이 가장 많은 다운로드를 기록한다.

31-1. Track listing

1. Big Wick Energy
2. Nowhere to Run performed by Lola Colette
3. Sand Wick
4. Change Your Nature
5. Continental Breakfast

6. Wick in Osaka

7. High Table in Osaka

8. A Grave Accusation

9. Grief on a Train

10. I Would Die for You performed by In This Moment

11. Of Mincing & Men

12. A Grave Situation

13. To Get Back In

14. Killa's Teeth

15. Ambition and Worth

16. Dog Lover

17. JW, Loving Husband

18. Stairs Arrival

19. Marie Douceur, Marie Colère—Manon Hollander

20. John Wick Rises

21. Paris Radio Intro

22. Chess Club

23. Urban Cowgirl

24. Quite the Mess You've Made

25. The Ex Ex

26. The Ex Ex Chapter 3

27. Arc De Triomphe

28. Wrong Train

29. Sacré-Coeur Sunrise

30. Pistol Procession

31. Ten Paces

32. Twenty Paces

33. Helen A Handbasket

34. Eye for an Eye (Main) performed by Rina Sawayama

35. Cry Mia River performed by Lola Colette & Mark Robertson

<좀비랜드 Zombieland>(2009), 컨트리와 거친 하드 록으로 묘사해준 암울한 미래 풍속도

21세기 초, 좀비가 미국을 점령하게 된다. 텍사스 출신 수줍은 대학생은 '뒷좌석을 봐라' '더블탭' '공중 화장실 피하기' 등과 같은 30가지 규칙을 준수하여 살아남게 된다. 그는 부모가 살아 있는지 확인하기 위해 오하이오 여행을 결정한다. 플로리다로 향하는 잔인한 좀비 킬러와 함께 차에

〈좀비랜드〉. ⓒ Columbia Pictures

동승하게 된다. 그들은 좀비에게 물린 여동생이 고통에서 벗어나고 싶어 하는 젊은 여성과 마주하게 된다. 자매는 좀비가 없다고 전해들은 매력적인 LA 공원으로 향한다.   - 버라이어티

In the early twenty-first century, zombies have taken over America.

A shy and college student in Texas has survived by following his 30 rules like 'look in the back seat' 'double-tap' 'avoid public restrooms'.

He decides to travel to Ohio to see if his parents are alive. He gets a ride with a savage, brutal zombie-killer headed for Florida and soon they confront a young woman whose sister has been bitten by a zombie and wants to be put out of her suffering. The sisters were headed to an LA park with atractions they've heard is without a zombie.

- Variety

〈좀비랜드 Zombieland〉 사운드트랙은 예상치 못한 장르와 함께 컨트리 음

악과 거친 하드 록을 혼합해서 제공하고 있다.

포스트 아포칼립스를 주제로 한 내용에 맞는 적절한 음악 배치라고 할 수 있다.

〈좀비랜드 Zombieland〉 사운드트랙은 윌리 넬슨 Willie Nelson과 같은 유유자적한 미국 레코딩 아티스트를 비롯해서 메탈리카 Metallica 및 반 헬렌 Van Halen 등이 펼쳐주는 묵직한 헤비 하드 록을 절충해서 선곡하고 있다.

좀비 아포칼립스에서 살아남은 오합지졸 무리들의 활동상이 펼쳐지는 코미디는 2009년 개봉 당시 컬트적 지위를 얻게 된다.

예상 밖의 뜨거운 호응 덕분에 10년 후 속편이 공개되는 성원을 받게 된다.

사운드트랙의 다양성은 주인공들의 서로 다른 성향을 드러내 주는 설정이 되고 있다. 일례로 탈라하시(우디 하렐슨)은 성미 급한 좀비 킬러.

반면 콜럼버스(제시 에이젠버그)는 매우 신중한 행적을 보여주고 있다.

이들 사이에 매우 전략적이고 합리적 판단을 갖고 있는 위치타(엠마 스톤)와 리틀 록(아비게일 브레슬린)이 합류한다.

〈좀비랜드〉에서 펼쳐지고 있는 아드레날린이 솟구치고 있는 액션은 클래식 록, 메탈, 뮤지컬 심포니에 이르는 다양한 장르 음악과 결합되면서 사운드트랙이 내세우고 있는 하이옥탄 음악 the high-octane music과 완벽하게 조화를 이루고 있다. 〈좀비랜드〉에서 들려오고 있는 음악은 종종 장면의 속도와 희극적 요소를 보충해 주는데 절대적 도움이 되고 있다.

앞으로 전개될 사건의 징조 역할도 해내고 있다.

32-1. 〈좀비랜드〉 사운드트랙 해설

1. Star Spangled Banner performed by John Stafford Smith and Francis Scott

콜럼버스(제시 아이젠버그)가 좀비 이후 지구에서 전개될 일상을 펼쳐 줄 인물로 주목 받는다. 그의 호기스런 모습을 보여 줄 때 애국심을 한껏 불러일으키는 미국 국가 'Star Spangled Banner'가 울려 퍼지고 있다.

2. For Whom the Bell Tolls performed by Metallica

메탈리카 Metallica가 불러 주는 노래는 영화와 쇼의 흥분된 감정을 고조시켜 주는 단골 역할을 해내고 있다.

슬래시 메탈 원조가 펼쳐 주는 노래 'For Whom the Bell Tolls'도 당연히 〈좀비랜드〉에서 가장 기억에 남을 명장면에서 활용되고 있다.

〈좀비랜드〉. ⓒ Columbia Pictures

슬로우 모션을 통해 수많은 좀비가 등장하는 오프닝 크레디트.

극도로 폭력적이지만 한편에서는 터무니없이 재미있는 서막을 장식하는 배경 음악은 바로 메탈리카가 떠맡고 있다.

3. Feels so Good performed by Chuck Mangione

콜럼버스가 몰고 있는 자동차 뒷좌석으로 일단의 좀비가 나타나고 있다.

앞으로 전개될 심상치 않는 사건을 예시해 주고 있는 장면에서 후루겔혼 연주자 Flügelhorn player 겸 트럼펫터 trumpeter 척 맨지온의 기분 좋은 연주곡 'Feels so Good'이 흘러나오고 있다.

4. No One's Gonna Love You performed by Band of Horses

콜럼버스는 수많은 여성과의 교제 관계가 모두 실패로 돌아갈 정도로 남성 매력은 없는 존재이다.

하지만 이에 굴복하지 않고 그는 이성과의 낭만적 모험을 계속 시도해 나가고 있다. 2000년대 들어서 본격 활동을 펼치고 있는 록 밴드 밴드 오브 호스 Band of Horses가 들려주는 'No One's Gonna Love You'.

콜럼버스 처지를 잔인하게 노출시켜 주는 배경 노래가 되고 있다.

5. Dueling Banjos performed by Arthur Smith

탈라하시(우디 하렐슨)는 좀비를 추적하고 사냥하는 데 있어 천부적 재능을 발휘하고 있는 인물이다. 'Dueling Banjos'가 연주되는 동안 탈라하시는 좀비를 유인하기 위해 실제 밴조를 연주하고 있다.

유인된 좀비를 밴조를 사용해서 난폭하고 잔인하게 도살(屠殺)시켜 〈좀비랜드〉에서 가장 강한 살인 장면을 만들어내고 있다.

6. Gold Guns Girls performed by Metric

위치타(엠마 스톤)와 리틀 록(에비게일 브레슬린)이 작당해서 탈라하시의 픽-업 트럭을 몰래 훔치는데 성공한다. 호기스런 표정을 지으면서 트럭을 몰고 가는 2명의 재기발랄한 여성의 모습을 보여줄 때 메트릭 Metric-1998년 캐나다 온타리오에서 결성된 4인조 록 밴드-의 음악적 특성이 담겨져 있는 록 트랙 'Gold Guns Girls'가 라디오를 통해 잠깐 들려오고 있다.

7. Everybody Wants Some performed by Van Halen

하드 록과 헤비메탈은 〈좀비랜드〉 사운드트랙의 특징을 부각시켜 주는 요소가 되고 있다. 콜럼버스와 탈라하시가 총을 가득 싣고 있는 노란색 픽-업 트럭 휴머 Hummer를 발견하게 된다. 이 장면에서 반 헬렌이 1980년 히트 시켰던 클래식 록 'Everybody Wants Some'이 배경 음악으로 깔리고 있다.

8. Puppy Love performed by Paul Anka

추억의 팝 송 'Puppy Love'는 폴 앙카가 겪은 청춘 시절의 로맨스를 노랫말로 구성했다는 곡. 〈좀비랜드〉에서 풋 사랑의 노래는 탈라하시가 키우는 강아지와 좀비가 세상을 점령하기 전에 공유했던 기억을 떠올려 주는 장면에서 흘러나오면서 아련한 분위기를 조성해 주고 있다.

9. Oh! Sweet Nuthin performed by The Velvet Underground

벨벳 언더그라운드 The Velvet Underground의 'Oh Sweet Nuthin'는 펑크 록 개척자의 이미지를 확인시켜준 히트곡이다.

팝 전문가들은 '1970년대 블루스와 컨트리 요소를 결합시킨 사운드가 일품'이라는 칭송을 보내고 있다.

이 노래는 원주민 문화 기념품을 판매하는 상점 근처를 운전할 때 갱단이 몰고 있는 자동차 안에서 흘러나오고 있다.

10. The Marriage of Figaro, K.492 performed by Wolfgang Amadeus Mozart

모차르트 작곡의 획기적인 오페라 〈피가로의 결혼 The Marriage of Figaro〉.

고전 클래식은 콜롬버스가 상점을 파괴하면서 억눌렸던 분노감을 외부로 드러내는 장면의 배경 곡으로 쓰이고 있다.

11. Blue Eyes Crying in The Rain performed by Willie Nelson

좀비들의 출현으로 무정부적인 상황이 전개된다. 이러한 무질서를 어느 정도 안정시킨 탈라시와 그 일행들은 자동차로 돌아간다. 임무 수행을 마친 이들을 반기듯이 자동차 안에서는 컨트리 가수 윌리 넬슨 Willie Nelson의 부드러운 음색이 돋보이는 'Blue Eyes Crying in The Rain'이 들려오고 있다.

12. Popular performed by Kristin Chenoweth

크리스틴 체노웨스 Kristin Chenoweth는 브로드웨이 히트작 〈위키드 Wicked〉에서 착한 마녀 그렌다 역을 통해 연기와 가창력을 인정받은 재능 꾼. 〈좀비랜드〉에서 들려오는 'Popular'는 크리스틴 체노웨스의 노래 솜씨를 엿볼 수 있는 징표가 되고 있다. 탈라하시와 리틀 록은 '한나 몬타나 Hannah Montana'와 쇼 주인공에 대해 열띤 논쟁을 벌이고 있다.

이때 이들이 타고 있는 자동차 주변에서 들려오는 노래가 바로 'Popular'이다.

13. Kingdom of Rust performed by Doves

'Kingdom of Rust'는 영국 인디 록 밴드 도브스 Doves가 2009년 4월 발매한 4번째 앨범이다. 앨범 타이틀 곡 'Kingdom of Rust'는 영국 록 차트 1위를 차지하는 성원을 받아 낸다. 이 노래는 위치타가 자동차를 몰고 캘리포니아로 떠나는 장면에서 배경 노래로 사용되고 있다.

14. Ghostbusters performed by Ray Parker Jr

중견 배우 빌 머레이 Bill Murray가 자신의 실명 그대로 출연하고 있다.

리틀 록과 콜럼버스. 그들이 거주하고 있는 맨션에서 TV를 시청하는 동안 빌 머레이의 1980년대 최고 히트 작 〈고스트버스터즈〉 동명 주제가 'Ghostbusters'가 흘러나오고 있다. 깜짝 카메오로 출연한 빌 머레이에 대한 존재감을 드러내 주기 위한 음악적 배려라고 할 수 있다.

15. (Don't Fear) The Reaper performed by Blue Öyster Cult

〈좀비랜드〉. ⓒ Columbia Pictures

탈라하시는 평소 존경하던 거물급 배우 빌 머레이를 만나 흥분한다. 탈라하시는 빌의 집으로 초대를 받아 함께 마리화나를 피우며 우애를 나누게 된다.

두 사람의 정겨운 장면의 배경 노래로 미국 록 밴드 블루 오이스터 컬트 Blue Öyster Cult의 가장 성공적인 싱글 '(Don't Fear) The Reaper'가 흘러나오고 있다.

16. I'm So Lonesome I Could Cry performed by Hank Williams

탈라하시와 리틀 록이 갑작스런 폭력적 행동을 한다. 이들은 빌 머레이 저택에 치장되어 있는 여러 장식물과 전시 장비를 무차별로 파괴시킨다.

이들의 돌발적인 행동을 부추겨 주는 배경 음악으로 행크 윌리암스의 컨트리 명곡 'I'm So Lonesome I Could Cry'가 흘러 나와 강한 인상을 남기고 있다.

17. Two of the Lucky Ones performed by The Droge and Summers Blend

콜럼버스와 위치타가 로맨스를 시작하게 된다.

두 청춘 남녀의 핑크 빛 무드는 2009년 발표됐던 소프트 록 'Two of the Lucky Ones'가 축하 노래로 선택됐다.

콜럼버스와 위치타 두 사람은 와인을 마시고 'Two of the Lucky Ones' 리듬에 맞추어 슬로우 댄스를 추면서 서로를 향한 사랑의 온도를 증폭시키고 있다.

18. Your Touch performed performed by The Black Keys

난투극이 벌어졌던 박람회장. 콜럼버스는 현장에 있던 위치타를 구출해낸다. 이어 두 사람은 블루스 록 'Your Touch'가 연주되는 동안 키스를 나누면서 본격적인 열애 모드로 몰입하게 된다.

19. Salute Your Solution performed by The Raconteurs

콜럼버스의 많은 나레이션이 영화를 장식해 나가고 있는 것도 특징이다.

이 가운데 콜럼버스는 자세한 좀비 생존 규칙을 나열하는 대신에 어떻게 새로운 친구를 사귀고 '사소한 일 the little things'을 즐기게 되었는지 언급하고 있다. 콜럼버스가 실행한 좀비 무리들과의 투쟁이 마무리 된다.

기타 리프 guitar riff가 강한 여운을 남겨주고 있는 록 트랙 'Salute Your Solution'이 클로징 크레디트를 장식해 주고 있다.

〈좀비랜드〉의 배경 음악은 데이비드 사르디 David Sardy가 작곡을 맡았다.

사르디는 2019년 속편 〈좀비랜드: 더블 트랩 Zombieland: Double Tap〉으로 복귀한다. 사르디는 영화에서 사용된 31곡에 대한 작곡을 진두지휘 한다.

그의 작곡 현황은 'Zombieland: Original Motion Picture Soundtrack'을 통해 디지털 방식으로 들을 수 있다.

33

〈좋은 친구들 The Goodfellas〉(1990), 록 밴드 롤링 스톤과 흘러간 고전 팝 명곡들

마틴 스콜세즈 감독의 〈좋은 친구들 Goodfellas〉.

이태리 가수가 불러주는 정통 칸소네, 미국 스탠다드 팝 그리고 다양한 팝 록 클래식 등으로 포장된 다채로운 사운드트랙을 들려주고 있다.

음악 선곡과 운영에서 탁월한 능력을 발휘하고 있는 영화인이 마틴 스콜세즈 Martin Scorsese.

〈좋은 친구들〉. ⓒ Warner Bros

감독의 여타 작품과 마찬가지로 〈좋은 친구들 Goodfellas〉 배경 음악은 화면 전개와 완벽하게 일치된 노래를 들려주어 화면의 광채를 더해 주고 있다는 칭송을 받아낸 바 있다. 익히 알려진 팝 록 클래식을 피처링 한 음악은 주제적 요소와 캐릭터 개성을 부각시켜 주어 관객들의 공감을 얻어낸다.

미국 갱스터 헨리 힐 Henry Hill의 경험을 기록한 작가 니콜라스 피레기 Nicholas Pileggir가 출간한 1985년 저서 〈와이즈가이 Wiseguy: Life in a Mafia Family〉를 각색했다.

영화로 선보인 〈좋은 친구들〉은 '마피아 소재 최고 영화' '마틴 스콜세즈 감독의 수작' '걸작 사운드트랙의 표본' 등의 칭송을 받아낸다.

〈좋은 친구들〉에서 힐(레이 리오타)은 마피아 동료 지미 콘웨이(로버트 드 니로) 및 토미 드비토(조 페시) 등과 함께 루치스 범죄 패밀리 the Lucchese crime family를 위해 일해 온 25년을 회고하고 있다.

하지만 그는 결코 '마피아의 정식 멤버 Made Man'가 될 수 없다는 것을 알고 있다.

순수한 이태리 혈통이 부족한 것이 결정적 결격 사유가 된다. 헨리에게 익숙해 진 호화로운 생활은 점차 폭력과 마약으로 가득 찬 삶으로 퇴색해 간다.

공식적으로 발매된 〈좋은 친구들〉 사운드트랙에는 12곡이 포함되어 있다.

그러나 영화의 엔딩 크레디트 시퀀스에는 감독이 화면 전개 과정에서 처음부터 끝까지 사용하는 전체 트랙 그룹이 나열되어 있다. 스타일리시한 캐릭터를 강조시켜 주는 결정적 사운드트랙이 다수 들려오고 있다.

〈좋은 친구들 Goodfellas〉 사운드트랙은 헨리가 '내가 기억할 수 있는 한 항상 갱스터가 되고 싶었다. As far back as I can remember, I always wanted to be a gangster'는 상징적 나레이션과 함께 토니 베넷 명곡 'Rags to Riches'가 들려오는 것으로 시작되고 있다.

로버트 드 니로가 맡고 있는 배역 지미 콘웨이가 소개될 때는 캐딜락 그룹 The Cadillacs의 'Speedo'가 흐르고 있다.

이 장면은 마틴 감독이 〈아이리시맨 The Irishman〉(2019)에서 미친 조 갈로(세바스티안 마니스칼코)를 등장시키는 장면에서 재차 원용했다고 한다.

33-1. 〈좋은 친구들〉 사운드트랙 해설

It's Not for Me to Say는 카렌(로레인 브라코)과 헨리가 첫 데이트를 시작하게 되는 장면의 배경 곡으로 선곡된다. 'Then He Kissed Me'는 코파카바나 Copacabana에서 펼쳐지는 유명한 트래킹 샷 장면에서 재생된다.

마침내 카렌과 헨리가 부부의 인연으로 맺어 질 때 결혼 축하곡으로 'Life Is But a Dream' 피처링 곡이 들려오고 있다. 빌리 배츠(프랭크 빈센트)가 성대하게 진행하는 '홈커밍 파티 homecoming party' 장면. 감독의 특별 관심으로 이 장면에서는 'He's Sure the Boy I Love'가 배치됐다고 한다.

토미 드비토(조 페시)가 빌리를 사살하려고 준비하는 장면에서 'Atlantis'는 곧 벌어질 참극을 확대시켜 주는 효과를 가져다주고 있다.

갱단 일원이 마침내 피살된 빌리의 시신을 처리하는 장면에서는 아련한 추억의 선율처럼 'Remember (Walkin in the Sand)'가 들려오고 있다.

롤링 스톤 밴드의 'Gimme Shelter'는 마틴 감독이 즐겨 차용하고 있는 록 넘버. 이 노래는 갱스터들이 코카인을 흡입하는 장면의 배경 곡으로 삽입된다.

헨리가 앓고 있는 편집증 paranoid이 더욱 심해지는 상황에서는 'Monkey Man'이 들려오고 있다. 에릭 클랩튼의 'Layla'는 마피아들로부터 희생된 시체 더미들을 몽타주로 보여주는 장면에서 선곡되고 있다.

'Jump Into the Fire'는 코카인에 중독되어 벌어지는 헨리의 현상을 여러 장면을 통해 보여질 때 사용되고 있다. 〈좋은 친구들〉 엔딩 곡으로는 펑크 록 아이콘 시드 비셔스 Sid Vicious가 프랭크 시나트라 Frank Sinatra의 명곡 'My Way'를 커버한 노래로 종결되고 있다.

〈좋은 친구들〉. ⓒ Warner Bros

33-2. <좋은 친구들 Goodfellas> 사운드트랙을 훌륭하게 만든 스콜세즈 감독의 2가지 엄격한 규칙-빌보드 분석

<좋은 친구들>. ⓒ Warner Bros

마틴 스콜세즈 감독은 항상 1950년대 발표된 록 명곡과 밴드 롤링 스톤 Rolling Stones이 발표한 곡을 주축으로 해서 훌륭한 사운드트랙을 들려주고 있는 것으로 유명세를 더하고 있다.

<좋은 친구들 Goodfellas> 사운드트랙도 감독의 음악 선곡 규칙과 크게 어긋나지 않고 있다.

눈에 띄는 변화는 무려 3곡의 롤링 스톤 밴드 노래를 활용하고 있다는 점이다.

음악 비평가들 분석에 따르면 '스콜세즈 감독은 자신의 영화에 사용할 노래를 선택할 때 2가지 엄격한 규칙을 준수하고 있다.'고 한다.

첫 번째 규칙은 시대착오를 피하는 것.

장면이 나올 때마다 백그라운드에서 재생되는 노래는 예외 없이 시대가 비슷하거나 이미 발표된 노래라는 규칙을 고수하고 있다는 점이다.

이런 배치 방식을 통해 장면에 등장하는 등장인물들이 그 노래를 알고 있었다는 전제가 제시되어 화면에 대한 충실함을 완벽하게 이루어 내고 있다는 것이다.

감독이 활용하고 있는 사운드트랙 규칙 중 두 번째는 노래가 재생되는 장면의 직접적이거나 미묘한 의미를 전달해야 한다는 것. 이것은 <좋은 친구들 Good-fellas>에서 더욱 감동적인 순간을 만들어 내고 있다.

이런 선곡 테크닉 덕분에 관객들은 백그라운드에서 재생되는 노래에서 의미를 도출할 수 있게 된다는 것이다.

곡 자체가 스토리에서 발생하는 일을 직접 설명하는 역할도 하고 있다.

감독의 이러한 독특한 규칙은 캐릭터의 실제 경험과 영화의 비디에제틱 사운드 사이에 연결 고리를 만들어 낸다는 것이다.

이런 배치는 영화 스토리를 직접 전달하고 관객이 캐릭터가 느끼고 있는 감정을 직접 경험하는 듯한 기분까지도 전파시킨다는 것이다.

감독은 종종 실생활에서 영감을 받아 음악 선곡 작업에서 원용하고 있다.

노래를 통해 시간과 장소에 대한 예리한 가이드라인을 제시하는 감각도 발휘하고 있다는 지적도 듣고 있다.

〈좋은 친구들〉은 감독의 이러한 창의적인 발상이 듬뿍 담겨져 있는 사운드트랙이라는 찬사를 받고 있다.

33-3. 〈좋은 친구들〉 사운드트랙 리스트

영화에서는 무려 43곡이 숨 가쁘게 흘러나오고 있다.

전개 장면의 깊은 여운을 남겨 주는데 일조한 트랙은 다음과 같다.

1. Rags to Riches performed by Tony Bennett
2. Can't We Be Sweethearts performed by The Cleftones
3. Hearts of Stone performed by Otis Williams and The Charms
4. Sincerely performed by The Moonglows
5. Firenze Sogna performed by Giuseppe Di Stefano
6. Speedo performed by The Cadillacs
7. Parlami d'Amore Mariù performed by Giuseppe Di Stefano
8. Stardust performed by Billy Ward's Dominoes

9. This World We Live In (Il cielo in una stanza) performed by Mina

10. Playboy performed by The Marvelettes

11. It's Not for Me to Say performed by Johnny Mathis

12. I Will Follow Him(Chariot) performed by Betty Curtis

13. Then He Kissed Me performed by The Crystals

14. Look in My Eyes performed by The Chantels

15. Roses are Red performed by Bobby Vinton

16. Life is But a Dream performed by The Harptones

17. Leader of the Pack performed by The Shangri-Las

18. Toot, Toot, Tootsie (Good Bye!) performed by Al Jolson

19. Happy Birthday to You Written by Mildred J. Hill and Patty S. Hill

20. Ain't That a Kick in the Head performed by Dean Martin

21. He's Sure the Boy I Love performed by The Crystals

22. Atlantis performed by Donovan

23. Pretend You Don't See Her performed by Jerry Vale

24. Remember (Walkin in the Sand) performed by The Shangri-Las

25. Baby I Love You performed by Aretha Franklin

26. Beyond the Sea (La Mer)

27. The Boulevard of Broken Dreams performed by Tony Bennett

28. Gimme Shelter performed by The Rolling Stones

29. Wives and Lovers performed by Jack Jones

30. Monkey Man performed by The Rolling Stones

31. Frosty the Snow Man performed by The Ronettes

32. Christmas (Baby Please Come Home) performed by Darlene Love

33. Bells of St. Mary's performed by The Drifters

34. Unchained Melody performed by Vito and The Salutations

35. Danny Boy Written by Frederick Edward Weatherly

36. Sunshine of Your Love performed by Cream

37. Layla performed by Derek & The Dominos

38. Jump into the Fire performed by Harry Nilsson

39. Memo from Turner performed by Mick Jagger

40. Magic Bus performed by The Who

41. What Is Life performed by George Harrison

42. Mannish Boy performed by Muddy Waters

43. My Way (Comme d'Habitude) performed by Sid Vicious

<주노 Juno>(2007),
다채로운 인디 음악과 성장 드라마 결합

〈주노〉. © Searchlight Pictures

엘리오트 페이지 Elliot Page를 스타덤에 올려놓은 성장 드라마 〈주노 Juno〉.

10대 임신 문제를 다룬 소재만큼이나 기발한 음악으로 가득찬 사운드트랙을 자랑하고 있다.

할리우드 리포터는 '주노는 스타 엘리오트 페이지의 경력을 시작한 대히트 인디 영화이다. 영화의 기발한 톤과 일치하는 풍부한 노래가 특징이다. 2007년 개봉된 〈주노〉는 우연한 임신으로 아기를 입양하고 싶어 하는 열성적인 가족과 연결되는 주노 맥커프라는 조숙한 10대 이야기를 들려주고 있다. Juno was a smash-hit indie that launched the career of its star Elliot Page and it features a wealth of songs that match the movie's quirky tone. Released in 2007, Juno tells the story of a precocious teen named Juno MacGuff whose accidental pregnancy lead her to connect with an eager family who wants to adopt her baperformed by.'는 리뷰를 보도한 바 있다.

영화는 매우 어렵고 민감한 주제를 건드리는 것을 두려워하지 않고 있다. 코미디와 드라마를 자연스럽게 혼합하면서 고유한 정신을 희생하지 않으면서 현실적 문제를 포착해 주고 있다.

〈주노 Juno〉의 거의 모든 장면은 기억에 남는 배경 음악으로 장식 되고 있다.

750만 달러 $ 7,500,000라는 소규모 예산을 투입했지만 예상을 뛰어 넘는 흥행 열기를 지속한다. 전 세계 누적 흥행 수익 2억 3천 2백만 달러 Gross worldwide $ 232,372,681를 초과 하는 대박급 히트작이 된다.

여세를 몰아 2008년 아카데미 어워드 작품, 여우 주연, 감독, 각본 등 4개 부문에 지명 받아 각본(디아블로 코디) 상을 수상한다.

〈주노〉 개봉 이후 대중문화가 미치는 영향은 재정적, 비판적 성공을 넘어 '2000년대 후반 힙스터 미학을 포착한 인디 영화의 물결 a wave of indie movies in the late 2000s that capture the hipster aesthetic'이 시작하는 데 주도적 역할을 하게 된다.

〈주노〉 사운드트랙에는 대중음악이 포함되어 있지 않다.

대신 주노 맥거프 성격을 반영하기 위해 모호한 아티스트들의 음악을 전면에 배치하고 있다. 기발한 어조와 전개 기법을 통해 〈주노〉 음악은 영화 성공의 지대한 공헌을 해낸다.

34-1. 〈주노〉 사운드트랙 해설

1. Once I Loved performed by Astrud Gilberto

아스트루드 질베르토 Astrud Gilberto가 들려주는 보사노바 스타일 재즈 곡 'Once I Loved'. 주노가 폴리와 성관계를 가졌던 시간을 회상하는 영화의 첫 장면을 장식해 주고 있다. 이 노래는 폴리가 방에서 주노 졸업 앨범 사진을 보는 장면에서 다시 흘러나오고 있다.

2. All I Want is You performed by Barry Louis Polisar

배리 루이스 폴리사 Barry Louis Polisar가 들려주는 경쾌한 클래식 팝 'All I Want is You'. 주노가 시그니처 오렌지 음료를 손에 들고 가게에서 집으로 걸어가는 오프닝 크레디트 장면에서 배경 음악으로 흘러나오고 있다.

3. Tire Swing performed by Kimya Dawson

인디 음악 아티스트 킴야 도슨 Kimya Dawson-1972년 11월 17일 생, 포크 싱어 송 라이터. 앤티 포크 듀오 몰디 피치스 the Moldy Peaches의 멤버로도 활동한다-이 열창해 주고 있는 'Tire Swing'. 주노가 임신 테스트를 마치고 집으로 걸어가는 장면에서 배경 노래로 들려오고 있다.

4. Besame Mucho performed by Trio Los Panchos

라틴 리듬의 정수를 담고 있는 곡이 'Besame Mucho'.

주노가 스페인어 수업 와중에 폴리 브리커 Paulie Bleeker(마이클 세라)에게 메모를 전달하는 것을 기억하는 짧은 회상 장면 flashback에서 흘러 나와 유쾌한 분위기를 조성해 주고 있다.

5. A Well Respected Man performed by The Kinks

〈주노〉와 같은 코미디 드라마는 음악을 적절하게 사용해서 극중 분위기를 고조시켜 주는 테크닉을 적극 활용하고 있다.

폴리가 아침 조깅을 위해 옷을 입고 현관에 앉아 있는 주노를 찾는 장면.

그룹 킹크스의 과거 히트곡 'A Well Respected Man'이 청춘 남녀의 돈독한 관계를 칭송해 주는데 활용되고 있다.

6. My Rollercoaster performed by Kimya Dawson

킴야 도슨의 노래가 2번째로 선곡되고 있다. 주노가 폴리에게 임신 사실을 말한다.

이어 학교 교내에서 즐겁게 자전거를 탄다.

이런 장면의 배경 노래로 'My Rollercoaster'가 흘러나오고 있다.

〈주노〉. ⓒ Searchlight Pictures

7. Reminders of Then performed by Kimya Dawson

주노가 낙태 예약을 위해 병원에 전화를 한다. 매우 중요한 장면의 배경 노래로 킴야 도슨의 'Reminders of Then'이 사용되고 있다.

부드러운 보컬로 단번에 청각을 사로잡지는 않지만 반복해서 듣게 되면 매력점이 증가되는 노래라는 해설을 듣고 있다.

8. I Like Giants performed by Kimya Dawson

주노와 레아(올리비아 설비)가 공원에 설치되어 있는 안내 광고를 바라보고 있다. 이런 장면에서 킴야 도슨의 3번째 선곡된 노래 'I Like Giants'가 배경 노래로 흘러나오고 있다.

9. Doll Parts performed by Elliot Page and Jason Bateman

주노는 마크 로링(제이슨 베이트만)의 집을 처음 방문한다.

이때 밴드 홀 Hole-1989년 LA를 근거지로 해서 결성된 얼터너티브 록 밴드 alternative rock band-이 발표해서 알려진 'Doll Parts'를 주노(엘리오트 페이지)와 마크 로링이 듀엣으로 불러주고 있다. 이를 통해 음악에 대한 관심을 교류하는 동시에 돈독한 유대감을 형성하게 된다.

10. I'm Sticking With You performed by The Velvet Underground

벨벳 언더그라운드 노래는 일단의 소년들이 트랙에서 달리기 연습을 할 때 배경 음악으로 들려오고 있다. 'I'm Sticking With You'는 극중 계절의 변화를 짐작시켜 주는 노래로도 활용되고 있다.

11. (Ummm, Oh Yeah) Dearest performed by Buddy Holly

'(Ummm, Oh Yeah) Dearest'는 버디 홀리의 초창기 록큰롤 성향이 듬뿍 담겨 있는 노래.

주노가 태아 상태를 알아보기 위해 초음파 사진을 보는 장면에서 흘러나오고 있다. 그녀가 로링의 집으로 차를 몰고 가는 동안 계속해서 들려오고 있다.

12. Why Bother performed by The Drop

주노와 마크는 초음파 사진을 보고 아기의 성별에 대해 농담을 주고받는다.

이러한 장면에서 밴드 더 드롭 The Drop의 'Why Bother'가 매우 희미하게 들려오고 있다.

13. Superstar performed by Sonic Youth

마크와 주노는 음악에 대한 해박한 상식과 관심사로 인해 깊은 유대감을 형성하게 된다.

밴드 슈퍼 소닉-1981년 뉴욕 시를 근거지로 해서 출범한 록 그룹-이 오누이 듀오 카펜터스의 명곡 'Superstar'를 커버로 발표한다.

마크는 이 커버 곡을 자신이 가장 좋아하는 노래라고 밝힌다.

14. 12/16 performed by Kimya Dawson

주노가 사전 통보 없이 불시에 폴리 집을 찾아간다.

주노는 계단에서 폴리 어머니를 목격하자 재빨리 지나간다.

이러한 장면에서 킴야 도슨의 '12/16'이 들려오고 있다.

15. Piazza, New York Catcher performed by Belle and Sebastian

영화에서 또 다른 계절의 변화가 왔음을 알려 준다. 브렌(엘리슨 제니)이 주노의 바지를 고쳐주는 장면에서 'Piazza, New York Catcher'가 흘러나오고 있다. 주노가 동료 학생들을 멍하니 쳐다보는 장면에서 계속 들려오고 있다.

16. Expectations performed by Belle and Sebastian

주노가 폴리와 말다툼을 하게 된다. 분노가 가라앉지 않은 주노가 마크를 만나러 가기 위해 자동차 안에서 화장을 한다.

이러한 장면에서 'Expectations'이 들려오고 있다. 관객들은 영화 〈주노〉에서 가장 감정적이고 기억에 남는 장면으로 꼽고 있다.

17. All the Young Dudes performed by Mott the Hoople

폴리와 말다툼을 벌인 주노. 로링 집을 찾아 간다. 그곳에서 마크로부터 CD 한 장을 건네받는다. CD에 담겨져 있는 모트 더 후플의 'All the Young Dudes'는 마크가 졸업 무도회에서 노래에 맞추어 춤을 추었던 애창 곡.

주노가 마크의 행적을 떠올릴 때 노래가 흘러나오고 있다.

18. Sleep performed by Kimya Dawson

주노가 마크와 바네사(제니퍼 가너) 집을 방문하고 되돌아온다. 주노는 집 밖에서 자라는 꽃 냄새를 맡고 잠시 자연의 소중함에 감사한 마음을 느낀다.
이러한 장면에서 킴야 도슨의 'Sleep'이 들려오고 있다.

19. Tree Hugger performed by Kimya Dawson

폴리가 집을 나서면서 주노가 남긴 쪽지를 발견하게 된다. 이어 폴리는 우편함에 내부에 들어 있는 틱-택 민트 더미 a heap of Tic-Tac mints를 발견하게 된다. 이런 장면의 배경 곡으로 귀염성 있는 멜로디라인이 청각을 자극시켜 주고 있는 'Tree Hugger'가 흘러나오고 있다.

20. So Nice So Smart performed by Kimya Dawson

폴리와 주노가 의견 차이로 싸움을 벌인다. 주노는 화장을 한다. 거리에서 만난 두 사람은 언제 다투었냐는 듯이 키스를 나눈다. 주노가 드디어 분만(分娩)하게 된다. 이런 정경을 보여주는 장면에서 배경 곡으로 'So Nice So Smart'가 계속해서 들려오고 있다.

21. Anyone Else But You performed by The Moldy Peaches

주노가 출산하는 장면.
소식을 듣게 된 폴리는 미팅을 서둘러 마치고 병원으로 달려온다.
이런 정경을 보여주는 장면에서 들려오는 곡이 인디 팝 클래식으로 각광 받은 'Anyone Else But You'이다. 노래를 연주해 주고 있는 밴드 '몰디 피치스 The

Moldy Peaches'는 〈주노〉 사운드트랙을 통해 다채로운 음악 특성을 들려주었던 킴야 도슨이 작곡한 노래이다.

그녀가 참여하고 있는 인디 밴드가 바로 '몰디 피치스'이다.

'Anyone Else But You'는 라스트에서 폴리와 주노가 듀엣으로 불러 주는 노래로 다시 들려오고 있다.

22. Sea of Love performed by Cat Power

폴리가 병원에서 주노와 갓 태어 난 아기와 첫 대면을 하게 된다.

주노의 가장 사랑스런 모습으로 꼽히고 있다. 이런 장면의 배경 곡으로 팝 클래식으로 각광 받고 있는 'Sea of Love'가 선곡되고 있다.

〈주노〉에서는 캣 파워 Cat Power 버전이 선택됐다.

캣 파워는 1992년부터 활동해 오고 있는 싱어 송 라이터 겸 모델. 인디 록 Indie rock, 포크 록 folk rock, 일렉트릭 블루스 electric blues, 얼터너티브 록 alternative rock 장르에서 꾸준한 활동을 지속해 오고 있는 뮤지션이다.

23. Loose Lips performed by Kimya Dawson

라스트 크레디트 장면에서 흘러나오고 있는 매우 경쾌한 분위기의 노래가 'Loose Lips'이다.

24. Vampire performed by Antsy Pants

그룹 앤시 팬츠 Antsy Pants는 킴야 도슨과 팀웍을 이뤄 음악 활동을 해오고 있는 팀. 2006년 앨범 'Antsy Pants'를 출반한 바 있다.

트랙 'Vampire'는 엔딩 크레디트를 장식해 주고 있는 노래 중 한 곡이다.

풍성한 인디 팝 퍼레이드가 펼쳐지고 있는 〈주노〉 사운드트랙은 여러 가지 형식의 앨범이 발매된다.

첫 번째는 'Juno Music From the Motion Picture'.

두 번째 앨범으로는 'Juno B-Sides: Almost Adopted Songs'이 발매된다.

앞서 2장의 앨범을 한 장으로 묶은 'the Juno Deluxe Edition Soundtrack'
이 발매된다. 이들 앨범은 모두 2008년에 출반됐다.

〈주노〉. ⓒ Searchlight Pictures

⟨탑 건: 매버릭 Top Gun: Maverick⟩ (2022) 전편 히트 음악과 레이디 가가 신곡 선보여

⟨탑 건⟩과 마찬가지로 후속작 ⟨탑 건: 매버릭 Top Gun: Maverick⟩에는 영화를 위해 작곡된 오리지널 팝 발라드를 비롯해 레이기 가가의 신곡 등 흥행 포인트를 높이기 위한 음악적 작업이 진행됐다.

⟨탑 건: 매버릭⟩. © Paramount Pictures

⟨탑 건⟩(1986) 이후 무려 36년 만에 공개된 속편 ⟨탑 건: 매버릭⟩. 극장가에서 공개 직후 탐 크루즈의 실존을 방불케 하는 전투 비행기의 공중 비행에 어울리는 완벽한 배경 음악이 찬사를 불러 일으켰다.

⟨탑 건: 매버릭⟩ 대부분의 배경 음악은 전문 작곡가 한스 짐머 Hans Zimmer 와 팝 가수 레이디 가가 Lady Gaga가 지대한 공헌을 했다.

전편에서 기량을 발휘했던 해롤드 팔터마이어 Harold Faltermeyer 작곡의 'Top Gun Anthem'이 재차 사용돼 뛰어난 배경 음악의 효과를 반추시켜 준다.

이 외 다수 팝송은 매버릭의 과거 경력을 설명해 주는 분위기 역할을 해내고 있다. ⟨탑 건: 매버릭⟩은 앞서 언급했듯이 팝 디바 레이디 가가 Lady Gaga의 공헌이 눈에 띄고 있다.

가가는 영화를 위해 특별히 취입한 팝 발라드를 포함하여 새로운 노래를 들려

주면서 전체적인 음악 수준을 향상시켜 주는데 기여하고 있다.

음악 비평가들은 '매버릭 캐릭터를 21세기 흥행 시장에서 부활시키는 데는 〈탑 건: 매버릭〉의 신곡과 인기를 얻었던 옛 노래를 흥미롭게 혼합한 음악 운용법도 효과를 발휘했다.'고 지적해 주고 있다.

레이디 가가가 불러준 'Hold My Hand'는 수상에는 실패했지만 아카데미 주제가상 후보로 지명 받는다.

반면 신작에서 펼쳐준 박력 있는 음향은 아카데미 사운드 상을 수여 받으면서 인정받는다.

35-1. 〈탑 건: 매버릭〉 사운드트랙 해설

1. Danger Zone performed by Kenny Loggins

전편 〈탑 건〉 중 최고의 노래로 칭송 받고 있는 노래가 케니 로긴스 Kenny Loggins의 'Danger Zone'이다.

〈탑 건: 매버릭〉에서도 전작과 마찬가지로 1급 전투 비행 조종사들이 해상에서 운항 중인 대형 함대에 이, 착륙하는 위엄 있는 장면에서 흘러나오고 있다.

전편에서는 여러 번 반복되고 있지만 후속편에서는 거대한 항공모함에 착륙하는 해군 전투기들의 몽타주 장면에서만 사용되고 있다.

노래가 흘러나오는 가운데 매버릭은 탑 건 학교로 귀환하고 있다.

2. Great Balls of Fire performed by Jerry Lee Lewis

록큰롤 초창기를 주도했던 제리 리 루이스의 명곡 'Great Balls of Fire'.

브래들리 루스터 브래드쇼(마일즈 텔러)가 영화 초반에 술집에서 동료 조종사들에게 둘러 싸여 노래 솜씨를 과시하기 위해 불러주고 있다.

〈탑 건〉에서 이 노래는 매버릭의 절친한 동료인 루스터 아버지 구즈 브래드쇼가 더블 데이트를 하는 와중에 레스토랑에서 불러 준 바 있다.

동일한 노래를 후속편에서 다시 사용한 것은 아버지 구즈와 매버릭의 돈독한 관계가 이제 매버릭과 구즈 아들로 이어지고 있다는 것을 상징하는 선곡으로 풀이 받았다.

3. I Ain't Worried performed by OneRepublic

'I Ain't Worried'는 가장 흥겨운 노래 중 한 곡이다.

매버릭이 주최한 비치 풋볼 경기.

탑 건 제자들이 한 치 양보 없이 치열한 승부욕을 드러내고 있다. 〈탑 건〉에서 보여주었던 악명 높은 배구 시합 장면을 떠올려 주는 장면이 되고 있다.

〈탑 건: 매버릭〉. © Paramount Pictures

4. Hold My Hand performed by Lady Gaga

〈탑 건: 매버릭〉에서 가장 많은 주목을 받았던 노래가 가가의 'Hold My Hand'이다. 매버릭이 항공 학교 제자들을 대상으로 한 훈련을 무사히 마치고 연인 페니(제니퍼 코넬리)의 집을 찾아가는 과정에서 흘러나오고 있다.

속편의 사랑의 테마 역할을 해내고 있다.

샤우팅 창법으로 불러 주고 있는 것이 특징. 노래는 매버릭이 펼쳐 주는 사연에 대해 관객들이 공감할 수 있는 분위기를 조성해 주었다는 칭송을 받는다.

36-2. 이야기 핵심을 담아 준 <탑 건 2> 노래

빌보드는 '<탑 건: 매버릭>에서 가장 큰 경의를 표한 <탑 건> 노래는 제리 리 루이스의 'Great Balls of Fire'이다.

속편 영화 핵심은 구즈 죽음의 지속적인 영향이다. 이런 이유 때문에 수년 전 더블데이트에서 연주되었던 노래를 구스 아들이 부르는 것은 적절했다는 평.

이 노래는 <탑 건>에서는 구즈와 매버릭 사이가 선의의 경쟁을 벌인 동료라는 것을 설득력 있게 설정해준 곡이기도 하다. 이런 관계 때문에 '노래가 아들로 열기의 횟불을 넘기는 데 사용되는 것은 자연스러운 일이다.'라는 해석을 받는다.

할리우드 리포터는 이런 설정에 대해 '이것은 <탑 건>에서 그의 죽음이 영화에 걸려 있음을 관객에게 상기시켜 매버릭 행동과 반응에 동기를 부여하는 효과적인 도구가 되고 있다. 배경 연주 음악은 <탑 건: 매버릭>이 향수를 불러일으키는 것을 막는 데 도움이 되고 있다. 하지만 이 노래를 포함시키면 영화의 핵심인 구즈 죽음이 무엇인지 상기시켜주고 사실상 루스터에게 유산을 물려주는 셈이다. It's an effective tool to bring Goose's death from Top Gun back into the picture to remind audiences that his demise hangs over the movie motivating Maverick's actions and reactions. The score helps stop Top Gun: Maverick from being a nostalgia grab. However including the song reminds audiences of what is at the core of the movie which is Goose's death and effectively hands the legacy over to Rooster.'는 풀이를 제시했다.

<탑 건>에서는 그룹 베를린이 불러 주었던 사랑의 테마 'Take My Breath Away'가 아카데미 주제가 상을 수여 받은 바 있다.

여세를 몰아 〈탑 건: 매버릭〉은 2023년 아카데미에서 주제가 상을 놓고 〈블랙 팬서: 와칸다 포에버 Black Panther: Wakanda Forever〉의 'Lift Me Up', 〈에브리씽 에브리훼어 올 앳 원스 Everything Everywhere All at Once〉의 'This Is a Life', 〈텔 잇 라이크 어 우먼 Tell It Like a Woman〉의 'Applause' 등과 치열한 경합을 벌였다.

하지만 최종 수상 노래는 예상을 깨고 인도 영화 〈RRR :Rise Roar Revolt〉에서 M.M. 키라바니+찬드라보스 듀엣 곡 'Naatu Naatu'가 트로피를 가져갔다.

35-3. Track listings

1. Danger Zone From Top Gun(1986) Original Soundtrack performed by Kenny Loggins
2. Your Cheatin Heart performed by Hank Williams
3. Let's Dance performed by David Bowie
4. Bang a Gong (Get It On) performed by T. Rex
5. Tramp performed by Otis Redding & Carla Thomas
6. Slow Ride performed by Foghat
7. Great Balls of Fire performed by Miles Teller & the Cast
8. Won't Get Fooled Again performed by The Who
9. I Ain't Worried performed by One Republic
10. Viper Comes Down on Mav From the motion picture Top Gun (1986) performed by Harold Faltermeyer
11. Taps performed by Jacob Anderson
12. Hold My Hand performed by Lady Gaga

<테드 래소 Ted Lasso>(2020), 부모 이혼에 상처 받은 헨리 삶의 나침반 역할해준 비틀즈 'Hey Jude'

〈테드 래소〉. ⓒ Universal Television

록 밴드 비틀즈의 노래 'Hey Jude'는 〈테드 래소 Ted Lasso〉 시즌 3, 에피소드 8에 완벽하게 들어맞는 효과를 거두고 있다. 주인공 헨리에게 가장 필요할 때 중요한 교훈을 가르쳐 주는 노랫말로 인용되고 있는 것이다. 'Hey Jude'는 특별한 의미를 담고 〈테드 래소 Ted Lasso〉 시즌 3에서 들려오고 있다.

〈테드 래소 Ted Lasso〉는 2020년 TV 브라운 관으로 방영된 이후 Apple TV Plus에서 큰 성공을 거둔 미니 시리즈로 시청자들을 사로잡고 있는 프로그램이다.

이전 에피소드에서도 비틀즈 노래에 대한 언급이 있었다.

〈테드 래소 Ted Lasso〉 첫 번째 에피소드로 돌아가서 테드는 레베카를 만났을 때 항상 'Abbey Road'를 보고 싶다는 말을 한다.

'Abbey Road'는 비틀즈의 가장 성공적인 앨범 타이틀이다.

밴드 구성원 4명이 길을 건너가는 상징적인 앨범 표지 사진을 촬영한 장소이다.

비틀즈 The Beatles 싱글 'Hey Jude'는 공식 LP로는 출반되지 않았다.

하지만 'The White Album' 세션 중에 작곡 및 녹음 된 것으로 알려졌다.

이 노래는 나중에 비틀즈가 해체된 지 3년 후에 나온 일반적으로 'The Blue

Album'이라고 불리는 1967년부터 1970년까지 그들의 음악의 컴필레이션 앨범 수록곡으로 출반된다. 50년이 지난 후에도 비틀즈 힘과 영향력은 여전히 현대 문화와 엔터테인먼트를 통해 발휘되고 있다.

'Hey Jude'는 〈테드 래소 Ted Lasso〉 시즌 3. 에피소드 8, 'We'll Never Have Paris'에 포함된 것은 완벽한 선택이었다는 호평을 듣고 있다.

가사 의미가 테드 아들 헨리가 부모의 이혼을 다루는 상황에 정확하게 적용되었기 때문이다.

36-1. 비틀즈 'Hey Jude' 작곡 일화

'Hey Jude'는 폴 맥카트니 Paul McCartney가 존 레논 John Lennon 아들 줄리안 Julian을 위해 작사한 곡으로 알려졌다.

폴은 노래를 쓸 때 처음에 'Jules'라는 이름을 사용했다.

하지만 'Jude'가 더 적합하고 발음도 좋다고 결정해 제목을 변경하게 된다.

당시 레논과 아내 신시아 파월은 이혼 했다. 폴은 아직 어린 줄리안이 겪을 마음의 상처를 짐작하고 몹시 안타까워했다고 한다.

레논은 요노 요코 Yoko Ono와 새로운 교제를 위해 줄리안 생모 신시아와 결별을 한 것이다. 이러한 존 레논의 개인 생활은 밴드 멤버들과 많은 마찰과 혼란을 일으키는 요소가 된다.

폴은 이혼한 아이들에 대해 깊은 동정심을 갖고 있었다. 슬프고 힘든 전환기 동안 희망을 잃지 않도록 줄리안을 위한 노래를 썼다고 한다.

극중 베어드 Beard 코치는 〈테드 래소 Ted Lasso〉에서 헨리에게 노래의 의미를 설명하기 위해 기회를 잡는다. 노래 속 폴의 가사에서 알 수 있듯이 헨리가 희망을 가질 수 있도록 격려를 해주는 중요한 교훈 역할을 하는 것이다.

'Hey Jude' 라이브 공연을 포함함으로써 테드 래소 Ted Lasso 는 헨리에게 친밀하고 강력한 순간을 만들어주게 된다.

헨리는 처음 가사를 듣고 자신을 위한 노래이기도 하다는 것을 깨닫게 된다. 헨리는 'Jude'가 실존 인물 줄리안이며 자신도 부모

〈테드 래소〉. ⓒ Universal Television

사이의 결별로 인해 어려운 상황에도 불구하고 정신을 차리려고 노력해야 한다는 것을 깨닫게 된다.

36-2. 〈테드 래서 시즌 3 Ted Lasso Season 3〉에서 누가 'Hey Jude'를 부르고 있나?

알렉 바가스 Alex Vargas는 〈테드 래소 Ted Lasso〉에서 어쿠스틱 기타로 'Hey Jude'를 노래하고 연주하고 있다.

바가스 Vargas는 영국 밴드 배가본드 Vagabond를 결성한 덴마크 가수이다.

바가스는 〈테드 래소〉 시즌 3에서 카메오 출연을 요청받기 전 첫 두 시즌의 팬이었다고 한다. 아울러 비틀즈에 대한 광적인 팬이기도 하다.

바가스는 또한 'The Crown and Anchor on Ted Lasso'라는 가상의 펍으로 알려진 영국 런던 리치몬드의 '프린스 헤드 The Prince's Head'에서 라이브 공연을 한 전력을 갖고 있다. 바가스의 'Hey Jude' 연주는 그가 발매한 앨범 'Big, Big Machine'에 수록된다.

그의 노래는 'Apple Music'에서 스트리밍으로 감상해 볼 수 있다.

'Hey Jude'는 〈테드 래소〉에 대한 전반적인 드라마 수준을 격상시켜 주는 동시에 극중 캐릭터 행적에 대한 공감을 불러일으키는데 최적의 역할을 해냈다는 찬사를 받는다.

베어드 코치가 헨리에게 진심 어린 메시지로 시작한 것은 테드가 아들과 함께 노래를 부르기 위해 다시 달려가는 즐거운 합창으로 마무리 된다.

이런 설정은 테드 래소를 정의하는 많은 부드러운 순간 중 하나로 각인 된다.

슬픈 노래지만 인용해서 더 좋은 분위기로 만들어 달라는 강력한 알림 역할을 하게 된다.

'Hey Jude'의 고무적인 가사는 헨리에게 자신이 혼자가 아니라는 것을 깨우쳐 주게 된다. 낙심하지 않으면 현재의 암울한 상황이 나아질 것임을 상기시켜 준다. 테드 래소 Ted Lasso 장면을 매우 바람직하게 변화시키는 계기도 전달해 주고 있는 것이다.

36-3. 'Hey Jude'에 대한 음악적 평가?

'Hey Jude'는 1968년 8월 26일 영국에서 앨범이 아닌 싱글로 발매된 노래이다.

이 싱글은 Apple 레코드 레이블에서 비틀즈가 처음으로 발매한 곡이자 Apple 아티스트 명단의 'First Four' 싱글 중 한 곡으로 기록되고 있다.

'Hey Jude'는 전 세계 여러 국가에서 1위를 차지한다.

빌보드 싱글 핫 100에서는 9주 동안 1위를 차지한다.

이 기록은 1968년 미국 차트 1위 최장기 기록과 동률을 이루게 된다.

이 기록은 9년 동안 유지된다. 노래는 누적 800만 장이 판매된다.

서구 음악 비평가들은 '비틀즈 역대 최고의 노래 목록'에 단골로 추천하고 있다.

가사는 슬픈 상황에 대한 긍정적인 시각을 옹호하는 동시에 'Jude'가 사랑을 찾을 수 있는 기회를 찾을 수 있도록 격려하고 있다. 4절 이후 노래는 4분 이상 지속되는 후렴구 'Na-na-na na'가 포함된 코다로 전환되고 있다.

7분이 넘는 길이의 'Hey Jude'는 발매 당시 영국 차트에서 1위를 차지한 가장 긴 싱글로 기록된다.

맥카트니는 1980년 레논이 살해된 이후 계속해서 'Hey Jude'를 콘서트에서 공연하며 청중들이 코다를 부르도록 이끌어 낸 것으로 유명하다.

폴 맥카트니는 1997년 빌보드와 진행한 인터뷰를 통해 '나는 Hey Jules라는 아이디어로 시작했다. 줄리안을 나쁘게 만들지 말고 슬픈 노래를 가져와 더 좋게 만들었다. 이봐! 이 끔찍한 일을 처리해 봐. 나는 그것이 그에게 쉽지 않을 것이라는 것을 알고 있었다. 이혼한 아이들은 항상 안타깝죠. I started with the idea Hey Jules which was Julian, don't make it bad take a sad song and make it better. Hey, try and deal with this terrible thing. I knew it was not going to be easy for him. I always feel sorry for kids in divorces.'라고 작곡 후일담을 공개한다.

<파이트 클럽 Fight Club>(1999), 기이한 스토리에 부합하는 신세사이저와 일렉트로닉 팝 사운드 배치

37

뛰어난 영상파 감독으로 알려진 데이비드 핀처 David Fincher.

심사숙고해서 배경 음악을 직접 선곡하는 것으로도 유명하다.

〈파이트 클럽〉에서도 독특한 스토리 구성의 감흥을 증폭시켜 주기 위해 화면 구성에 적절한 음악 배치를 위해 많은 고심을 했다는 후일담이 전해지고 있다.

〈파이트 클럽〉. ⓒ Fox 2000 Pictures, New Regency Productions, Linson Films

〈파이트 클럽〉 사운드트랙은 발매 당시 '다른 곳에서는 찾을 수 없는 인기 있는 노래와 완전히 독창적인 노래의 이상한 조합'을 담고 있는 앨범으로 주목을 받아낸다. 에드워드 노튼과 브래드 피트가 콤비로 출연하고 있는 영화는 액션, 스릴러, 미스터리 요소를 결합시키고 있다.

호화 저택과 풍족한 환경을 누리고 있는 자동차 리콜 심사관 잭(에드워드 노튼). 여유로운 주변 상황과는 달리 그는 늘상 공허함에 시달리고 있다.

어느 날 거친 태도를 갖고 있는 테일러 더든(브래드 피트)을 만나 호기심을 느끼게 된다. 어느 날, '싸워 봐야 당신 자신을 알게 된다.'라는 테일러 더든의 말에 의기투합 한다. 마침내 두 사람은 비밀 조직 '파이트 클럽'을 결성한다.

이들의 목표는 '폭력으로 세상에 저항하는 거대한 집단'을 표방한다.

'파이트 클럽'이 거대해져 가면서 잭과 테일러 더든 사이의 갈등도 깊어져 간다.

대체적으로 어둡고 음산한 스토리 전개에 반기를 들 듯 배경 음악은 경쾌한 멜로디가 다수 흘러나와 은은한 미소를 짓게 만들어 주고 있다.

⟨파이트 클럽⟩ 배경 음악을 위해 뮤직비디오로 시작해 음악 현장에서 다년간 경험을 축적했던 핀처는 여러 구상을 진행시켰다고 한다.

애초 록 밴드 라디오헤드에게 음반 프로듀서를 의뢰한다.

하지만 리더 톰 요크와 밴드는 앨범 'OK Computer' 발매를 기념하는 순회 공연 중이여서 스케줄이 맞지 않았다. 핀처 감독은 일렉트로닉 프로덕션 듀오 더스트 브라더스(Dust Brothers)를 초빙해서 신세사이저, 일렉트로 팝 사운드 스케이프로 배경 음악을 만들기로 구상한다. 화면 곳곳을 통해 다양한 아티스트 노래를 산재시켜 때로는 각 각 몇 초 동안만 들려오고 있다.

다채로운 선곡 방식이 ⟨파이트 클럽⟩ 사운드트랙의 특징이 된다.

핀처 감독이 일관되게 추진해 오고 있는 사운드트랙 선곡 작업 요점은 '요점은 널리 알려진 히트곡으로 채우는 것이 아니라 낯선 음악이라고 해도 관객들이 잠시 멈추고 감상할 수 있는 기회를 제공하는 것'에 초점을 맞추고 있다.

37-1. ⟨파이트 클럽⟩ 사운드트랙 해설

1. Coffee Store performed by Zak Rolfe Kent

⟨파이트 클럽⟩에서 나레이션(에드워드 노튼)이 스타 벅스 커피를 홀짝이며 헤어 제품 광고를 보는 동안 잠시 흘러나오고 있다.

2. Svarga performed by Vas

나레이터가 훔친 옷을 팔려고 하는 마라(헬레나 본햄 카터)의 뒤를 쫓는다.

이때 전당포에 설치된 스피커를 통해 들려오는 노래이다.

3. Girl from Ypsilanti performed by Daniel May

나레이터가 호텔 방 TV를 통해 '호텔 홍보 영상'을 시청하는 동안 배경 노래로 'Girl from Ypsilanti'가 잠시 흘러나오고 있다.

'우리 호텔에 온 것을 환영합니다.'라고 외치는 호텔 직원의 활기찬 음성은 짧게 들려오는 노래보다도 더욱 강한 인상을 남긴다.

4. Cafeteria performed by Cezame Argile

나레이터가 공항 보안 요원이 그의 여행 가방을 수색할 때 무슨 문제가 있느냐고 반문한다. 이러한 장면에서 공항 스피커를 통해 'Cafeteria'가 들려오고 있다.

이어 공항 내 헬프 데스크나 서비스 라인에서 민원 해결을 위해 오래 기다렸던 탑승객들은 이번에는 느리게 운행되는 엘리베이터 때문에 짜증 지수가 높아져 가는 장면이 이어진다.

5. Smoke Stack performed by Junk Ferry

나레이터가 거주하고 있는 아파트에서 폭발 사고가 발생한다.

그는 클럽 바에서 타일러 더덴 Tyler Durden을 처음 만나게 된다.

이런 장면에서 클럽 안 스피커에서는 'Smoke Stack'이 흘러나오고 있다.

6. Forbidden To Love performed by Guy Moon

나레이터는 타일러에게 영사 기사로 일하는 방법을 설명하고 있다.

이어 아동용 카툰이 보여 지는 장면에서 'Forbidden to Love'가 흐르고 있다.

7. Splendid and 4M15 performed by Kenneth Baperformed by face Edmonds

레스토랑을 찾은 타일러는 버섯 크림 수프 the Cream of Mushroom soup 를 떠먹으면서 심적 위안을 얻게 된다.

이러한 장면에서 매우 짧게 집중하지 않으면 놓쳐 버리듯이 잠깐 들려오고 있는 노래가 'Splendid and 4M15'이다.

〈파이트 클럽〉. ⓒ Fox 2000 Pictures, New Regency Productions, Linson Films

8. Goin Out West performed by Tom Waits

타일러, 나레이터 그리고 클럽 멤버가 첫 번째 '파이트 클럽' 시합을 위해 클럽 지하로 내려간다.

이때 클럽 안 주크박스 jukebox에서는 'Goin Out West'가 흘러나오고 있다.

9. No Love, No Nothin performed by Marlene Dietrich

마라(헬레나 본햄 카터) 아파트.

마약의 일종인 '자낵스 Xanax'를 다량 복용한다.

처음으로 나레이터에게 전화를 걸어 그가 와달라고 상냥한 말투로 이야기 한다.

이러한 장면에서 경쾌한 왈츠 발라드 분위기의 노래 'No Love, No Nothin'이 흘러나오고 있다.

노래를 불러 주는 히로인은 1930년대 노래하는 연기자로 한 시대를 풍미했던 독일 출신 미녀 배우 마리네 디트리히다.

10. Theme from Valley of The Dolls performed by Helena Bonham Carter, Dory and Andre Previn

마라는 타일러 집에서 머물고 있다.

이러는 동안 타일러/ 나레이터와 3각 동거를 하게 된다.

나레이터는 분란의 요소가 되고 있는 마라에게 집에서 나가 달라고 요구한다.

마라는 집에서 쫓겨 나가면서 'Theme from Valley of The Dolls' 몇 소절을 흥얼거린다. 나레이터를 혼란스럽게 하겠다는 의도를 담고.

11. Easy, Smack It Up performed by The Odditorium

타일러 집으로 첫 번째 파이트 클럽 멤버들이 집결해 있다. 거처 공간으로 나레이터가 들어가는 장면에서 'Easy, Smack It Up'이 흘러나오고 있다.

12. KDFW News Theme performed by Stephen Arnold

성격파 배우 자레드 레토 Jared Leto가 합류하고 있는 파이트 클럽 회원.

이들이 뉴스 프로그램을 시청하고 있을 때 나레이터가 그 방으로 합류하게 된다. 그리고 구체화 하고 있는 폭력 시합 'Project Mayhem'에 대해 언급하고 있을 때 'KDFW News Theme'이 들려오고 있다.

13. Tzingany Waltz performed by George Fenton and John Leach

나레이터가 마라와 레스토랑에서 만났을 때 자신이 '해리 성 정체성 장애 dissociative identity disorder'가 있다고 고백한다.

이러한 분위기에서 들려오는 노래가 분위기 있는 'Tzingany Waltz'이다.

영화 공개 이후 '나레이터가 해리성 정체성 장애에 대한 잘못된 설명을 하는 바람이 이들 환자들을 기이한 존재로 낙인찍는 오해를 불러 일으켰다.'는 항의를 받게 된다.

14. Where is My Mind? performed by Pixies

〈파이트 클럽〉 사운드트랙 마지막 곡이 'Where is My Mind'. 나레이터는 파이트 클럽이 잠시나마 자신의 삶을 지배했었다는 것을 깨닫게 된다.

영화 주제를 요약하는 장면에서 흘러나오는 노래가 'Where is My Mind'이다. 나레이터는 마침내 여러 갈등이 있었던 마라와 극적으로 화해를 하게 된다. 그룹 피시스의 노래 'Where is My Mind?'는 영화 마지막을 장식해 주고 있다. 이때 나레이터의 '내 인생에서 매우 이상한 시간에 당신을 만났다. You've met me at a very strange time in my life.'라는 유명한 대사가 들려오고 있다.

노래 외에 전체 사운드트랙 배경 음악 작곡은 더스티 브라더스 The Dust Brother가 맡았다.

〈파이트 클럽〉. ⓒ Fox 2000 Pictures, New Regency Productions, Linson Films

<포레스트 검프 Forrest Gump> (1994), 약 50여 곡에 달하는 풍성한 록큰롤 향연 펼쳐 주어

<포레스트 검프>는 영화 제목과 같은 이름을 갖고 있는 한 남자의 인생 사건을 따라가고 있다. 검프는 평생 동안 많은 시련에 직면하고 있다.

하지만 그 어떤 것도 그의 행복을 방해하지 못한다. 다리에 교정기를 착용하는 것부터 평균 이하의 IQ를 갖고 있다. 심지어 총에 맞기까지 한다.

〈포레스트 검프〉. ⓒ Paramount Pictures, The Steve Tisch Company, Wendy Finerman Productions

그렇지만 검프는 계속해서 좋은 일이 일어날 것이라고 믿고 꿈을 쫓고 있다

The movie Forrest Gump follows the life events of a man who shares the name as the title of the film. Gump faces many tribulations throughout his life but he never lets any of them interfere with his happiness. From wearing braces on his legs to having a below average IQ and even being shot, Gump continues to believe that good things will happen and goes after his dreams.

검프의 인생에서 이상적이지 않은 몇 가지 일이 발생한다. 그는 마침내 난관을 풀게 된다.

이때 대부분의 다른 사람들보다 더 빨리 달릴 수 있다는 것을 발견하게 된다. 이와 같이 각각의 좌절을 그에게 좋은 것으로 바꾸는 데 성공하게 된다.

While several less than ideal things occur during Gump's life.

he manages to turn each setback into something good for him such as when he finally gets his braces off he discovers that he is capable of running faster than most other people.

이런 기량을 통해 검프는 어린 시절 그린바우에서 괴롭힘을 당했지만 축구 장학금을 받고 많은 군인의 생명을 구하게 된다.

이러한 능력으로 유명해 지게 된다.

This skill allows Gump to not only escape his bullies while he is a child in Greenbow but also to gain a football scholarship, save many soldiers lives and become famous for his ability.

검프는 결국 영화 전반에 걸쳐 그가 바라는 대부분의 일을 성취하게 된다. 그렇지만 평생 친구 제니 커란의 마음을 얻는 것은 훨씬 더 어려운 일임이 입증 된다.

While Gump eventually achieves the majority of the things he hoped to throughout the movie. it proved a much more difficult task to win the heart of his life-long friend Jenny Curran.

영화는 포레스트 검프와 그의 생애 동안 발생하는 사건을 중심으로 하고 있다. 그러나 그의 생애의 각 기간 동안 그는 제니를 회상하고 그녀가 그에게 얼마나 중요한지 생각하게 된다.

The movie is centered on Forrest Gump and the incidences that occur during his life but during each period in his lifetime he thinks back of Jenny and how important she is to him.

두 명의 등장인물은 함께 성장하고 매우 친밀한 우정을 공유하게 된다. 그러나 영화가 진행됨에 따라 서로 멀어지게 된다.

Although the two characters grew up together and shared a very close friendship as the movie progresses they grow apart.

이것은 인생에서 험난한 출발을 한 소녀를 대단히 아끼는 검프를 화나게 한다. 두 사람은 항상 워싱턴 D.C의 반사 연못에서 만나는 것과 같은 특별한 방식으로 서로의 삶으로 돌아가는 것 같다.

This upsets Gump who cares immensely for the girl who had a rough start in life, and it seems the two always end up back in each other's lives often in extraordinary ways like meeting in the Reflection Pond in D.C.

검프가 영화 주인공임에도 불구하고 커란 이야기와 그녀가 직면한 고난에 대해 비슷하게 이야기 하고 있다.   - 할리우드 리포터

Even though Gump is the main character of the film, it similarly tells the story of Curran and the hardships she faces. - Hollywood Reporter

1990년대 흥행 가를 강타한 〈포레스트 검프 Forrest Gump〉 사운드트랙에는 엘비스 프레슬리 Elvis Presley를 필두로 해서 아레사 프랭클린 Aretha Franklin, CCR(Creedence Clearwater Revival〉에 이르기까지 다양한 아티스트들의 음악이 푸짐하게 들려오고 있다.

영화는 20세기 미국 역사를 여행하는 알라바마 출신의 따뜻한 남자 주인공 포레스트 검프의 인생 여정을 연대기로 기록하고 있다. 여행 내내 검프는 베트남 전쟁에 참전하고 케네디, 닉슨 등 미국 미국 대통령을 만난다.

지상에서 애플 Apple에 자금 투자를 한다. 그리고 닉슨의 정치 하야를 불러

온 워터게이트 도청 사건을 폭로하는 배후 인물로 묘사되고 있다.

시종 내내 격변의 미국 근대사를 헤쳐 나가고 있는 검프.

그가 몸소 체험하는 변화하는 시대를 반영하기 위해 시대 배경에 맞는 풍성한 사운드트랙이 들려오고 있다.

〈포레스트 검프〉. ⓒ Paramount Pictures, The Steve Tisch Company, Wendy Finerman Productions

〈포레스트 검프〉 사운드트랙의 일부 노래는 지미 헨드릭스 Jimi Hendrix 및 버팔로 스프링필드 Buffalo Springfield 등의 노래들이 베트남 전쟁 장면의 시간을 설정하는 역할을 해내고 있다.

반면 엘비스 프레슬리 등이 불러 주는 히트 곡들은 포레스트 검프가 엘비스가 시도했던 요란한 골반 춤 동작에 깊은 호기심을 드러내는 등 스토리 상황을 강조시켜 주는데 중요한 기여를 하고 있다.

〈포레스트 검프〉의 상영 시간은 2시간 22분에 달하고 있다.

이러한 상영 시간 동안 검프가 겪어 나가는 수십 년의 세월을 다양한 사운드트랙을 들려주면서 적절하게 묘사해 주고 있다.

38-1. <포레스트 검프> 사운드트랙 해설

1. Lovesick Blues performed by Hank Williams

어린 포레스트가 착용하고 있는 다리 보호대가 길가에 설치 된 하수도 창살에 끼게 된다. 이러한 장면에서 배경 곡으로 흘러나오고 있다.

2. Hound Dog performed by Elvis Presley

록큰롤 황제의 대표적 히트곡과 함께 펼쳐지는 현란한 댄스 동작을 텔레비전을 통해 지켜보는 어린 검프.
엘비스가 하숙집에 머무는 동안 검프 소년을 만나게 된다.
이러한 장면에서 엘비스는 몇 소절의 노래를 육성으로 들려주고 있다.

3. Rebel Rouser performed by Duane Eddy

오프닝 타이틀에서 캐릭터를 보여 주는 장면. 트럭에 탄 불량배들에게 검프가 쫓기는 장면이 보여질때 'Rebel Rouser'가 흘러나오고 있다.

4. (I Don't Know Why) But I Do performed by Clarence Frogman Henry

대학 캠퍼스. 가학적 기질을 갖고 있는 남자친구 웨슬리(게프리 블레이크)로부터 제니(로빈 라이트)가 고통 받고 있다. 이 장면을 보고 분노한 검프가 웨슬리에게 주먹을 날리면서 폭행을 가하는 장면에서 배경 노래로 흐르고 있다.

5. Walk Right In performed by The Rooftop Singers

제니가 대학 여자 기숙사로 검프를 몰래 들어오게 하는 장면.

대학 시절, 청춘 남녀가 벌이는 일탈의 로맨스를 상징하는 긴장감 넘치는 장면의 배경 노래로 'Walk Right In'이 흘러나오고 있다.

6. Sugar Shack performed by Jimmy Gilmer and the Fireballs

제니가 기거하고 있는 기숙사 내부를 카메라가 비추어 주고 있다.
이때 검프도 제니의 대학 기숙사에 있는 장면이 보여 진다.
이러한 장면에서 흥겨운 리듬의 'Sugar Shack'이 흘러나오고 있다.

7. Hanky Panky performed by Tommy James and the Shondells

제니는 학비를 벌기 위해 저녁에 스트립 클럽에서 댄서로 일하고 있다.
제니가 뭇 남성들의 성적 욕망을 불러 일으켜 주는 클럽으로 검프가 들어가는 장면에서 'Hanky Panky'가 들려오고 있다.

8. Blowin in the Wind performed by Robin Wright

제니가 스트립 클럽에서 알몸으로 공연한다.
육감적인 장면에서 밥 딜런의 명곡이 로빈 라이트 버전으로 불리워지고 있다.
제니 역의 로빈 라이트가 직접 불러 주고 있다.
사운드트랙 앨범에는 존 바에즈 Joan Baez 버전도 수록되고 있다.

9. Land of 1000 Dances performed by Wilson Pickett

제니가 검프와 함께 스트립 클럽을 떠난다.
이러한 장면에서 'Land of 1000 Dances'가 선곡 되고 있다.

10. Fortunate Son performed by Creedence Clearwater Revival

그룹 CCR의 'Fortunate Son'
은 무모하게 전개되는 베트남 전쟁
의 허실을 꼬집는 장면에서 단골로
쓰이고 있다.

이런 이유 때문에 '정치적 록큰롤
클래식 This politically charged
rock 'n' roll classic'이라는 애칭
을 듣고 있다.

〈포레스트 검프〉. © Paramount Pictures, The Steve Tisch Company, Wendy Finerman Productions

〈포레스트 검프〉에서는 검프가 헬리콥터에 탑승해서 베트남으로 날아가는
장면에서 흘러나오고 있다.

11. I Can't Help Myself (Sugar Pie, Honey Bunch) performed by the Four Tops

포레스트와 바버(조지 켈리)가 베트남 캠프에 도착하는 장면에서 흥겹게 흘러
나오고 있는 노래가 'I Can't Help Myself (Sugar Pie, Honey Bunch)'이다.

12. Respect performed by Aretha Franklin

포레스트와 바버는 댄 중위(게리 시나이즈)에게 신고식을 한다.
두 사람은 지휘관에 대한 존경심을 한껏 드러낸다.
군부대 부하와 상급자가 서로에 대한 충직함을 보여주는 장면에서 아레사 프
랭크린의 명곡 'Respect'가 흘러나오고 있다.

13. Rainy Day Women #12 & 35 performed by Bob Dylan

밥 딜런의 포크 명곡 'Rainy Day Women #12 & 35'. 댄 중위가 포레스트와 바버에게 군부대 위치 현황을 안내하는 장면에서 흘러나오고 있다.

14. Sloop John B performed by the Beach Boys

'집에 가게 해 줘, 왜 집에 보내주지 않아? 이것은 내가 가 본 여행 중 최악의 여행이야. Let me go home, Why don't they let me go home? This is the worst trip I've ever been on'

검프, 바버 그리고 댄 중위는 베트남 전쟁터에서 긴박하게 진행되는 상황에 놓여 있게 된다. 이러한 정경에서 '귀향을 갈망하는 노랫말'을 담고 있는 'Sloop John B'가 흘러나오고 있다.

15. All Along the Watchtower performed by The Jimi Hendrix Experience

밥 딜런이 발표했던 노래를 지미 헨드릭스 익스페리언스가 사이키델릭한 커버 버전으로 발표한 곡이 'All Along the Watchtower'이다.

베트남 전선에 도착한 일단의 병사들을 위한 환영 행사에서 들려오고 있다.

음악 비평가들은 '영화에서 지미 헨드릭스 노래를 가장 잘 사용한 장면 중 하나'로 꼽고 있다.

16. Soul Kitchen performed by The Doors

그룹 도어즈 Doors 클래식 명곡 중 하나가 'Soul Kitchen'.

베트남 정글에 들어 선 검프 머리 위로 폭우가 쏟아진다.

이러한 장면에서 도어즈 노래가 흐느적거리는 창법에 담겨 들려오고 있다. 그룹 도어즈 음악은 프란시스 포드 코폴라 감독의 〈지옥의 묵시록 Apocalypse Now〉 오프닝 장면에서 세기말적인 분위기를 담고 있는 'The End'가 사용된 이후로 베트남 전쟁 영화와 불가분의 관계를 맺게 된다.

17. California Dreamin performed by The Mamas & the Papas

베트남. 쏟아지는 비를 맞으면서 검프가 고향에 있는 제니에게 애틋한 감정을 담아 편지를 쓴다. 이러한 장면에서 이상향을 갈망하는 가사를 담고 있는 'California Dreamin'이 흘러나오고 있다.

18. For What It's Worth performed by Buffalo Springfield

베트남 정글. 갑자기 쏟아지는 폭우가 그친다.
치열한 공방이 전개되는 전투가 시작된다. 베트남 전쟁 장면의 끝 부분에서 버팔로 스프링필드의 'For What It's Worth'가 흘러나오고 있다.

19. What the World Needs Now is Love performed by Jackie DeShannon

포레스트가 탁구 시합을 소개하는 장면에서 'What the World Needs Now is Love'가 흘러나오고 있다.

20. Hello, I Love You performed by The Doors

검프가 탁구 치는 방법을 배우고 있다. 이러한 장면에서 그룹 도어즈의 록 발라드 'Hello, I Love You'가 경쾌하게 울려 퍼지고 있다.

21. People are Strange performed by The Doors

그룹 도어즈의 노래들은 〈포레스트 검프〉 사운드트랙에서 가장 많이 선곡되고 있다. 'People are Strange'는 검프가 탁구 매력에 빠져 숨가쁘게 연습하는 동안 흘러나오고 있다.

22. Break On Through (To the Other Side) performed by The Doors

탁구 매력에 푹빠진 검프. 단시간 안에 탁구 신동이라는 칭송을 듣는다.

이러한 장면에서 그룹 도어즈의 'Break On Through (To the Other Side)'가 흘러나오고 있다.

23. Mrs. Robinson performed by Simon & Garfunkel

마이크 니콜스 감독의 〈졸업 The Graduate〉.

법대 졸업 후 인생행로를 찾지 못해 방황하는 벤자민(더스틴 호프만).

정염에 불타는 중년 부인 로빈슨(앤 밴크로프트)의 유혹에 빠져 드는 장면의 배경 곡으로 쓰여 널리 알려진 노래가 'Mrs. Robinson'.

노래는 검프가 미국 36대 린든 B. 존슨 Lyndon B. Johnson 대통령(재임 기간 1963년-1969년)으로 부터 애국적 위업에 대해 포상하는 '명예 메달 the Medal of Honor'을 수여 받는 장면의 배경 노래로 흘러나오고 있다.

24. Volunteers performed by Jefferson Airplane

검프가 우연히 워싱턴 DC에서 진행되는 베트남 전쟁 반대를 위한 항의 집회에 참석해서 일장 연설을 하게 된다.

졸지에 반전 운동 행위자가 된 상황에서 흐르는 노래가 'Volunteers'이다.

25. Hey Joe performed by The Jimi Hendrix Experience

1966년 10월 캘리포니아 주 오클랜드에서 대학생 바비 실 Bobperformed by Seale과 휴이 P. 뉴튼 Huey P. Newton이 조직한 마르크스-레닌주의 흑인 권력 정치 및 범죄 조직이 블랙 팬서 당 Black Panther Party.

이 정당은 1966년-1982년 사이 미국에서 활발하게 정치적 활동을 펼치면서 샌 프란시스코, 뉴욕, 시카고, 로스 엔젤레스, 시애틀, 필라델피아 등 미국 주요 도시에 지부를 설치할 정도로 위세를 발휘한다.

검프가 '블랙 팬서 당 Black Panther Party' 집회 모임 한가운데서 우발적인 싸움을 하게 된다. 이런 행동에 대해 검프가 사죄 발언을 하는 동안 배경 노래로 'Hey Joe'가 흐르고 있다.

26. Where Have All the Flowers Gone performed by Peter, Paul & Mary

'블랙 팬서 당 Black Panther' 집회에서 난투극이 벌어진 뒤 검프와 제니가 함께 걷는다.

이러한 장면에서 'Where Have All the Flowers Gone'이 선곡되고 있다.

27. Let's Get Together performed by the Youngbloods

캘리포니아로 건너 간 제니의 모습을 보여주는 장면에서 'Let's Get Together'가 흘러나오고 있다.

28. San Francisco (Be Sure to Wear Flowers in Your Hair) performed by Scott McKenzie

제니가 검프의 만류를 뿌리 치고 버클리 Berkeley행 버스를 타려고 한다.

이러한 장면에서 미국 대 도시 샌 프란시스코 정경을 칭송하는 찬가 'San Francisco (Be Sure to Wear Flowers in Your Hair)'가 들려오고 있다.

〈포레스트 검프〉. © Paramount Pictures, The Steve Tisch Company, Wendy Finerman Productions

29. Turn! Turn! Turn! (To Everything There is a Season) performed by The performed byrds

제니는 마침내 버클리 Berkeley 행 버스에 탑승한다.

버스가 출발하자 창 밖에 있는 검프에게 손을 흔들면서 작별의 인사를 보낸다.

아쉬운 이별 장면에서 'Turn! Turn! Turn! (To Everything There is a Season)'이 위로 리듬으로 들려오고 있다.

30. Aquarius/Let the Sunshine In performed by The 5th Dimension

우주인의 달 착륙 소식이 전해진다. 인류 역사의 신기원을 이룩하는 이러한 경사스런 장면은 포레스트 검프가 발휘하는 뛰어난 탁구 묘기 때문에 위업이 약간을 퇴색하는 분위기를 맞게 된다. 이러한 장면에서 1969년 3월 발매된 이후 히피 찬가로 환대 받았던 'Aquarius/ Let the Sunshine In'이 흘러나오고 있다.

31. Joy to the World performed by Three Dog Night

졸지에 탁구 신동으로 대접 받게 된 검프. 그는 여세를 몰아 중국에서 진행되는 국가별 탁구 토너먼트에서 당당히 국가 대표로 출전하게 된다.

현지에서 국가 명예를 걸고 치열한 승부 근성을 드러내면서 활약하는 검프 응원 노래로 'Joy to the World'가 울려 퍼지고 있다.

32. Everybody's Talkin performed by Harry Nilsson

존 슐레진저 감독의 〈미드나잇 카우보이 Midnight Cowboy〉(1969) 주제곡으로 쓰여 팝 명곡 대열에 진입했던 노래가 'Everybody's Talkin'.

팝 클래식으로 대접 받고 있는 이 노래는 검프와 댄 중위가 여유롭게 뉴욕 시거리를 활보하는 장면에서 흘러나오고 있다.

33. Stoned Love performed by The Supremes

1959년 미시간 주 디트로이트에서 결성된 3인조 걸 그룹 슈프림스.

리드 보컬 다이아나 로스를 전면에 내세워 수많은 히트곡을 탄생시킨다.

이들 팀의 히트 곡 'Stoned Love'는 검프와 댄 중위가 술 집에서 술을 마시고 있을 때 홀 안에서 울려 퍼지고 있다.

34. Love Her Madly performed by The Doors

여러 남자 품을 전전하고 있는 제니. 학대하는 남자를 떠날 때 역설적으로 도어즈 그룹의 사랑의 찬가 'Love Her Madly'가 흘러나오고 있다.

35. Let's Work Together performed by Canned Heat

댄 중위는 여성 한 명이 포레스트에게 '바보 stupid'라고 조롱하는 광경을 목격한다. 분노한 중위는 호텔 방에 있는 여성에게 격렬하게 항의하면서 쫓아낸다.
이러한 장면에서 'Let's Work Together'가 흘러나오고 있다.

36. Raindrops Keep Falling on My Head performed by B.J. Thomas

낭만적 서부극 〈내일을 향해 쏴라 Butch Cassidy and the Sundance Kid〉(1969)가 배출한 히트곡이 'Raindrops Keep Falling on My Head'.
〈포레스트 검프〉에서는 검프의 뛰어난 탁구 업적을 칭송 받기 위해 리차드 닉슨 Richard Nixon-미국 37대 대통령, 재임 기간 1969년-1974년-의 특별 초대를 받는다. 닉슨에게 정치적 하야를 촉발시키는 워터게이트 호텔 Watergate Hotel에 검프가 체류할 수 있도록 배려를 해준다. 이러한 장면에서 추억의 영화 음악 'Raindrops Keep Falling on My Head'가 흘러나오고 있다.

37. Tie a Yellow Ribbon Round the Ole Oak Tree performed by Dawn

닉슨이 워터 게이트 도청 사건에 책임을 지고 전격 사임한다.
포레스트는 군 복무를 마치고 제대한다.
이러한 장면이 연속적으로 보여 지면서 토니 올란도 앤 돈이 'Tie a Yellow Ribbon Round the Ole Oak Tree'를 통해 경쾌한 리듬을 들려주고 있다.

38. Jesus on the Mainline performed by Alan Silvestri

이미 발표된 곡을 위주로 한 사운드트랙이 아닌 〈포레스트 검프〉를 위한 배경 음악에 수록된 연주곡이다.
알란 실베스트리가 작곡하고 도니 제라드 Donny Gerard가 보컬을 맡고 있다.

포레스트가 베트남 전쟁터에서 순직한 바버 가족을 만나 위로 하고 전우의
묘지를 방문하는 장면에서 들려오고 있다.

39. Get Down Tonight performed by KC and the Sunshine Band

제니가 파티를 하면서 흥겨운 시간을 보내고 있다.

반면 포레스트는 새우잡이 배 안에서 제니를 생각하고 있다.

이러한 장면이 연속적으로 보여 질 때 'Get Down Tonight'이 들려오고 있다.

40. Free Bird performed by Lynyrd Skynyrd

제니가 극단적 선택을 하
기 위해 발코니에서 뛰어 내
리려는 순간 록 밴드 레너드
스키너드의 명곡 'Free Bird'
가 울려 퍼지고 있다.

〈포레스트 검프〉. © Paramount Pictures, The Steve Tisch
Company, Wendy Finerman Productions

41. Mr. President (Have Pity on the Working Man) performed by Randy Newman

포레스트와 댄 중위는 새우 떼를 찾기 위해 드넓은 바다를 수색하고 있다. 생
명이 경각에 달려 있었던 베트남 전쟁터에서 댄 중위는 상이군인으로 제대한다.

두 사람은 이제 또 다른 치열한 생존 경쟁을 위해 새우잡이 어부로 나선 것이다.

이러한 장면에서 영화 음악 전문 작곡가로 명성을 얻고 있는 랜디 뉴먼의 'Mr.
President (Have Pity on the Working Man)'이 흘러나오고 있다.

42. Plant My Feet on Higher Ground

가스펠 성가 gospel song로 널리 알려진 노래가 'Plant My Feet on Higher Ground'. 포레스트가 새우를 팔아서 번 거액을 흔쾌히 교회에 기부한다. 교회 합창단은 감사의 표현으로 이 노래를 불러 주고 있다.

43. Sweet Home Alabama performed by Lynyrd Skynyrd

포레스트가 제니와 춤을 추면서 모처럼 흥겨운 시간을 보낸다. 이러한 장면에서 레너드 스키너드가 불러주는 고향 찬가 'Sweet Home Alabama'가 들려오고 있다.

44. Running on Empty performed by Jackson Browne

틈만 나면 미국 대륙을 달려가고 있는 포레스트 검프. 그가 미국 동부에서 서부로 질주하는 동안 격려 곡으로 잭슨 브라운의 'Running on Empty'가 들려오고 있다.

45. It Keeps You Runnin performed by the Doobie Brothers

제니는 TV에서 즉흥 마라톤을 시청하고 있다. 이어 그녀도 따라 달리는 장면을 보여준다. 두비 브라더스가 흡사 달리기 격려 곡으로 불러 주는 듯한 흥겨운 노래 'It Keeps You Runnin'이 흘러나오고 있다.

46. I've Got to Use My Imagination performed by Gladys Knight & The Pips

검프가 미 대륙을 달리기로 횡단하면서 겪는 여러 일화를 몽타주로 보여 줄 때 'I've Got to Use My Imagination'을 들을 수 있다.

47. Go Your Own Way performed by Fleetwood Mac

검프가 미 대륙 횡단을 쉼 없이 질주한다.

검프 모습을 목격하자 주변 시민들도 합류해서 달린다.

이러한 달리기 장면에서 4번째로 선곡된 노래가 'Go Your Own Way'이다.

48. On the Road Again (Live) performed by Willie Nelson

윌리 넬슨이 라이브로 불러주고 있는 'On the Road Again (Live)'은 검프의 대륙 횡단 달리기 장면의 5번째 노래로 선곡되고 있다.

49. Against the Wind performed by Bob Seger & The Silver Bullet Band

묵묵히 광활한 미 대륙을 종단해서 달려 나간 검프. 마침내 집에 도착하게 된다.

장대한 달리기를 마무리 해주는 6번째이자 사운드트랙을 종결짓는 노래로 밥 시거 앤 실버 블릿 밴드의 'Against the Wind'가 울려 퍼지고 있다.

할리우드 사운드트랙으로 각광 받고 있는
밥 딜런과 데이비드 보위

밥 딜런의 앨범 'No Direction Home'.© amazon

반항적인 이 미지가 강한 포크 싱어 밥 딜런.

화려한 패션쇼를 연상시키는 의상과 쇼 무대로 유명세를 얻었던 데이비드 보위.

이들이 남긴 다양한 노래들이 할리우드 제작자와 감독들이 가장 선호하는 배경 노래로 각광 받고 있다는 뉴스가 전해졌다.

〈록키〉에서 실베스타 스탤론이 주먹을 불끈 쥐고 승부욕을 드러내는 장면. 주변의 모든 물질을 얼음으로 만들어 버리는 얼음 공주의 애환 〈겨울 왕국〉. 10대 청소년 시절 겪을 수 있는 애환을 다룬 〈블렉퍼스트 클럽〉.

이들 영화들이 관객들에게 오래 기억되고 있는 결정적 요소는 바로 배경 음악이라고 할 수 있다.

제 각각의 특징을 드러내면서 한 해에 흥행가를 노크하는 수 백편의 작품들.

이들 영화에서 단골로 선곡되는 노래와 팝 아티스트들이 있어 음악 애호가들의 관심을 증폭시키고 있다.

해외 팝 전문지는 최근 '영화에서 배경 음악으로 가장 많이 사용된 노래, 아티스트 및 앨범'으로 밥 딜런과 데이비드 노래와 앨범을 추천하고 있다.

할리우드 현지 음악 전문가들은 '올바른 영화 사운드트랙은 좋은 영화를 더욱 훌륭한 영화로 바꿀 수 있다. 할리우드 영화에서 단골로 선곡되고 있는 특정 노래, 아티스트 및 앨범 등은 반복적으로 활용되고 있다. 하지만 등장 화면의 인상을 확산시켜 주는데 크게 이바지 하고 있다. The right movie soundtrack can turn a good movie into a better one. Certain songs, artists and albums that are regularly selected in Hollywood movies are used repeatedly but they contribute greatly to spreading the impression of the appearance screen.'는 의견을 내놓고 있다.

이런 진단을 입증시켜는 듯 소수의 노래와 아티스트들은 그동안 할리우드에서 제작된 수백 편의 영화와 쇼에 자신들의 노래를 들려준 바 있다.

영화에서 가장 많이 재생되는 노래와 아티스트는 인터넷 데이터베이스 IMDB에 올라와 있는 자료에서도 쉽게 찾아볼 수 있다.

할리우드 제작 영화에서 가장 깊은 인상을 남긴 장면은 음악 없이는 아무것도 아니다.

영화가 탄생한 이후로 배경 음악은 영화와 함께 발전되어 왔다.

〈이지 라이더 Easy Rider〉 및 〈졸업 The Graduate〉 등과 같은 영화는 더 많은 영화 제작자가 더 많은 음악가를 활용할 수 있는 길을 열어주게 된다.

영화 장르에서 배경 설정 또는 시대 분위기를 떠올려 주기 위해 일부 노래와 팝 아티스트들은 반복적으로 인용되고 있는 실정이다.

관객들은 베트남 전쟁을 배경으로 한 영화에서는 록 그룹 CCR Creedence Clearwater Revival의 'Fortunate Son' 혹은 음란한 코미디에서 는 마빈 게이 Marvin Gaye가 불러주는 매우 육감적인 분위기 노래 'Let's Get In On'이 단골로 들려오고 있다는 것을 기억하고 있다.

39-1. 'Spirit in the Sky', 할리우드 영화에서 가장 많이 원용되고 있는 노래

노만 그린바움 앨범 'Spirit in the Sky'.ⓒ Varese Vintage

영화 데이터베이스 IMDB 조사에 따르면 영화에서 가장 자주 인용되는 노래 중 한 곡으로 노만 그린바움 Norman Greenbaum 의 'Spirit in the Sky'를 추천하고 있다. 1969년 사이키델릭 록과 가스펠 리듬을 결합시켜 발표되는 찬가는 드라, 코미디, 〈아폴로 13〉 등과 같은 우주 모험 극에 이르는 40편 이상의 영화에서 들려오고 있다.

특히 〈리멤버 타이탄 Remember the Titans〉에서부터 묵시록 분위기의 〈디스 이즈 더 엔드 This is the End〉에 이르기까지 그린바움이 들려주는 쿵쿵거리는 기타 리프는 극중 분위기에서 풍겨져 나오는 에너지를 높여주는 효자 역할을 해내고 있다. 흥미로운 점은 'Spirit in the Sky'는 사실 발표됐던 1960년대 후반 약간의 주목을 받고 곧바로 잊혀진 노래이다.

하지만 묻혀 있는 노래는 약 50여년의 세월이 흐른 뒤 영화 배경으로 인해 새로운 생명과 인기를 얻는 행운을 차지하게 된다.

음악과 영화가 서로 '윈-윈' 전략으로 상승효과를 얻게 된 사례를 제공하게 되는 것이다. 빌보드와 가진 인터뷰를 통해 그린바움은 'Spirit in the Sky'는 여러 가스펠 음악을 듣고 작곡 영감을 받았다. 또한 어코스틱 밴드 저그밴드

jugband가 들려주는 창법에서 힌트를 얻었다. Spirit in the Sky was inspired by listening to various gospel music. I also got a hint from the singing method of the acoustic band jugband.'라는 창작 일화를 공개한다.

팝계에서는 샌 프란시스코 San Francisco에서 스토발 시스터즈 Stovall Sisters의 백 보컬 도움을 받아 매우 블루스적인 분위기의 곡을 녹음한 뒤 오늘날 알려지게 된 그린바움 버전의 노래가 완성하게 된다.'는 에피소드를 들려주고 있다. 예수님을 만나고 죽음을 받아들인다는 노래는 15분 만에 썼다고 한다.

그린바움은 유대인 출신이다. 'Spirit in the Sky'가 희극적 효과를 위해 사용되든 지구 밖 삶을 심사숙고하기 위해 사용되든, 이 노래는 오늘날 영화와 관객들에게 여전히 큰 반향을 불러일으키고 있는 것이다.

과거로 회귀할 수 있는 타임머신을 제공하고 있다는 칭송도 부가되고 있다.

39-2. 밥 딜런 Bob Dylan, 영화 음악으로 가장 많이 인용되고 있는 음악 아티스트

1960년대부터 2023년 5월 기점으로 약 200편이 넘는 영화에서 배경 음악으로 밥 딜런 노래가 선곡되고 있다. 밥 딜런은 영화 음악 제공뿐만 아니라 샘 페킨파 감독 〈팻 개럿과 빌리 더 키드 Pat Garrett & Billy the Kid〉(1973)에서는 배경 음악 작곡과 함께 무법자 빌리 더 키드(크리스 크리스토퍼슨) 친구 엘리아스 역으로 연기 능력을 발휘한 바 있다.

할리우드 현지 음악 비평가들은 '밥 딜런의 노래는 여러 복합적인 사건 전개의 흥미를 높여 주는 동시에 환상적 장면에 대한 감흥을 증폭시켜 주는 매우 효과적인 역할을 해내고 있다. Bob Dylan's song plays a very effective role in amplifying the excitement of the fantasy scene while increasing the interest in the develop-

1960년대부터 꾸준히 음악 활동을 펼치고 있는 밥 딜런. 2023년 6월 신보 'Shadow Kingdom'을 발표한다.© amazon

ment of various complex events.'는 칭송을 보내고 있다.

이런 여론을 입증시키듯 '밥 딜런 노래는 다양한 장면을 위한 완벽한 영화 사운드트랙이다. Bob Dylan's songs are the perfect movie soundtrack for a variety of scenes'는 최상의 칭송을 받고 있는 중이다.

허스키한 보컬이 트레이드 마크인 밥 딜런. 'The Times They Are A-Changin'은 〈워치맨 Watchmen〉에서 1960년대 벌어졌던 격변의 사건을 요약해서 보여주는 오프닝 배경 노래로 사용되고 있다.

이어 코헨 형제 감독의 〈빅 레보스키 The Big Lebowski〉에서는 두드(제프 브리지스)가 자신의 깔개(양탄자)를 되찾는 꿈을 꾸는 장면에서는 밥 딜런의 'The Man In Me'를 웅얼거리고 있다.

밥 딜런은 포크 음악 팬들에게는 'Forever Young' 혹은 'Like a Rolling Stone' 등과 같은 불멸의 히트 곡을 작곡한 것으로 널리 알려져 있다.

영화계에서 그의 가장 인기 있는 노래는 우울한 발라드 'Knockin on Heaven Door'이다. 이 노래는 한국어 버전으로도 각색된 바 있다.

신인 가수 유미 버전은 곽재용 감독, 전지현 주연 〈내 여자 친구를 소개합니다〉(2004)에서 흘러나오고 있다.

경찰인 남자 친구 명우(장혁)이 강력범을 체포하는 와중에서 사망하게 된다.

경진(전지현)이 슬픔을 이기지 못하고 빌딩 옥상에 올라가 극단적 선택을 하려는 오프닝 장면에서 선곡된 바 있다.

빌보드는 '밥 딜런의 기타 연주, 하모니카 독주, 시적 관찰은 오랫동안 노동자 계층 사람들의 투쟁과 혁명의 고통을 대변해 왔다. Bob Dylan's guitar plucking, harmonica solos and poetic observations have long represented working people's struggles and the pains of revolution.'는 의미 평가를 해주고 있다.

영화에서 그의 음악을 처음 들을 수 있었던 노래 중 한 곡은 1960년대 중반 베트남 전쟁에 휘말린 미국 정치권을 향해 전쟁 반대 메시지를 담고 불러 준 'It's Alright, Ma (I'm Only Bleeding)'로 알려져 있다.

이 노래는 1960년대 오토바이 폭주족에 대한 반감을 노골적으로 드러낸 데니스 호퍼 감독의 〈이지 라이더 Easy Rider〉(1969)이다.

영화에서 '미국 대륙의 본질을 탐구하겠다.'는 2명의 오토바이 추종자가 농부의 총격을 받고 사망하게 된다. 딜런의 노래 가사는 반란의 사운드트랙과 외로운 이들을 위한 사랑 노래로 계속 사용되고 있다.

노래를 통해 미국 정치, 사회에 대한 여러 문제점을 비난해 온 밥 딜런.

아이러니하게도 그는 이런 내용을 담은 역대 주요 노래들을 유니버셜 음악 그룹 Universal Publishing Music Group에 무려 3억 달러(한화 약 3,600억 원)를 받고 판권을 넘겨 천문학적인 수입을 얻게 된다.

저작권이 음반 소유로 양도됨에 따라 그의 노래는 다양한 영화, TV 드라마, 광고 배경 노래로 쉽게 들을 수 있는 것으로 알려졌다.

밥 딜런은 커티스 핸슨 감독의 〈원더 보이즈 Wonder Boys〉(2000)를 통해 당시 신곡 'Things Have Changes'를 수록시켜 팝 팬들의 환대를 받아낸다.

영화는 베스트셀러 작가였던 영문학 교수 그래디 트립(마이클 더글라스)가 문학적 재능을 갖고 있는 제자 그래디(토비 맥과이어)와 얽힌 여러 사연을 펼쳐 주고 있는 코미디 극이다.

데이비드 보위 앨범 'Hunky Dory'. © Rhino/Parlophone

39-3. 영화 음악으로 단골 선곡되고 있는 데이비드 보위 앨범 'Hunky Dory'

데이비드 보위 David Bowie 앨범 'Hunky Dory' 수록 곡은 여타 팝 아티스트 음반을 단번에 제압할 정도로 영화 음악으로 각광 받고 있다.

2016년 1월 13일 발매. 밥 딜런 싱글 'Spirit in the Sky'가 많은 가수들이 리바이벌시키는 동시에 다수 영화 배경 노래로 선곡됐다.

이에 비교해서 데이비드 보위 앨범 'Hunky Dory'에 수록된 노래들은 다수의 영화 배경 음악으로 각광을 받고 있는 음반으로 인정받고 있다.

다수의 음악 비평가들로부터 '아트 팝 걸작 앨범'으로 호평을 받고 있는 음반이 'Hunky Dory'

수록 된 노래 중 'Life on Mars' 및 'Queen B*tch' 등과 같은 노래는 최소 30여 편의 영화배경 노래로 인용된 것으로 알려져 있다.

보위의 싱글 곡 'Starman' 'Heroes', 록 밴드 퀸 Queen과 콜라보레이션으로 발표한 노래 'Under Pressure' 등도 사운드트랙에서 단골로 원용되고 있는 노래로 유명하다.

앨범 'Hunky Dory'는 'Changes' 및 'Life on Mars' 등에서 보위는 인상적인 피아노 반주 리듬을 유감없이 드러내 주고 있다.

'Queen B*tch'는 강력한 분위기의 펑크 곡으로 알려진 노래이다.

이 곡은 〈슈렉 2 Shrek 2〉 〈라코리쉬 피자 Licorice Pizza〉 〈네이버 Neighbors〉, 2022년 공개된 보위의 음악 다큐멘터리 〈문에이지 데이드림 Moonage Daydream〉 등에서 배경 곡으로 사용되고 있다.

보위는 영화 연기가 어색하지 않을 만큼 프로급 배우로도 재능을 발휘한 전력을 갖고 있다. 보위의 음악은 계속해서 여러 세대에 걸쳐 영화감독이나 제작자들에게 영감을 주고 있다.

아울러 카메라 마술에 영감을 불어 넣어주는 역할을 해내고 있다.

데이비드 보위는 2016년 1월 10일 간암으로 세상을 떠났다. 향년 69세.

하지만 그가 남긴 주옥같은 음악은 다채로운 영화 사운드트랙을 통해 예술적 역할을 확장시키는 동시에 관객들에게 꾸준히 영향력을 끼치고 있는 중이다.

39-4. 앨범 'Hunky Dory' 트랙 리스트

Disc 1
1. Changes (2015 Remaster)
2. Oh! You Pretty Things
   (2015 Remaster)
3. Eight Line Poem (2015 Remaster)
4. Life on Mars? (2015 Remaster)
5. Kooks (2015 Remaster)
6. Quicksand (2015 Remaster)

마이클 더글라스, 토비 맥과이어 주연의 〈원더 보이즈〉. 밥 딜런이 'Things Have Change'를 주제곡으로 들려주고 있다. ©️ Paramount Pictures

Disc 2
1. Fill Your Heart (2015 Remaster)
2. Andy Warhol (2015 Remaster)
3. Song for Bob Dylan (2015 Remaster)
4. Queen Bitch (2015 Remaster)
5. The Bewlay Brothers (2015 Remaster)

핫 이슈 <엔니오: 더 마에스트로 Ennio>, 엔니오 모리코네 음악 다큐

음악은 과학이 아니라 경험이다. 좋은 음악이 저질 영화를 구해 줄 수는 없다.
Music is an experience, not a science, You can't save a bad movie
with a good score.

- 엔니오 모리코네

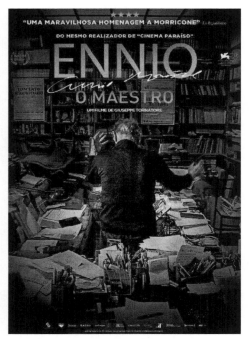

〈엔니오: 더 마에스트로〉. ⓒ Piano b Produzioni

'21세기 최고 영화음악 작곡가' '영화음악계의 모차르트'.

〈황야의 무법자〉〈미션〉〈언터처블〉〈시네마 천국〉〈벅시〉〈원스 어폰 어 타임 인 아메리카〉 그리고 아카데미 작곡상을 수여 받은 〈헤이트풀 8〉까지.

약 480여 편의 명작 영화의 배경 음악을 통해 '사운드트랙이 전달해 줄 수 있는 최상의 감동을 안겨준 영화 음악계 마에스트로'를 다룬 음악 다큐 〈엔니오: 더 마에스트로 Ennio〉가 오는 7월 국내 개봉된다.

'전설적인 영화 작곡가 엔니오 모리코네를 다룬 다큐멘터리 A documentary on the legendary film composer Ennio Morricone' - 선전 문구

엔니오의 고국 이태리에서 2021년 9월 10일 베니스 영화제 Venice Film Festival를 통해 첫 상영됐다. 2021년 11월 13일 스웨덴 스톡홀름 영화제 Stockholm International Film Festival, 2021년 11월 22일 네덜란드 암스테르담 국제 다큐 영화제 International Documentary Festival Amsterdam 등 주요 각국 영화제를 통해 초청 상영된다.

한국에서는 2023년 4월 29일 전주 영화제 Jeonju International Film Festival에서 공개된 뒤 7월 일반 개봉을 준비 중이다. 연출자 주세페 토르나토레 Giuseppe Tornatore는 〈시네마 천국〉을 통해 엔니오와 천상의 호흡을 맞춘 영화인. 엔니오는 2020년 7월 6일 향년 91세로 타계했다.

감독은 음악 동료에 대한 헌정 다큐를 통해 심금을 울려 주었던 위대한 영화 음악가의 행적을 반추시켜 주고 있다.

유명 배우, 감독 및 영화음악 작곡 동료들이 영화에 대한 그의 공헌을 축하하는 동안 엔니오를 육성을 통해 유명해 진 영화 음악을 이끈 요인에 대해 차분하게 설명해주고 있다. 러닝 타임 2시간 36분.

엔니오는 세르지오 레오네 Sergio Leone 감독과 의기투합해서 '달러 3부작 Dollars Trilogy'-〈황야의 무법자〉 시리즈과 〈원스 어폰 어 타임 인 웨스트 Once Upon a Time in the West〉로 단번에 주목을 받아낸다.

이어 길로 폰테코르보 Gillo Pontecorvo 감독 〈알제리 전투 The Battle of Algiers〉, 베르나르도 베르톨루치 Bernardo Bertolucci 감독의 〈1900〉, 테렌스 말릭 Terrence Malick 감독의 〈천국의 나날 Days of Heaven〉, 브라이언 드 팔마 Brian De Palma 감독의 〈언터처블 The Untouchables〉, 그리고 말년 유작이 된 쿠엔틴 타란티노 Quentin Tarantino 감독의 〈헤이트풀 8 The Hateful Eight〉 등을 통해 오케스트라 배경 음악의 가치를 확산시키면서

확고한 입지를 구축하게 된다.

156분이라는 상영 시간 동안 일부 관객들은 '엔니오가 창작한 엄청난 음악 작업에 대해 시각적, 정서적 과부하를 느낄 수 있다.

하지만 2020년 사망하기 직전 우연히 촬영된 인터뷰 장면과 사운드트랙을 구상하기 위해 애썼던 거물 영화 음악가의 업적이 몽타주로 펼쳐져 거대한 호기심을 유지시켜 주고 있다.'는 칭송을 받아낸다.

다큐에는 엔니오의 업적을 치하하거나 협력했던 영화 작업에 대한 회고를 위해 감독 쥬세페 토르나토레를 비롯해 클린트 이스트우드, 올리버 스톤, 테렌스 말릭, 배리 레빈슨, 왕가위, 다리오 아르헨토 등 유명 감독과 한스 짐머, 존 윌리암스, 퀸시 존스, 브루스 스프링스틴 등 1급 뮤지션들이 직접 출연해 육성 일화를 들려주고 있다.

한스 짐머는 '엔니오 모리코네는 약점까지도 장점으로 만들어 내는 지적이고 간결한 리듬과 함께 무엇보다 음악에 가장 중요한 위치를 부여하는 수준의 선율을 창작해낸 마에스트로이다. Ennio Morricone is a maestro who created a level of melody that gives music the most important place above all else with an intelligent and concise rhythm that turns even weaknesses into strengths'라는 칭송을 보내고 있다.

포크 가수 존 바에즈 Joan Baez는 모리코네는 1960년대 엘비스 프레슬리를 비롯해 미국 팝을 세계 시장으로 전파 시켰던 RCA 레코드 발매 팝송에 대해 혁신적인 편곡을 가미시켜 음악 영역을 확장시키는데 결정적 기여를 한 주역 '이라고 기억해 주고 있다.

영국 감독 롤랑 조페 Roland Joffé는 모리코네가 지휘하는 대규모 오케스트라가 연주해 주었던 자신의 작품 〈미션 The Mission〉에 대한 칭송을 아끼지 않고 있다. 조페 감독은 모리코네와 보다 원숙한 작업을 위해 이태리어를 직접 배웠다는 일화도 공개했다.

이번 다큐 작업을 진두지휘한 쥬세페 토르나토레 Giuseppe Tornatore 감독.

그는 〈시네마 천국 Cinema Paradiso〉에서 모리코네와 팀웍을 이뤄 만들어 낸 천상의 영화 음악에 대한 추억을 반추 하면서 '엔니오가 창작해 낸 다양한 음악은 영상 세계의 풍요로움을 오래도록 간직시켜 주는데 결정적 이바지를 하고 있다.'는 찬사를 보내고 있다.

40-1. 엔니오 모리코네 어록(語錄)

- 나는 한 장르 또는 다른 장르에 연결 되어 있지 않다. 나는 변화를 좋아하기 때문에 지루할 위험이 없다.

나는 모든 종류의 영화를 좋아한다.

다리오 아르렌토와 존 카펜터 감독 영화를 좋아 한다. 하지만 나 자신을 공포 팬이라고 생각하지 않고 있다.

I'm not linked to one genre or another. I like to change, so there's

〈엔니오: 더 마에스트로〉. ⓒ Piano b Produzioni

no risk of getting bored. I enjoy all sorts of films and I don't consider myself a horror fan, although I do like Dario Argento's and John Carpenter's movies.

- 대중적 인기(人氣)는 나를 괴롭히지 못한다. 대중의 애정과 이해를 증명한다. 중요한 것은 개척자 정신을 유지하는 것이다. 나는 이 직업을 진심으로 사랑하고 매 영화가 처음이자 마지막인 것처럼 작업하고 있다. 최선을 다하고

있다. 많은 위대한 이들은 편곡자에게 악보를 써달라고 부탁하고 있다.

나는 처음부터 끝까지 혼자 쓴다. 모두

Popularity doesn't bother me. It attests to the affection and comprehension of the public. The important thing is to retain the pioneer spirit. I profoundly love the profession and I work on each film as if it were the first and the last. Giving the best of myself. Many of the greats ask their arranger to write their scores for them.

Me, I write all alone from the first note to the last. All.

– 버나드 허만은 자신의 모든 배경 음악을 직접 작곡했다. 바흐, 베토벤, 스트라빈스키도 마찬가지였다. 영화계에서 왜 이런 일이 일어나는지 이해가 안 된다.

Bernard Herrmann used to write all his scores by himself. So did Bach, Beethoven and Stravinsky.

I don't understand why this happens in the movie industry

– 실제 소리와 음악 소리가 섞인 실험적인 음악을 배경으로 하고 있다.

I come from a background of experimental music which mingled real sounds together with musical sounds.

– 우리는 현대 세계에 살고 있다. 현대 음악에서 중심적인 사실은 오염이다. 질병의 오염이 아니라 음악 스타일의 오염이다.

당신이 나에게서 이것을 찾으면 그것은 좋은 것이다.

We live in a modern world and in contemporary music the central fact is contamination. Not the contamination of disease but the contamination of musical styles. If you find this in me, that is good.

– 나는 또한 이 와 같은 사실적인 소리를 심리적인 방식으로 사용했다.

<좋은 놈, 나쁜 놈, 이상한 놈>에서는 동물 소리, 코요테 소리 등 동물 소리를 영화 주제로 활용했다.

I also used these realistic sounds in a psychological way. With The Good, the Bad and the Ugly, I used animal sounds as you say, the coyote sound so the sound of the animal became the main theme of the movie.

〈엔니오: 더 마에스트로〉. ⓒ Piano b Produzioni

참고 자료(Reference Books)

이 책을 쓰기 위해 각국의 영화음악, 팝 전문지 외에도 단행본이 큰 도움이 되었다. 좀 더 전문적 영화음악 공부를 하려는 독자들을 위해 참고 자료를 밝힌다.

1. sound track-definition of sound track by Merriam-Webster.com. Merriam -Webster.

2. The 50 greatest film soundtracks. The Guardian. 18 March 2007.

3. Why Does Nearly Every Broadway Show Still Release a Cast Album. Vulture. October 6, 2015.

5. Savage, Mark. Where Are the New Movie Themes? BBC, 28 July 2008.

6. Bebe Barron: Co-composer of the first electronic film score, for Forbidden Planet, The Independent. London. May 8, 2008. Retrieved May 2, 2010.

7. Rockwell, John (May 21, 1978). When the Soundtrack Makes the Film. The New York Times. Retrieved August 10, 2010.

8. Karlin, Fred; Wright, Rayburn (January 1, 2004). On the Track: A Guide to Contemporary Film Scoring.

9. Kompanek, Sonny. From Score To Screen: Sequencers, Scores And Second Thoughts: The New Film Scoring Process. Schirmer Trade Books, 2004.

10. George Burt, The art of film music, Northeastern University Press.

11. Music on Film New Article in Variety about James Newton Howard's King Kong score. Archived from the original on 12 December 2007. Retrieved 30 July 2008.

12. About the Film Music Society. Film Music Society.

13. Film music: a history By James Eugene Wierzbicki.

14. Jump up to: a b Cooke, Mervyn (2008). A History of Film Music. New York: Cambridge University Press.

15. Are David Fincher And Trent Reznor The Next Leone and Morricone? October 4, 2014.

16. Elal, Sammy and Kristian Dupont (eds.). The Essentials of Scoring Film". Minimum Noise. Copenhagen, Denmark.

17. Harris, Steve. Film, Television, and Stage Music on Phonograph Records: A Discography. Jefferson, N.C.: McFarland & Co. 1988.

책자에 언급된 영화 제작 연도, 음반 출시사, 사운드트랙 리스트 등은 http://www.imdb.com, www.about.com, Rollingstone.com, Billboard.com, Premire, Movieline, Soundtracknet, EW article, www.Moviereporter.net, Variety article, www.amazon.com, www.wikipedia.org 등을 참고했다.

Photo References Notice

본 저술 물에서 인용된 이미지는 press release still cut을 활용했습니다.

저작권자는 각 스틸과 앨범 자켓에 명시했습니다.

단, 의도하지 않게 스튜디오 컷을 사용해 저작권을 침해했을 경우 합당한 사진 저작료를 지불하겠습니다.

영화 설명 가이드 및 해당 국가의 관광 정보 자료의 경우도 영화 홍보 사에서 제공하는 '보도 자료'를 참고했습니다. 홍보 사 제공 자료를 인용하는 과정에서 본의 아니게 텍스트 저작권을 침해했을 경우 정보 저작료를 지불하겠습니다.

아울러 본 책자에 게재된 사진들은 저작권법 제28조 '공표된 저작물은 보도, 비평, 교육, 연구 등을 위하여 정당한 범위 안에서 공정한 관행에 합치되게 이를 인용할 수 있다'에 의거해서 사용한 사진입니다.

출처가 인터넷의 경우 원저작권자는 영화 제작사임을 밝힙니다.

본 저술물에 대한 제반 문의:
영화 칼럼니스트 이경기 (LNEWS4@chol.com)

미국 영화연구소(AFI) 선정

영화, 할리우드를 뒤흔든
창의적이고 혁명적 사건 101 장면

영화 전공자 및 애호가들이 쉽고 평이하게
일독(一讀)할 수 있는 세계 영화 발달사에 대한
에세이 개론서

카메라 밖에서 바라 본
감독들의 천태만상 풍경

영화감독, 그들의 현장
거장이거나 또라이거나

카메라 밖에서 바라 본 할리우드 1급 감독들의
적나라한 천태만상 풍경

흥행작 타이틀에 숨겨 있는
재밌고 흥미있는 스토리

영화 제목, 아 하!
그렇게 깊은 뜻이!

약 5,700여 편에 달하는 방대한 작품에 대한
국내 최초 영화 타이틀 해제(解題) 도서.

와우(Wow)! 시네마 천국에서
펼쳐지는 발칙한 영화 100과

영화, 알고 싶었던 모든 것.
하지만 차마 묻지 못했던 여러 가지

영화가 제작되기 까지 기기묘묘한 일화 및 약 3,500여 편의 영화 종합 백과사전.

1960년대-2019년 팝 아티스트 212명의
사운드트랙 협력 에피소드

영화 음악을 만들어 내는 팝 아티스트 1권, 2권

록 음악과 영화계의 최전성시기로 꼽히고 있는 1960년대부터 2019년 최근까지 흥행가를 강타했던 히트 영화 속에서 차용됐거나 배경 음악으로 흘러나와 관객들을 매료시켰던 창작자들의 음악 이력을 살펴 본 이 분야 국내 최초이자 최대 분량을 담은 의미 있는 단행본이다.

제스처는 진실(眞實)을 말한다.

깜찍한 영화 속 주인공은
당신을 속이고 있다

타인의 속마음을 편견 없이 파악하는 동시에 내
실 있는 대인 관계를 맺어 갈 수 있는 요령 제시.

A, B, AB, O 형에 담겨
있는 대인 관계 비법

혈액형을 알면
성공이 보인다

A, B, AB, O 형에 담겨 있는 대인 관계 비법 및 자
신의 참모습을 발견할 수 있는 가이드 북.

발타자르 그라시안(Baltasar Gracián)이
제시한 삶의 지혜 234 가지

하마터면 밤새워 읽을 뻔 했네
읽어도 읽어도 가슴 벅찬 글들

400년 전 발타자르 신부가 제시한 인생과 삶의
나침반.

추리 익스프레스 특급
& 미스테리 걸작 소설

넌센스, 두뇌 퀴즈 및
추리 소설 베스트 컬렉션

수수께끼 같은 설정을 읽어나가는 동안 흡사 1급 탐정이 된 듯한 기분에 빠져 볼 수 있을 것이다.

촌철살인(寸鐵殺人), 세계 저명
셀럽(Celebs)들의 언어 퍼레이드

명사(名士)들이 남긴 말(言),
말(word), 말(speech)

이 책에 기술된 말들은 현재의 삶이 보다 풍요로 워지는 가이드 역할을 해낼 것이라고 믿는다.

용기를 불어 넣어주는
인생 4막(幕) 이야기

오늘도 힘차게 살아간다.
성공+희망+복(행운)+사랑이 있기에!

다른 사람을 거울삼아 나를 돌아보았을 때, 인생의 많은 지혜를 얻어 갈 수 있을 것이다.

청춘의 책갈피를 장식했던 참 좋은 글

내 가슴을 뛰게 만든
명구(名句)들 - 제1권 -

독서를 통해 한 자락 감동을 느낄 수 있을 것이다.
적어두고 싶은 글, 공감을 하거나 여운을 주었던
명구들을 모아 보았다.

해외 OST 전문지 추천 베스트 콜렉션

영화 음악, 사운드트랙
히트 차트로 듣다

서구 영화 음악 히트 발달사에 대한 가장 핵심적
인 베스트 영화 음악 자료를 소개한 책자.

007 제임스 본드 25부 + 〈조커〉
그리고 무성영화 걸작까지

영화, 스크린에서 절대 찾을 수 없는
1896가지 정보들

영화 관람에서 놓쳤던 기기묘묘한 영화 상식을
흥미롭게 증가시킬 수 있는 영화 정보 서적이자
영화 만물 사전.

이경기의 영화 총서   흥미진진 시네마 천국의 세계

스티븐 스필버그도 궁금해 하는 절대적 영화 파일 1,001

제1권 영화 일반 흥미진진 에피소드

〈보헤미안 랩소디〉 흥행 비화 및 극장 의자는 왜 붉은 색일까? 등 극장 화면에서 펼쳐졌지만 무심하게 지나쳤던 영상 세계의 정보 수록.

제2권 히트작 흥미진진 에피소드

괴도 신사 뤼팽, 〈돈키호테〉, 마술 영화 등이 장수 인기를 얻고 있는 매력 포인트 분석 등 할리우드 흥행 영화의 히트 요인 등을 감칠맛 담긴 에세이 스타일로 구성.

제3권 배우, 감독 흥미진진 에피소드

팝 스타 겸 배우 마이클 잭슨 업적, 007 제임스 본드 히트의 1등 공신 본드 걸이 남긴 일화 등 해외 발행 연예 매체 뉴스를 국내 실정에 맞게 종합 구성.

제4권 흥행가 흥미진진 에피소드

성인 영화의 대명사 〈목구멍 깊숙이〉 상영 저지를 위해 미국 첩보 기관까지 동원됐다는 흥미로운 비사 등 스크린 밖에서 펼쳐지고 있는 다양한 핫 이슈 수록.

제5권 영화 제목 흥미진진 에피소드

'갈리 폴리 전투'의 역사적 의미, 〈다모클레스의 검〉〈달과 6펜스〉 등 히트작 제목에 담겨 있는 서구 신화 일화를 일목요연하게 정리.

제6권 지구촌 영화계 흥미진진 에피소드

닌자 영화에 스며있는 일본인들의 민족 특성을 비롯해 말보로 등 담배 영화가 남성 관객들의 호기심을 끌고 있는 심리적 요인 등 영화 세계가 전파시키고 있는 감추어진 토픽을 집대성.

이경기의 영화 음악(OST) 총서 시리즈

국내 최초이자 가장 방대한 분량의 영화 음악 해설서
팝 전문지 『빌보드』 『롤링 스톤』 誌 강력 추천

영화 음악, 죽기 전에 꼭 들어야 할 OST 5001

각국 음악 전문가들이 사운드트랙의 의미와 가치를 평가하는 전문적 평외에도 각 영화에서 배경 음악이나 삽입곡들이 어떤 효과를 보여 주고 있는지에 초점을 맞추어 원고를 구성, 영화와 음악 애호가들은 좀 더 새로운 시각에서 작품을 음미해 볼 수 있도록 했다.

제1권 〈갈리폴리〉〈갈매기의 꿈〉에서 〈리틀 숍 오브 호러〉〈리틀 트램프〉 까지 126편

제2권 〈마고 여왕〉〈마다가스카 2〉에서 〈빠리가 당신을 부를 때〉〈빠삐용〉 까지 110편

제3권 〈사 계〉〈사관과 신사〉에서 〈일요일은 참으세요〉〈일 포스티노〉 까지 167편

제4권 〈자이안트〉〈작은 신의 아이들〉에서 〈후즈 댓 걸〉〈흑인 오르페〉 까지 169편

무라카미 하루키, 재즈와 영화 음악을 말하다

동양이 배출한 세계적 문호(文豪)가 역대 베스트 셀러 속에서 언급한 재즈 아티스트와 그들의 업적이 담겨 있는 사운드트랙 리스트 수록.

게리 멀리간, 글렌 밀러, 냇 킹 콜, 빌리 할리데이 등 재즈 역사를 장식한 아티스트 40인에 대한 에세이 열전.

국판. 320p | 17,600원

영화음악, 그것이 정말 알고 싶다!

영화는 음악을 타고(Singing In The OST)

2019년을 기준으로 탄생 92주년을 맞이하는 영화 음악의 역사를 각 시기별로 조망해 그 동안 영화 음악 장르가 어떠한 역할을 해왔으며, 앞으로는 또 어떤 방향으로 영화 세계와의 교류를 모색할 것인가를 알아볼 수 있도록 구성했다.

국판. 498p | 24,800원

영화음악.. 사소하지만 궁금한 501가지 것들

-사운드트랙 탄생 92주년(1927~2019) 기념-

2019년은 1927년 알란 크로스랜드 감독이 〈재즈 싱어 The Jazz Singer〉에서 알 존슨이 열창해 준 'My Mammy' 'Toot Toot Tootsite Goodbye' 'Blue Skies' 등의 노래를 삽입함으로써 유성영화 시작을 선언한 때부터 92주년이 되는 의미 깊은 해.

이와 같은 뜻 깊은 시기에, 지나온 세계 영화음악사의 움직임을 우리 시각에 따라 기술해 본 것이 이 책의 특징이다.

국판. 470p | 23,600원

영화음악이 사랑한 팝송 베스트 89

각국 음악 전문가들이 사운드트랙의 의미와 가치를 평가하는 전문적 평 외에도 각 영화에서 배경 음악이나 삽입곡들이 어떤 효과를 보여 주고 있는지에 초점을 맞추어 원고를 구성했기 때문에 영화와 음악 애호가들은 좀 더 새로운 시각에서 작품을 음미해 볼 수 있도록 하였다.

국판. 434p | 22,200원

푹 빠지게 만드는 또 다른 시네마 천국의 세계

영화 엄청나게 재밌는 필름용어 알파 & 오메가
1권, 2권, 3권

영화 용어는 영화를 효과적으로 관람하기 위한 최소한의 준비 재료이다 국내외 주요 일간지와 방송가에서 빈번하게 쓰고 있는 영상 용어를 국내 출판 사상 최초로 엄선해 용어의 탄생 유래와 구체적인 사용 사례를 보다 심층적이고 다양한 영상 세계에 대한 체계적인 학습을 할 수 있는 참고 자료로 꾸몄다.

스크린을 수놓은 고전 음악의 선율들

시네마 클래식 2022 Edition

영화계는 고전 음악을 배경 곡으로 차용함으로써 관객들에게 영화에 대한 호감도와 작품에 대한 품위를 높이는 이중 효과를 거두어 왔다. 클래식이 영화 음악으로 효과적으로 쓰일 수 있는 다양한 작품을 볼 수 있다.

당연히 알 것 같지만 전혀 몰랐던
영화제작 현장 일화들

영화 흥행 현장의
기기묘묘한 에피소드

이 책은 주로 할리우드 제작 현상에서 쏟아진 정보를 다양하게 집대성한 에피소드 모음집이다.

21C 언택트(Untact) 시대에서
〈기차 도착〉까지

영화계를 깜짝 놀라게 한 이슈 127

이번 책자는 영화 역사에서 획기적인 계기를 초래한 사건을 파노라마처럼 엮은 영화 교양서이다.
필독서로 늘 유용하게 활용될 책자라고 자부한다.

서구(西歐) 소설+신화+감독+작가들이
창조한 영상 세계

영화계가 즐겨 찾는 흥행 소재

영화계가 가장 고민하고 큰 비중을 두고 있는 것
이 '뭐 확 끌어당길 만한 이야기꺼리 없어?'라는
질문이다. 그에 대한 해답을 조금 엿보기로 하자.

스크린 명언 명대사 콜렉션

영화 관람하다 찾아낸
암기하고 싶었던 그 한마디

작가들의 땀과 영화 혼이 배어있는 촌철살인의 지
혜는, 영화 애호가들에게 대화의 소재를 다양하게
해 줄 언어 화수분이 되어 줄 것이라고 믿는다.

한국에서 영화칼럼니스트로 산다는 것은

영화 기자는 영화를 모른다

패기만만한 초년 기자 시절부터 직접 체험한 취재
뒷이야기와 국내외 유명 엔터테이너들을 만나고
나서 느낀 소회와 짧은 인연의 사연을 실었다.

사운드트랙이 남긴
달콤 쌉싸름한 이야기들

영화 음악, 이런 노래 저런 사연

영화 배경 음악 단골로 활용되고 있는 팝 선율이나 클래식이 탄생되는 뒷이야기를 모아 본 탄생 스토리는 색다른 영화 음악 감상법을 제공할 것이다.

스크린을 바라보는 삐따기의 또 다른 시선

영화가 알려주는
세상에 대한 모든 지식

관객들이 무심코 흘려보낸 극중 사건의 의미, 등장 인물들이 제시한 귀감이 될 만한 인생 교훈 등 영화 한 편을 통해 다양한 정보와 상식으로 구성하였다.

사운드트랙이 남긴
달콤 쌉싸름한 이야기들

영화 음악 2019-2022
시즌 핫 이슈 콜렉션

흥행작 중 영화 음악으로 재평가 받고 있는 작품들을 정리한 최신 영화 음악 뉴스 모음 칼럼집이다.

한 vs 영어 대역(對譯)으로 읽는
영화감독 31인 육성 고백 /

영화란 도대체 무엇인가?

한 vs 영어 대역(對譯)으로 읽는
영화음악 작곡가 22인 육성 고백

영화란 도대체 무엇인가?

인간의 희로애락(喜怒哀樂)을 부추겨 주고 있는
'영화라는 매체의 정체는 무엇일까?' 이 책을 통해
진솔하게 고백한 수많은 영화인들의 육성 메시지
를 접할 수 있을 것이다.

한 vs 영어 대역(對譯)으로 읽는
영화음악 작곡가 22인 육성 고백

영화음악이란 도대체 무엇인가?

영화 음악을 직접 창작해 내는 일선 작곡가들의 육
성 증언을 통해 '영화 음악에 대한 의견이나 직업
적 가치관, 음악을 하게 된 성장 배경 등 허심탄회
한 소회를 들어볼 수 있을 것이다.

2021-2022 시즌 핫 토픽
사운드트랙 앤소로지(anthology)

영화 음악 <미나리> <블랙 팬서>
그리고 OST 289

1950년대 흘러간 명화부터 2022년 근래 뜨거운 호응을 불러 일으켰던 작품과 영화 음악으로 이슈를 만들어낸 화제작 등 영화 음악 해설을 담고 있다.

2021-2022 시즌을 장식한 Hot OST

영화음악 크루엘라 + 캐시 트럭 그리고
빌보드 추천 사운드트랙 450

배경 음악 덕분에 꾸준히 상영되고 있는 흥행작, 팝 전문지 등에서 총력 특집으로 보도한 베스트 OST 등 원문(原文)을 병기해서 사운드트랙 해설을 접할 수 있도록 구성하였다.

『엠파이어』『할리우드리포터』
『버라이어티』 탑을 장식한 핫 이슈

영화, 할리우드를 시끄럽고
흥미롭게 만든 엄청난 토픽들

할리우드 현지에서 발간되고 있는 영화 전문지와 엔터테인먼트 관련 매체에서 쏟아내는 뉴스와 토픽은 대형 화면에서 펼쳐지는 감동적 화면에 버금가는 호기심을 줄 것이다.

해외 음악 전문지 절대 추천 사운드트랙 퍼레이드

영화음악 21세기 최고의 사운드트랙 2525

미국 및 영국 등 영화 선진국에서 발행되는 영화, 영화 음악, 대중음악 및 연예 전문지 등에서 보도한 핫이슈를 특집 기획 기사를 꼼꼼하게 체크한 뒤 국내 영화 음악 애호가들의 정보 욕구에 충족할만한 내용을 중심으로 재구성했다.

할리우드 영화 음악 비평지 강력 추천
사운드트랙 퍼레이드 [1][2][3][4]

영화 음악에 대해 베스트 10으로
묻고 싶었던 것들

사운드트랙 발달에 획기적 계기를 제시했던 사건 등 주옥같은 팝 선율 중 영화 음악으로 단골 채택되고 있는 베스트 10을 선정, 핵심적인 내용을 조망해 볼 수 있도록 구성하였다.

베스트 10으로 할리우드 최신 흥행작 둘러보기

영화 틱! 톡! 100과 정보

〈영화 틱! 톡! 100과 정보〉는 책자 타이틀처럼 유튜브를 뜨겁게 달구고 있는 어플 '틱! 톡!'과 밀폐된 용기에 다양한 먹거리를 담고 있는 용기처럼 베스트 10 혹은 15 그리고 근래 극장가를 노크한 최신작 등을 30가지 주제로 묶어서 흥미로운 영화 에피소드 일화를 수록했다.

스크린을 장식한 바로 그 말(語)

영화 대사에는 뭔가 특별한 것이 있다

등장인물들이 주고받는 감칠 맛 나는 대사는 영화 흥행 성공의 1차적인 조건이다. 주인공의 성격이 규정되고, 관객이 그 주인공을 좋아하게 되는 지름길은 바로 영화 캐릭터가 구사하는 대사가 핵심적인 요소라는 점이다. 명작 영화에서 흘러나왔던 보석 같은 명대사를 엿보자.

호주 ABC Classic FM 선정 [1][2]

영화 음악을 뒤흔든 사운드트랙 100

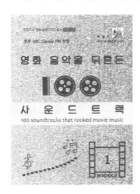 

지구촌 영화 음악 애호가들이 절대적으로 추천해주고 있는
최고의 음악 영화 100편을 소개한다.

스크린에서 펼쳐지는 우리가 몰랐던 이야기들

영화, 할리우드에서 벌어지는 무언가 특별한 이슈 2001

한 편의 영화 속에서 담고 있는 정치, 경제, 문화, 역사 등 다채로운 정보를 개별적 영화 해설보다는 유기적 관계를 맺고 있는 다양한 이슈를 분석, 재구성하였다.

최근 음악계를 놀라게 한 킬러 OST 퍼레이드

영화 음악, 흥행계를 강타한 거의 모든 사운드트랙

단순한 영화 음악 소개가 아닌 펼쳐지는 화면의 배경을 장식하는 선율이나 록 음악이 어떤 기능과 역할을 하고 있는지에 초점을 맞추어 구성했다.

사운드트랙의 감미로움을 명언 명대사로 읽기

음악 영화를 장식해 주었던 그런 대사, 저런 한 마디

영화 애호가들의 심금을 울려 주었던 '명대사들을 수집한 이색 흥미 교양서적'이라고 할 수 있다.

할리우드 통신이 전하는 핫이슈 컬렉션

영화, 화면에서 감추어 놓아
우리가 놓쳤던 이야깃거리들

공개적으로 밝히는 스토리라인 외에 주인공들의 행동 심리, 스쳐 지나가는 배경 장치 등 특색 있는 정보와 읽을거리를 담았다.

문장 천재를 감동시킨 OST 및
록 음악 매력 서너 가지

무라카미 하루키, 영화 음악과 팝을 말하다!

하루키의 작품에서 기술(記述)된 음악적 상황과 팝 아티스트에 대해 인용한 뒤 해당 뮤지션의 팝계 활동 상황을 해설하는 식으로 구성했다.

한국대표 인터넷 일간영화음악신문

Daily OST

서울시 정간물 아00071호
인천시 정간물 아01715호

데일리 오에스티
dailyost.com

영화음악 정보 제공 매체 '데일리 오에스티' 창간

영화음악에 특화된 인터넷 매체가 창간됐다.

영화 칼럼니스트인 이경기 씨는 12일 보도자료를 통해 영화음악에 관한 정보를 제공하는 인터넷 매체 '데일리 오에스티'(dailyost.com)를 창간했다고 밝혔다.

이 씨는 "영화음악은 영화 보는 맛을 배가해주는 필수 요소"라며 "데일리 오에스티의 영화음악 정보는 온라인 일간지 형식으로 매일 업데이트될 것"이라고 말했다.   – 연합 뉴스 2023년 6월 12일자

영화 음악 정보, dailyost.com에 다 있습니다!

한국대표 인터넷 일간영화음악신문

OST
dailyost.com

강화대학교총동문회

☰ OST 스페셜 토픽 | 신보 뉴스 | 사전 | OST 작곡가 | 칼럼 | 인터뷰+피플 | ost 잡학 교양 🔍

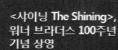

<샤이닝 The Shining>, 워너 브라더스 100주년 기념 상영

공포 스릴러 영화의 명작인 원조 스탠리 큐브릭 감독의 이 국내 극장가에 누크인과 제작사 워너 브라더스 창립 100주년을 맞아 진행하는 특별 관람전을 통해 영화 관람 기회가 주어진 것이다. ~

많이 본 기사

1 돈 키호테 Don Quixote 주 강 냉철 중 아이디어 연원
2 바비 핸드에서 펼쳐지는 환상적 모습
3 우나 모닝을 휴 이럴 일적 한 낫다면!
4 다시 살아난다 해도 영화를 할 것이다
5 숫자 12, 페라클레스의 그 들스턴 노역(勞役) 상영

어린가의 영화음악실

DailyOst 영화 음악 총서

Dailyost 유튜브
달 러웨이 부인 Mrs. Dalloway-버지니아 울프가 집

영화음악을 작곡할 수 없다면, 그것은 나를 죽이는 것이다. 내가 아침에 일어나는 이유는 바로 영화음악을 작곡하기 위해서이다.
If I can't compose film music, it kills me.
The reason I wake up in the morning is to compose film music -한스 짐머

Dailyost 포토 뉴스

<미드나잇 익스프레스>, 얼트릭틱 사운...

<스파이더맨: 어크로스 더 유니버스>, 미래 모빌리티 비전 전격 공개

<트랜스포머: 비스트의 서막> 대 전투 배경이 된 마추픽추

일본 애니 <스즈메의 문단속> 7월 시네마캐슬에서 연장 상영

OST 커버 샷

칼럼

국재식 할리우드 통신
<트랜스포머: 비스트의 서막> 대 전투 배경이 된 마추픽추

김정환 세상 읽기
암 환자를 살려 낸 인사말, 실을 story

이유영 씨네칼럼
<남은 인생 10년>, 고마츠 나나와 사카구치 켄타로 감사 영상 공개

이행석 ost review
<매그놀리아 Magnolia>

파이어하트, 뉴욕 초보 소방관 3인의 해프닝

<플래시>, 최애 영화이자 역대 가장 훌륭한 히어로 영화!

라이언 고슬링 + 마고 로비 <바비> 홍보 차 방한

'See You Again', <분노의 질주> 역대 최고 주제 음악 선정

<바람과 함께 사라지다>, 2023년 12월 8일 주요 각국 앰플 상영

<남은 인생 10년>, 고마츠 나나와 사카구치 켄타로 감사 영상 공개

'영화와 음악이 만났을 때'

한국판 imdb.com이 포부! 영화 기자 35년의 여정,
네이버 프리미엄 콘텐츠 통해 서비스!
기억하십시요! 이제 영화와 영화 음악 정보는

https://contents.premium.naver.com/dailyost/film